El secreto del pirata

El secreto del pirata

Vicente Álvarez

Rocaeditorial

© Vicente Álvarez

Primera edición: enero de 2005
Segunda edición: abril de 2005

© de esta edición: Roca Editorial de Libros, S.L.
Marquès de l'Argentera, 17. Pral. 1.ª
08003 Barcelona
correo@rocaeditorial.com
www.rocaeditorial.com

Impreso por Industria Gráfica Domingo, S.A.
Industria, 1
Sant Joan Despí (Barcelona)

ISBN: 84-96284-46-8
Depósito legal: B. 15.877-2005

El secreto del pirata es una nueva versión, corregida y renovada
de *Pequeño catálogo de piratas y soledades*, novela publicada
en 1998 por Difícil Editores.

Y Jim Morrison descendió del póster de las cuatro chinchetas plateadas para asesinar a Iris Latorre... El mismo Jim Morrison, con la mirada perdida y penetrante a la vez, los vaqueros caídos y gastados, y el torso desnudo, que presidía la caótica y desordenada habitación de Iris, tan caótica y desordenada como la melena del alucinado poeta. En el viejo tocadiscos, reliquia de momentos y lamentos, se escuchaba, en ese preciso instante, la voz desgarradora, como un susurro atravesando la noche, de un Morrison perdido en un desierto de dolor.

Los viejos discos de vinilo se amontonaban en el suelo, se retorcían, se acariciaban, se devoraban *The River* y *Space Oddity*, *The Wall* y *I'm Your Man*. Junto a los discos, sobre una moqueta de un rojo encendido, tres cojines estampados con dibujos de Matisse, un globo terráqueo de madera y una cama de agua, deshecha y llena de pequeñas lunas, de trozos de noche. Desde la habitación, confundiéndose con los jinetes en la tormenta y acompañando el pequeño ruido de fondo del disco gastado y sucio, las gotas de agua de la ducha iban llenándolo todo.

Fuera se adivinaba una noche danzarina y juguetona, con su luna llena, tan inmensa como depredadora, que daba luz a unos turbios ojos detrás del armario, escondidos y anhelando la lluvia en el cuerpo de Iris Latorre. El disco acababa de terminar y el ruido de la aguja sobre el último surco comenzó a perpetuarse infinitamente. Iris salió de la ducha, cogió una toalla de vivos colores y se acercó al machacado tocadiscos. Giró el brazo del viejo aparato y dio paso, de nuevo, a la vieja melodía de jinetes en la tormenta. Iris, mientras tanto, empezó a secar, ante la mirada deslumbrante de unos ojos de paso, su cuerpo pequeño y exquisito, de proporciones agradables, clásicas, envidiables. Su larga melena comenzó a perderse entre la toalla, recogiéndose con delicadeza en una pequeña colina de agua y, agachada, desnuda, exageradamente sensual, se secó el cabello con la toalla al ritmo que imponía la relampagueante música sobre las cuatro paredes de la gran habitación. Los solos del piano eléctrico estallaron cuando la puerta del armario, refugio de sueños torcidos, se abrió. Alguien se acercó a Iris y la golpeó con una pequeña bola de cristal que decoraba, minutos antes, de forma callada e inocente, la mesilla de noche. Iris cayó al suelo, el cabello vencido, alborotado, mojado, y el cuerpo, sin disfraz ni adorno, se dejó arrebatar por el calor de la moqueta. Una pequeña mancha de sangre se unió a la incandescencia carmesí del suelo. El cerebro de Iris, escarpado y roto, sintió cómo entraba dentro un tobogán de alcohol de muerte, de fuego indigno. Poco después, perdía la batalla final con una cinta roja, desnuda, cruel.

La habitación, llena de guitarras noctámbulas, comenzó a despertarse con la sensación final de la derrota, con el opresivo sentimiento de haber perdido, definitivamente, la última partida de póker. Sobre el suelo se mezclaban, alrededor del cuerpo sin vida de Iris Latorre, un par de cajones de madera llenos de prendas íntimas, varios folletos de publicidad, una montaña de pequeños frascos de perfumes, *La vida instrucciones de uso*, de Georges Perec, una cadena de oro con una cruz invertida y postales de viajes pasados, de islas griegas y piedras romanas.

◆ ◇ ◆

He vivido mucho, tal vez demasiado y, sin embargo, tengo la sensación, dentro de mí, en lo más profundo e íntimo, pero también en lo más evidente y patético, de que he malgastado toda mi vida, que la he tirado por la alcantarilla de forma estúpida. En realidad, sólo soy consciente de haber sido plenamente feliz durante un par de años, en Florencia, en mitad del paraíso, junto a Laura Gabelatti que fue ya, desde entonces y para siempre, mi musa, mi geisha de afiladas uñas, cabellos negros y besos violeta, mi principio y mi fin. Desde entonces no he dejado de preguntarme sobre la extraña y cruel razón que motiva el que siempre tengamos que enamorarnos de la mujer que no está enamorada de nosotros. Ése ha sido mi sino. Tras conocer los besos de Laura y asistir al ritual más salvaje de la más desmedida pasión, con la derrota de la vida, con la separación definitiva, con su desprecio y mi huida, se me abrieron las puertas del infierno, y en el infierno he vivido el resto de mi vida. ¿Y antes de conocer a Laura? Antes de conocer a Laura yo no existía. Y después de perderla tampoco. Me he limitado a pasar por la vida de puntillas, a escondidas, de una forma ingenuamente pasiva, buscando desesperadamente la forma más fácil de terminar de una vez con todo. Y lo que puedo asegurar, después de tantos fríos y solitarios inviernos, instalado penosamente en los tejados más sucios de la derrota y con la perspectiva que dan los años atravesados en la memoria, es que uno no puede ser feliz, no puede estar vivo, si no conoce a alguien como Laura, si no se deja atrapar por sus besos salvajes. Luego, cuando la ilusión comienza a sangrar y pierdes su cuerpo para siempre, cuando te dan la patada sutil y te expulsan del paraíso, te ves arrastrado a una existencia caliginosa, densa, patética, tirada por la borda estúpidamente, viviendo la vida en blanco y negro y dando la espalda definitivamente al arco iris. Ésa es mi historia, la misma historia que la del cielo, que se compone de múltiples e infinitas combinaciones de realidad y nada: el uno es la realidad y el cero es la nada, perfectas combinaciones binarias, base de la informática y de la vida misma. En mi caso el uno es Laura Gabelatti y el cero la nada, y desde que perdí a Laura vivo instalado en el cero permanente, en la nada absoluta. De eso hace ya tanto tiempo...

Llegué a Argentina con dos años recién cumplidos, en 1918. Mi padre, hidalgo quijotesco enamorado de la locura, tenía un hermano, más osado y menos idealista, que se dedicó a escalar ministerios antes que a flirtear con molinos de viento, razón por la cual amasó una espectacular fortuna en el Nuevo Mundo. Como las perspectivas de futuro en España se reducían a salir por los caminos buscando aventuras y ruinas, decidió enviarme a tierra albiceleste para tragar experiencias, aprender vida y no desaparecer entre los despojos que me ofrecía la rama noble de la crepuscular familia. Mi tío, Pedro Rojas, rico hacendado de la Pampa, enamorado de tierras, caballos y dineros, y, por supuesto, enemistado de forma visceral e inteligente con las lunas y nieblas de mi padre, era el propietario de una inmensa y linda mansión situada a las afueras de Santa Rosa, rodeada de eternas llanuras, donde crecí y recibí el perfume de la infancia.

Desde la ventana de mi habitación sólo se veían miles de cabezas de ganado que se convirtieron en las luces y sombras de unos primeros años encerrados dentro de un teatral y espectacular escenario monopolizado por un horizonte dorado, limpio y angustiosamente llano, hasta el punto de que había que caminar más de trescientos kilómetros para encontrar alguna pequeña colina o cerro que mereciese, siendo muy benévolos, tal calificativo. Fui un niño berreón e indómito, bocudo por las noches y travieso de día. Mi tío, sin embargo, con negras fustas soldadas a sus manos de forma permanente y con ojos siempre llenos de indefinido brillo y tremenda rigidez, supo enderezarme, a costa de transformarme en un pibe singular, solitario y retraído, sin otros pibes con los que jugar, rodeado por todas partes de gauchos y mujeres de enormes senos. Ésa es mi única, y después decisiva, memoria de tango: la soledad a la que me aferré desesperadamente y los senos anhelados, una vez encontrados y siempre añorados.

No empecé a comprender la grandeza de aquellas tierras hasta que cumplí los quince años y me vi integrado definitivamente entre aquellas gentes y aquel rico y espeso paisaje. Había tardado trece años en engancharme a la magia, en enamorarme de la Pampa y de su misterio. A esa edad mi tío me regaló un caballo que se convirtió, a partir de ese momento, en mi amigo inseparable, en el amigo que nunca tuve. Vivía sólo para *Áyax* y compartía con él todas mis penurias y alegrías, mis horas y mis días, mis silencios y las primeras caricias de la vida. *Áyax* me llevaba a través de la Pampa, de día y de noche, y juntos devorábamos kilómetros y kilómetros, atravesábamos tierra y vida juntos, conducíamos ganado hasta los principales pantanos y sectores de inundación permanente, cañadas y bañados, traíamos y llevábamos ilusiones, conocíamos a las primeras chicas y armábamos buenas bolucas en Santa Rosa.

Sin embargo, por aquel entonces, el pequeño imperio de mi tío empezó a desmoronarse. Habíamos asistido, ya antes de mi llegada, a la transformación de la Pampa en una de las principales regiones del mundo productoras de carne gracias, entre otras cosas, a la introducción de nuevas razas de ganado bovino y, especialmente, y en ello mi tío fue uno de los primeros impulsores, a las nuevas técnicas, altamente

11

cualificadas, de refrigeración, que permitían el transporte y la exportación de productos perecederos. Alvear había favorecido a los ricos hacendados y a la iniciativa extranjera pero con la vuelta de Yrigoyen, en 1928, todo cambió: los sectores oligárquicos se vieron perjudicados por su política y, para mayor desgracia, la crisis mundial del 29 acabó por dar el pistoletazo de salida al declive del sector agroexportador. Tan grande era el descontento que, desde diversos y poderosos sectores, se apoyó un golpe militar, en septiembre de 1930, que pronto se caracterizó por una clara influencia ideológica del fascismo europeo. Luego, más adelante, con el Tratado Roca-Runciman, firmado entre Argentina y Gran Bretaña, la economía argentina empezó a someterse al dictado británico. Con la excusa de la protección del mercado de las carnes, muchos hacendados de la Pampa acabaron, en realidad, arruinándose. Uno de ellos fue mi tío, que tuvo que vender toda su hacienda y trasladarse a Buenos Aires. En aquellos años, empezaba mi carrera de Derecho en la Universidad Nacional de la Pampa, conocía a nueva gente y llegaba a mis manos un ejemplar de *Tirano Banderas*, de Valle, que me lo morfé directamente. Desde entonces, ese libro me acompañaría el resto de mi vida, y con él Santos Banderas, Roque Cepeda y todo el país de Santa Fe de Tierra Caliente. Sin embargo, aquella nueva época no duró mucho. El imperio de mi tío, derrumbado y tirado por el suelo, tan derrumbado y tirado por el suelo como mi propio tío, no necesitaba a nadie, y a mí tal vez menos. Además, desgraciadamente, por esas mismas fechas, mi padre murió. De España llegaban las primeras noticias después de muchos años, y eran noticias de muerte y locura, algo que iría cosido a mi piel durante bastante tiempo, algo que, tal vez, nunca me haya abandonado.

Debía regresar a casa y abandonar definitivamente lo que tanto había tardado en entrar en mis venas. Lo único que tengo claro, ahora lo veo, después de tantos años, es que allí perdí mi infancia y que nunca más la recobré, por eso *Áyax* sigue trotando por mi cerebro cada noche llamando a la puerta de otra vida, regresándome salvajemente al perfume de la niñez.

—No hay ninguna duda: el cuadro es original. —Igor Zanussi era muy alto, con gafas de fina y extravagante montura, trajes exquisitos y modales refinados. Enigmatista culto y experto en arte. Trabajaba en la embajada polaca y, a la vez, estaba reconocido, entre los elitistas círculos de las grandes galerías, como uno de los mayores conocedores del mercado artístico europeo. Manejaba todos los asuntos de forma profesional y reservada, y sabía cómo y con quién tratar. Zanussi acababa de llegar de Barcelona, donde una prestigiosa empresa había dado a luz los primeros resultados de los análisis realizados a un presunto cuadro de Claudio de Lorena y, lleno de entusiasmo y excitación, desplegó sobre la amplia mesa de nogal varias fotos y una decena de folios perfectamente mecanografiados que escupían toda una montaña de nuevas verdades ante los atónitos e incrédulos ojos de Zoé Latorre.

El despacho de Zoé era tranquilo y agradable aunque resultaba frío, demasiado mecanizado, ahogado en diseños ultramodernos. Los libros rodeaban a lo ancho la gran habitación y, en uno de los lados, un inmenso ventanal dejaba entrar todo un torrente de luz. Desde dentro se podía vislumbrar una acogedora piscina y un idílico jardín con blanquísimas sillas, un par de mesas, un coqueto bar y una tumbona. En uno de sus extremos, una pequeña cortadora de césped aguardaba su turno para acabar de hacer del lugar un paraíso muy especial.

13

Zoé se agachó, dejando entrever unos magníficos muslos y el principio juguetón de una media negra, de un deseo sublime, apoyó los codos sobre la mesa, revisó una por una las fotografías, leyó de nuevo el informe y acabó por volverse loca de alegría.

—¿Estás seguro? Después de todo, el lorena es original. ¡No me lo puedo creer! Mi padre tenía razón. —Zoé miró con sus ojos oscuros a Zanussi y le desnudó como sólo ella sabía hacer, buscando respuestas, miradas cómplices, elocuentes gestos, sonrió como sólo ella era capaz, contagió la habitación de vida.

—Pues tienes que empezar a hacerte a la idea —susurró Zanussi, impertérrito, ausente en mitad de la alegría, intentando calmar a Zoé a base de envolverla dentro de la locura que tanto deseaba—. En un par de días llegarán las últimas conclusiones del laboratorio, los informes finales. Creo que debo acercarme de nuevo a Barcelona. ¡No puedo esperar! De todas formas, con todo esto que tenemos encima de la mesa, ya es definitivo. La leyenda que envolvía este cuadro puede pasar a la historia. Es un cuadro original, sin duda.

—Tú sabes mejor que nadie que el cuadro tiene otra leyenda...

—Esa leyenda, ahora, después de lo que acabamos de descubrir, es todavía más leyenda... —comentó Zanussi, amagando el gesto del que se sabe victorioso en el combate más difícil.

En ese preciso instante, la puerta del despacho se abrió, dejando que un ceremonioso punto negro descompusiese la lluvia de luz que presidía la habitación. Desde la puerta, atravesada por la urgencia y el miedo, se asomó una silueta conocida para ambos.

—Jorge, ven, tenemos maravillosas noticias. —Zoé se abalanzó sobre el caballero de pelo blanco y, llevada por un inmenso e inabarcable sentimiento de felicidad, no fue capaz de entender su mirada. Cuando Zoé llegó hasta él, Jorge Castillo la abrazó con todas las fuerzas que supo reunir. Sus manos recorrieron la espalda tersa, y luego se enredaron en el negro cabello de la noche. Pasado el momento de euforia, asimilados los segundos de desconcierto ante la extraña actitud de Castillo y vuelta a la realidad de un bofetón descorazonador y fatídico, Zoé se dio cuenta de que algo grave había ocurrido. Y ya no tuvo tiempo para decir nada más, miró a Jorge Castillo, entró dentro de sus ojos y, sin saber cómo ni por qué, comenzó a llorar.

—Ven conmigo, pequeña. —Castillo se alejó del despacho con Zoé colgada de sus brazos, del columpio de un infierno.

Zanussi sólo pudo correr hasta los ojos inyectados de miedo de un criado y comprendió, en el acto, que, tal vez, la aciaga leyenda que envolvía el cuadro de Claudio de Lorena no fuese tal leyenda, que, quizá, nunca lo fue.

15

✦ ✧ ✦

El mar rugía con una fuerza diabólica, con un susurro envolvente que parecía presagiar una fuerte tempestad y el cielo, como a inconexos y, a la vez, bien aprendidos golpes de tambores lejanos, comenzó a oscurecerse de una manera que, en aquellas latitudes, no resultaba nada extraña. Junto al escarpado acantilado, la figura negra y solitaria del Duque se recortaba entre grises de cielo fundido y rojos de anocheceres prematuros. El Duque vestía, como siempre, de negro y sólo destacaba, entre sus altas botas, su casaca, calzón y sombrero de fieltro, una vistosa moneda de oro que colgaba de su cuello y que jamás apartaba de su pecho. En Tortuga era más temido y, sobre todo, más respetado que el mismísimo capitán Danko. Allí todo el mundo sabía que la locura del capitán Danko era el alcohol y sentirse a la vez dios y diablo, el saberse dueño y señor de toda la isla, la fuerza salvaje de las armas en los ojos inyectados de sangre y ron. Sin embargo, la locura que se desprendía de los ojos del Duque resultaba mucho más turbia y extraña. Nadie sabía a ciencia cierta por qué extraños parajes se adentraba su mente y lo único que comprendía todo el mundo era que aquel atormentado hombre era poseedor de un secreto capaz de obrar milagros y tragedias. Todos sabían que el Duque siempre se mantenía en un discreto segundo plano pero, en el momento en que debía tomar partido, cuando las dificultades se volvían lanzas, sus decisiones eran sagradas. Todos y cada uno de los hombres de Tortuga sabían, y el primero el capitán Danko, que el Duque era temible porque no tenía miedo a nada ni a nadie. Tal vez ya no tuviese nada que perder, puesto que ya lo había perdido todo. La gente sabía en Tortuga que incluso el mismísimo capitán Danko obedecía las miradas y los silencios del Duque como a un dios todopoderoso porque algo demasiado oscuro se escondía en cada disparo de sus ojos o en cada una de las extrañísimas palabras que surgían de su cancelada boca para escupir frases que casi nadie entendía o quería entender en una isla que sólo sabía de alegrías, borracheras y carnes desnudas.

Tras el fogonazo instantáneo de lo nunca olvidado, la mirada centelleante del Duque se fijó en el infinito. Sus expertos ojos, con una mirada que asustaba por su intensa melancolía y turbiedad, comenzaron a reconocer algo que para él ya resultaba familiar: unas velas se desplegaban en el horizonte que ahora parecía mucho más despejado y prometedor. El Duque apartó la vista del mar, se volvió por completo y comenzó a perderse a través del camino que conducía hasta la ciudad. Apoyando la mano en la culata de una de las pistolas que colgaban de su cinto y acomodando la casaca de seda negra al ritmo presuroso que se había impuesto al andar, empezó a diluirse en la lejanía.

—Vi salir a un tipo de mediana edad, de complexión fuerte, con barba muy fina y el pelo negro, muy largo. Parecía nervioso y conducía a bastante velocidad. Tuve que frenar. Luego vi cómo el coche se perdía carretera abajo y salía de la urbanización. Me extrañó pero, en un principio, no le di mayor importancia —comentaba, hundido, Castillo.

—¿Recuerda el número de la matrícula? ¿Pudo ver, al menos, el modelo, el color...?

—No, no. Sólo sé que era negro y grande. Lo siento.

La habitación de Iris Latorre estaba llena de oscuros policías que tomaban notas apresuradas, medían y catalogaban todo el mobiliario y buscaban pruebas y cordura, elucidarios mágicos, entre los restos del naufragio. En una esquina, junto al póster de Jim Morrison, un par de policías tomaban declaración a Jorge Castillo. El desorden se enseñoreaba de la gran habitación mientras dos enfermeros, que acababan de llegar a la mansión, esperaban, cerca de Morrison y de Castillo, la autorización para llevarse el cadáver de Iris. Junto a los enfermeros, con sus ojos marrones repletos de tierra y miedo, Zoé lloraba de forma desconsolada y se aferraba, con sus largas uñas pintadas de rojo, a los brazos de un Igor Zanussi que, al tiempo que trataba de erigirse en el dominador absoluto de la situación, intentaba impedir, a cualquier precio, que Zoé llegase a ver el cuerpo sin vida de su hermana.

Jorge Castillo tenía 52 años y desde los 18 vivía en la lujosa y tormentosa mansión. Tras la muerte del padre de Iris y Zoé, aquel primo tan mayor, hijo de Dorna Latorre, la hermana rebelde de la familia, el garbanzo negro ultra-

17

jado y ultrajante, se había convertido, a pesar de la diferencia de edad, a pesar de estar tan lejos de los infantiles juegos de las dos niñas, en su sustento, en su punto de referencia, en su norte y sur. Las pequeñas nunca comprendieron la locura de su madre ni la muerte de su padre; sin embargo, allí estuvo siempre Jorge Castillo para imponer sentido a la vida y, juntos, los tres, desde entonces, formar una sociedad especial que ahora acababa de desgarrarse, de despedazarse definitivamente. Castillo, aferrado a su controlada y deseada soledad, sentía que había perdido a una hija. Para él ya sólo quedaba en el mundo, en su angustioso y restringido mundo, Zoé. En ese mismo instante, amagando las repetitivas preguntas de los dos policías, comenzó a mirar una foto de los tres, abrazados en la hermosa playa de Ondarreta, y se detuvo con tristeza y descorazonadora lejanía en el cuerpo lleno de vida de Iris, en su bikini rojo con motivos florales blancos y grises, en sus pechos rotundos, en su hermoso cuerpo que le abrazaba por la espalda y ya sólo veía a Zoé, columpiada sobre sus hombros, con su bañador negro, con su sonrisa enigmática y cautivadora, la mayor droga que nunca conoció, veía la foto rota, las aguas negras, la arena roja. Se acarició el blanco cabello, se soltó los dos botones superiores de la camisa y se arrancó violentamente la corbata. Tenía unas increíbles ganas de llorar pero él nunca haría eso; en aquella familia siempre se había enseñado a ocultar los sentimientos, y las lágrimas formaban parte de la debilidad, por eso le habían sorprendido tanto los sollozos de Zoé. Hacía muchos años que no la veía llorar; incluso de pequeña, aquella mocosa se mordía la lengua antes de soltar una sola lágrima. Castillo dirigió por enésima vez la mirada hacia la puerta y volvió a ver lágrimas en los ojos de Zoé. Sintió que su mundo se venía poco a poco abajo, que se derrumbaba de forma definitiva.

En ese mismo instante, mientras intentaba aferrarse a la alegría de unos ya lejanos recuerdos, un policía de mediana estatura, vestido con traje informal y bastante arrugado, de color beis, con camisa desabrochada y gafas negras se acercó hasta él:

—Me temo que tendremos que molestarles más de una vez. Me llamo Camilo Batista y voy a ser el encargado de conducir las investigaciones. Sabemos que no es un buen momento... Lo siento.

Batista, con un expresivo gesto de su mano derecha, llamó a uno de sus hombres, le comentó algo en voz baja y salió de la habitación. Castillo, mientras tanto, observó, desde su angustioso rincón, cómo el estropajoso policía se acercaba a Zoé y le dirigía unas palabras. Luego vio cómo salía de allí sin parar de dar órdenes y de hacerse dueño de una situación que, sin duda, resultaba habitual para él. Jorge Castillo aprovechó la ocasión para atravesar la habitación desgajada y se abrazó a Zoé, notando sobre su pecho las agitadas convulsiones del pequeño cuerpo de la mujer. El viejo martagón se sintió desvalido, perdido, como drogado e incapaz de comprender nada ni de querer hacerlo. Sólo acertó a aferrarse desesperadamente a Zoé, a sentir sus afiladas uñas en la espalda, a besar su pelo, a aspirar su fragancia, a llenarse de ella y volver a sentir el aroma exquisito de sus negros cabellos.

Sólo tuve que poner un pie en este bendito suelo para que una espesa nube negra apareciese en mi vida, como desasosegante cortina de humo que empezaba a danzar sinuosamente alrededor de mi cuerpo, ahogándome con nudos corredizos y resbaladizos que anudaban y desanudaban mi garganta. Nunca creí sentirme bien del todo en Argentina hasta que la abandoné. Se había muerto *Áyax* y con él mi infancia, pero también los espacios abiertos de la Pampa, que me daban oxígeno y vida, y también el olor del pan recién hecho, el murmullo solitario de vidalitas de luz y ojos de tango.

Nada más llegar a España y visitar, en Valladolid, a mi desconocida familia o lo que quedaba de una familia rota y desgarrada, decidí trasladarme a Madrid donde, por entonces, había más posibilidades de encontrar trabajo y, sobre todo, donde pensaba que resultaría más fácil acercarme al espíritu de Buenos Aires, de cosmopolitismo maldito y hermoso, algo que sería difícil encontrar en una pequeña ciudad de provincias. En Madrid no tardé mucho en conseguir trabajo como conductor en una industria de óptica e instrumentos de precisión situada en la calle Goya. Por las tardes, además, valiéndome de mis conocimientos de mecánica y de mi experiencia en la fábrica como conductor, daba clases en la Dirección General de Seguridad. Allí, como único recuerdo alegre de una época triste y melancólica, conocí a Teresa, una chica encantadora, menuda, vital, llena de miedos e ilusiones, de ricos pasteles y buñuelos de viento en sus ojos. Era una de las dos secretarias del jefe de personal y pronto comenzamos a salir juntos. Cada atardecer, tras terminar nuestra jornada laboral, paseábamos por el barrio de Salamanca, donde ella vivía, en la calle Torrijos, y construíamos juntos un mundo de sueños ingenuo y feliz, rodeados de niños y felicidad. Sin embargo, la alegría nunca duró mucho en mi casa, ésa ha sido una constante a lo largo de mi vida. Era el 18 de julio de 1936 y entraba en España, por todos los lados, el infierno.

Pronto la angustiosa guerra entre hermanos se pegó a nuestras tripas como una pegajosa y asquerosa lapa, vomitando miserias de forma inmunda sobre nuestra gente y sobre nuestras ilusiones más infantiles. Al día siguiente del Alzamiento, el 19 de julio, Teresa y yo pudimos ver, atravesados por ojos de fantasmas apocalípticos, cómo cuatro de nuestros compañeros de la fábrica, encabezados por el delineante, el mismo con el que solíamos desayunar, se llevaban por la fuerza al contable de la empresa. Su destino, como supimos a los tres días, cuando apareció su cadáver, fue la Casa de Campo. A partir de entonces, los bailes macabros, las danzas despreciables y surreales, se sucedieron con desoladora frecuencia. Y es que, aunque acababa de empezar la guerra, habíamos llegado ya a las más altas cumbres de la miseria y de la ruindad. Nos encontrábamos metidos dentro de una cruel batalla en la que todos estábamos dispuestos a comernos los ojos, como buitres milenarios y despreciables. No había tardado mucho en comprender que la muerte y la miseria se pegaban definitivamente a mi piel, dispuestas a explotar en cualquier momento. Sabía que no estaba preparado para aguantar coces de locura de forma tan temprana pero creía estar enamorado, y confiaba en que me daría las fuerzas suficientes. No sé en qué me confundí más. Lo cierto es que aguanté hasta el final como pude la guerra, pero no el amor. De todas formas, llevo tantos años preguntándome, en este bendito torreón, si habrá alguna diferencia, que ya da lo mismo, todo da lo mismo...

21

Hacía mucho frío en el pequeño apartamento. Larios se acababa de levantar de la cama y, con el torso desnudo y un pantalón de pijama verde botella, con la mirada perdida, se acercó hasta la ventana para observar lo de siempre, un domingo triste y monótono. Otro más. Con expresión atolondrada y cansada, asqueado de sus noches interminables, se refugió en un par de pesas y, durante unos minutos, jugó con ellas. Llevaba años rehuyendo violinas nocturnas, enganchándose a malos viajes, abrazando derrotas, y siempre acababa al borde del precipicio, agotado de pensar demasiado, hasta el punto de sentir verdadero pánico por todo aquello que cruzaba su mente. Sin embargo, sabía que no podía dejar de hacerlo. La mañana era eterna, la tarde anodina, la noche un infierno. Se preguntó cuántos años llevaba sin apenas dormir y no encontró ninguna respuesta, aunque de sobra la conocía. Se acercó, como cada mañana, a una pequeña estantería repleta de libros y cogió uno al azar, lo acarició y buscó sueños y vida entre sus páginas. Acababa de tomar entre sus manos el mismo libro de siempre y, como buscando a alguien que le escuchase, que le quisiera escuchar, leyó unas líneas en voz alta. Miró una gran foto de Robert De Niro con unos bíceps descomunales, expresión aterradora y un tatuaje donde se podía ver un corazón roto junto a un nombre, *Loretta*, y comenzó su eterno ritual: *Cuando Gregor Samsa se despertó una mañana después de un sueño intranquilo, se encontró sobre su cama convertido en un monstruoso insecto.* «¿Qué me ha ocurrido?», Larios tiró el libro, echó a correr y se escondió en el cuarto de baño. Se miró al espejo y volvió a verse derrotado, hundido, muerto en vida, dándose cuenta en el acto de que la agonía de vivir en el caos estaba poco a poco apoderándose de él. Y, sin dejar de mirarse en el espejo, se preguntó por qué, casi siempre, caía en sus manos el mismo libro. Era como una maldita broma de una noche aciaga. Se mojó el rostro con agua fría y volvió al salón, recogió el libro entre sus manos y leyó algo que había escrito a lápiz encima de las frases que acababa de leer, copiándolo de algún lugar, de algún poeta perdido: *Al despertar Franz Kafka una mañana, tras un sueño intranquilo se dirigió hacia el espejo y horrorizado pudo comprobar que:*

a, seguía siendo Kafka
b, no estaba convertido en un monstruoso insecto
c, su figura era todavía humana.
Seleccione el final que más le agrade marcándolo con una
equis.

Larios se detuvo a pensar lo fácil que podía ser todo en la vida, bastaba con elegir y marcar con una equis lo que se deseaba. Sin embargo, colocó el libro sobre la estantería y se acercó hasta un pequeño equipo de música. De una torre de madera adyacente repleta de discos cogió entre sus manos uno de ellos y, tras depositarlo suavemente sobre la bandeja, empezó a escucharlo. Se encaminó a la cocina y puso a calentar café. Al fondo surgió una guitarra mágica, acompañada de unas extrañas voces, una paleta brasileña, un mundo tremendamente conocido para él. Se sentó y comenzó a degustar el fuerte y amargo café, droga pura y dura, esencia de vida.

23

Mientras tanto, Silvia, que se acababa de levantar, se dirigió al equipo de música y bajó el volumen. Entró en la cocina y, sin pronunciar una sola palabra, se sirvió un poco de café. Se sentó frente a Larios y comenzó a beber despacio. Sólo vestía un camisón blanco, casi transparente. Un tirante cayó sobre uno de sus hombros y no se molestó en subirlo. Con las manos acunó sus rubios cabellos y empezó a dibujar con los dedos figuras ondulantes sobre la mesa. Pasaron los minutos y el café comenzó a eternizarse. Para entonces, la música de guitarras vaporosas había conseguido meter toda una catedral dentro de una pequeña maleta.

—Me voy, no aguanto más. —Silvia se acababa de levantar de la silla, llevando, entre sus manos, la taza de café, se había vuelto y, dando por completo la espalda a Larios, se puso a mirar por la ventana de la cocina, dejando que su cuerpo desnudo se desdibujase entre el humo del cigarrillo que Larios acababa de encender y la blanca seda. El silencio, como una pesada y tortuosa plancha metálica, continuó interponiéndose entre los dos.

—No me quieres, nunca me quisiste. Y yo no puedo sustituirla... —Silvia dejó la taza de café sobre la mesa y abandonó la cocina.

En el aire sólo permanecía la hora final, una música que cerraba los ojos de Larios para siempre.

Tortuga, un pequeño trozo de tierra de 60 leguas en medio del mar, se había transformado en un fortín inexpugnable ocupado por los hombres más libres, temidos y salvajes del Nuevo Mundo. Allí se habían refugiado filibusteros, bucaneros, rameras y todo aquel que huía de algo o alguien; también todo aquel que deseaba ganar dinero rápidamente y gastarlo más rápidamente aún. En la parte meridional de la isla un centenar de casas miraban desafiantes al coqueto puerto que servía de entrada a ese infierno/paraíso tan peculiar. Era bastante grande en comparación con el tamaño de la isla. En realidad, las dos únicas cosas decentes de la isla con sabor a ron eran su puerto de dos entradas por donde podían pasar navíos de hasta 70 piezas y sus tabernas y prostíbulos que se adecentaban mientras los barcos faenaban lejos de su miseria para caer en la gloria de lo salvaje cuando regresaban repletos de oro, plata, sedas y alcohol.

Cientos de hombres y mujeres de ojos curiosos se arremolinaban en el puerto y alargaban su mirada de manera forzada hasta el horizonte. Sabían que el capitán Danko era el que se acercaba y sospechaban que el botín apresado debía de ser fastuoso porque el *Roccobarocco* llevaba unos minutos disparando andanadas al viento y porque en su cubierta se respiraba una fiesta que, a pesar de la distancia, sentían muy cerca todos los habitantes de Tortuga. Se daban cuenta que la vida para ellos se iba a alargar unas cuantas semanas al menos, que todos iban a sacar provecho de lo que, con toda seguridad, rebosaba el *Roccobarocco*. Sombreros y pañuelos empezaron a cubrir, como un arco iris especialmente coloreado, toda la isla, y el olor a vino y a ron comenzó a penetrar por los cinco sentidos de todos los desgraciados allí congregados.

En ese preciso instante, el Duque llegó a pie de puerto. Todos apartaron la vista del horizonte y espiaron cada uno de sus movimientos. Sabían que el capitán Danko le había nombrado capitán de tierra y, desde la distancia, era siempre el verdadero artífice de las últimamente increíbles y afortunadas correrías de Danko.

—¿Algún problema? —El Duque acababa de dirigirse a un hombre alto, de aspecto rudo y mirada perdida, que vestía algo parecido a una sotana negra.

—No, todo va bien. El mar es una balsa de aceite.

Padovani se había acercado hasta el Duque dándole las últimas consignas. El *Roccobarocco*, como tantas otras veces, haría su entrada triunfal y descargaría, durante días, el suculento botín. Para Padovani ese proceso resultaba algo rutinario. Ya había olvidado los nervios que sintió la primera vez que se encargó de dirigir al *Roccobarocco* hasta puerto, ya no recordaba el salvaje proceso de aprendizaje que tuvo que padecer para que los filibusteros le aceptasen y que sólo pudo terminar gracias a la ayuda del Duque, que ejerció como instructor, maestro y protector y, sobre todo, había olvidado la locura de haber muerto en vida. Boris Padovani formó parte, durante tres años, de la tripulación de un barco inglés hasta que, tras ser sorprendido robando alimentos de la despensa, fue abandonado en una isla del Caribe, en un islote rodeado de múltiples escollos, fuera de todas las rutas conocidas y sin vida vegetal ni agua. Allí tuvo que malvivir durante siete años, alimentándose de mariscos y tortugas, comiendo su carne y bebiendo su sangre. Cuando fue rescatado por un barco pirata tenía el cuerpo cubierto de pelo y apenas pronunciaba palabra alguna. Ahora, mientras observaba al *Roccobarocco* entrar en puerto, ya no recordaba eso, pero sus ojos no podían olvidar. Y las noches eran muy largas en Tortuga. Y la miseria muy grande. Era el dolor de vivir.

El Wang Tao estaba casi vacío. En la barra, frente a un botellín de Carlsberg, únicamente se encontraba Camilo Batista, como abandonado en una isla desierta, arrojado a una soledad no deseada. Mientras tanto, al fondo, dos hombres jugaban una partida de ping-pong y acompañaban la música del local, una música muy suave que servía de marco perfecto, con la agradable percusión de la pequeña pelota de celuloide golpeando contra la mesa. Batista había dejado su americana, sus gafas negras y una paleta de color rojo por un lado y negro por el otro, en una silla vacía que estaba a su lado y, con el botellín en la mano, echó un vistazo a todas las fotografías que decoraban el local, entre las que destacaba una muy grande con la regordeta figura de Wang Tao, uno de los mejores jugadores de tenis de mesa de todos los tiempos. A su lado, en formación exquisita y matemáticamente calculada, toda una corte de grandes jugadores de tenis de mesa en posturas increíbles, con el gesto torcido, los músculos en tensión y la raqueta en primer plano. Todos eran chinos, excepto Jean Philippe Gatien y Jan Ove Waldner. Cuando el dueño del Wang Tao decidió poner un negocio y se negó a engrosar la lista de restaurantes chinos que poblaban la ciudad, apostando por un bar con música suave, ambiente agradable y el reclamo de media docena de mesas de ping-pong, todo el mundo le colgó el cartel de trastornado. Finalmente, el tiempo le había dado la razón y, aunque el dinero que le reportaba el Wang Tao no le iba a llevar nunca por el sendero de la riqueza, al menos llegaba tranquilamente a fin de mes, pagaba religiosamente su sueldo a dos guapas camareras (una china de pelo negro y estatura de bonsái y una altísima rubia de Tarragona) y había conseguido sobrevivir, en los últimos años, al cierre de un buen puñado de restaurantes chinos.

La música cesó de golpe y, mientras la chica de Tarragona se disponía a poner un nuevo disco, la puerta de la calle se abrió y Carmelo Miranda, con una vieja paleta de ping-pong entre sus manos, entró en el Wang Tao. Era un hombre bajo, de aspecto duro, bigote espeso, barba de dos días, ojos muy oscuros, agrandados por unas gafas de ancha montura negra. Vestía una gabardina verde oliva que llevaba sin abrochar, una camiseta blanca muy estrecha, vaqueros y deportivos blancos.

—Llegas tarde... —Batista apuró el botellín de cerveza, cogió entre sus manos la chaqueta, las gafas y la paleta, y, sin más dilación, se dirigió hacia una de las mesas de ping-pong, hechas con pino de Suecia, como correspondía a la categoría del Wang Tao.

—He pasado por casa para recoger la paleta y cambiarme. Lo siento. He tenido muy mal día.

—¿Qué mierda te ha tocado esta vez? —Batista tocó con la mano la superficie verde y con la yema de los dedos siguió la línea blanca de los bordes hasta llegar, como en un juego supersticioso, hasta la red que dividía los dos campos.

—Lo habrás leído en los periódicos. Un asunto muy extraño. Una prostituta italiana, Lisa Conti, apareció hace menos de una semana muerta en su apartamento, con el cuerpo acribillado por 35 puñaladas, el rostro desfigurado, el vientre destrozado y extraños símbolos pintados, con su propia sangre, por todos los rincones de la casa. Hasta ahí todo normal, si consideramos normal la salvajada que te he descrito. Lo que nos desconcierta es lo que hemos descubierto hoy. El asunto puede ser mucho más grave de lo que pensaba. Al parecer, la puta, presuntamente ayudada por alguien, imaginamos que su chulo, había tendido una trampa a un importante político y le estaba haciendo chantaje con un vídeo.

—¿Y quién es el cretino que sucumbió a los encantos italianos? Encuéntrale y tendrás a tu asesino. —Batista pareció abandonar su deseo de jugar, centrándose en la conversación de su compañero.

—Sabemos quién es: Hugo Soto, el ministro. Ya sabes, uno de los principales hombres del presidente.

—¡Joder, te ha tocado el gordo! Cuidado, es peligroso... Pero ahora vamos a olvidarnos de todas nuestras miserias. Aquí hemos venido a jugar, así que prepárate.

Camilo Batista y Carmelo Miranda empezaron a pelotear. Eran buenos jugadores, formaban parte del equipo de tenis de mesa de la policía y, en su día, llegaron a disputar, de manera casi profesional, importantes campeonatos. Ahora el tiempo había pasado factura aunque la clase y el estilo permanecían. La blanca pelota de celuloide se desplazaba a una velocidad cada vez mayor sobre la mesa, rozando la red, creando figuras, formas y efectos de mil distintos coloridos. Los dos —que cogían la pala con la presa europea aunque, como casi todos los que han jugado al ping-pong, envidiaban la presa lapicero, característica de los jugadores chinos, menos perfecta pero más espectacular— se agachaban casi hasta el suelo, se apartaban espectacularmente de la mesa, creaban efectos nuevos, *liftaban* la pelota, la bloqueaban de revés, acercando la raqueta al muslo, torciendo la cintura con el peso abajo, subiendo hasta el techo la blanca pelota, haciendo del *top-spin* casi una religión, con un movimiento ascendente que imprimía a la pelota una rotación también ascendente, otorgando velocidad, ingenio, fuerza y magia a un juego de por sí mágico, el juego onomatopéyico por excelencia, repleto, como unas muñecas rusas, de sorpresas, fuerza, habilidad, tensión, emoción, picardía, velocidad, técnica y lirismo. Y cada nueva muñeca que se asomaba aportaba un poco más de lo mismo. Era la magia del Wang Tao por la noche.

El reloj acababa de marcar las doce, el local se había ido poco a poco llenando y las seis mesas de ping-pong estaban ya ocupadas. Las dos camareras sonreían mientras servían whisky, cervezas, alegría, y escuchaban el suave gorgoteo de la guitarra de Eric Clapton clavándose en la noche.

Fue pasando el tiempo como un verdugo con esperpéntico capuchón negro y no tardó en llegar la miseria, el miedo, el hambre y la destrucción a Madrid. Nos vimos rodeados, como una plaga infernal y apocalíptica, de sicarios y fanáticos por todos los lados, de obuses cayendo sobre nuestras cabezas de forma indiscriminada, de olor a azufre y muerte, de vida de contrabando al filo del precipicio. Recuerdo que una mañana tuve que rescatar a Teresa de la calle: paseaba sola, en medio de las bombas, únicamente con una combinación y un ataque de histeria difícil de describir pero muy fácil de comprender. La guerra empezaba a ser una droga de efectos devastadores sobre los desprotegidos cerebros de Madrid y, cada poco, mientras paseábamos buscando tranquilidad y un minuto de sol, debíamos escapar de la locura, refugiándonos, entre otros sitios, en el Salón de Té de Molinero, en su sótano. Allí dejábamos que pasaran las horas lloviéndonos horror y destrucción... El ruido no desaparecía, el olor a muerte era cada vez más insoportable y el miedo más cruel. La gente comenzaba a ponerse nerviosa. Tal vez estemos enterrados, ¡hay que salir de aquí!, podíamos escuchar a muchos. En realidad, en el exterior, fuera del angustioso sótano con olor a azufre, tan sólo había destrucción y muerte.

Muy pronto nuestra empresa fue requisada por el Cuerpo de Artillería del Ejército Republicano y, desde ese momento, sirvió, como tantas otras, para construir obuses. Allí nos obligaron a todos, incluida Teresa, que pasó a ser la única mujer de la empresa, a llevar uniforme. Pocos días después, Teresa consiguió evitarlo y le permitieron que lo sustituyese por una gorra y un escudo en el que figuraba impreso, de forma bastante rústica, un obús.

Mi intención, desde el primer momento, fue huir de Madrid a toda costa. No podíamos vivir, ni Teresa ni yo, en esa situación. No aguantábamos la angustia de saber si llegaríamos vivos al día siguiente; además, acabábamos de descubrir que Teresa estaba embarazada y se nos metió entre ceja y ceja regresar a Valladolid, con la familia. Antes nos casamos por lo civil, es nuestra última oportunidad, tal vez mañana estemos muertos, me repetía constantemente Teresa. Mientras tanto, seguíamos soportando miedos y angustias, y nos dábamos cuenta de que el tiempo pasaba y cada vez resultaba más difícil huir de Madrid.

En la sede de la Dirección General de Seguridad, donde acudía con frecuencia por motivos de trabajo, asistí con asquerosa asiduidad al inmundo espectáculo de ver cómo se llevaban a muchos desgraciados a la muerte y me decidí, no sé cómo, a sacar a algunos de ellos de ese cruel y estúpido destino. Me hacía cargo de algunos destacamentos de fusilamiento y, de tres en tres, por el camino, los liberaba. No sé a cuántos salvé, pero también sé que llevé a muchos a la muerte. Aquello se había convertido en una completa y denigrante carnicería, en una cruel salvajada de cuyo recuerdo, todavía hoy en día, me avergüenzo. No se podía confiar en nadie porque la bestia estaba a nuestro alrededor. Los rumores corrían como un reguero de pólvora, la gente se delataba de manera indigna, la mayoría de las veces injustificadamente y, al final, de una forma u otra, todos acababan muriendo. A mí me acusaron, de forma anónima y cobarde, de haber asistido, unos días antes del Alzamiento, al entierro de Calvo Sotelo. Aquello parecía una increíble y angustiosa pesadilla, sin embargo resultaba del todo imposible rebatir ningún rumor. Era muy fácil, en aquellas míseras circunstancias, lanzar una piedra. Nadie se preocupaba de observar la trayectoria, de analizar la limpieza de las manos lanzadoras. Todos se aprestaban, como buitres hambrientos, a lanzar detrás más y más piedras. Mi situación se fue haciendo insostenible y, en aquellas circunstancias, con tanto dolor alrededor, Teresa se obsesionó con la idea de pasar a Valladolid y compartir con la familia esos malos momentos. La noche había caído definitivamente sobre nosotros y no teníamos otra salida que iniciar un viaje hasta el mismo centro de la desesperación.

31

Unas potentes luces de colores muy diversos convergían sobre el pequeño escenario desnudo, únicamente decorado con una mesa alta y rectangular, con un paño negro sobre ella y, en una esquina, una cruz invertida y un cáliz de plata. Catorce personas, todas ellas vestidas con túnicas negras, aguardaban en silencio. En un momento dado, al calor de una música de órgano tétrica, repetitiva y estruendosa, las luces se apagaron y la oscuridad lo envolvió todo.

En el escenario, en medio de una procesión de sombras confusas, aparecieron dos figuras. Un suave foco de luz amarillenta se posó sobre un hombre y una mujer. Él, ataviado con una amplia túnica negra, descalzo, con una cruz invertida colgando de su cuello, era bastante fuerte, de grandes y exaltados ojos, con perilla y una larga melena negra. Detrás de él, Lesbia Aquino, mujer de unos treinta años, morena, con el pelo muy corto, túnica también negra y cinto rojo, llevaba entre sus manos un grueso libro.

La música, en ese preciso momento, cesó. Durante unos minutos, Duncan White, el grueso sacerdote, murmuró unas oraciones en una extraña e incomprensible lengua. Todos los asistentes parecían responderle siguiendo órdenes y señales de la mujer. Luego, subiendo el tono de su áspera voz, y durante más de diez minutos, Duncan se dirigió a sus fieles, habló de Szandor LaVey, citó repetidas veces los cuatro evangelios de Satán, Lucifer, Belial y Leviatán, y la música volvió a hacerse estridente, sombría, fúnebre. Duncan hizo una señal con su mano derecha a Lesbia y ésta dejó el libro en el suelo, lo abrió por la mitad y lo enseñó, uno por uno, a los alucinados fieles. El libro tenía extraños símbolos y todo él parecía escrito con una tinta roja demasiado parecida a la sangre. En un momento arrancado de la noche, acompañada por los ritmos repetitivos del órgano, Lesbia se despojó de la túnica y quedó completamente desnuda. Tenía los pechos grandes, algo caídos, el sexo rasurado y una gran cicatriz en el vientre. Duncan se levantó la túnica y se empezó a masturbar. Poco después, Duncan eyaculó sobre el cáliz, lo elevó hacia el techo y murmuró unas oraciones. Todos respondieron como una sola persona. Lesbia, que había desaparecido del escenario, regresó con un niño recién nacido que dejó encima de la mesa. La música empezó a mezclarse con las invocaciones de Duncan y los sollozos del pequeño hasta que el sacerdote, tras un minuto de recogimiento y de murmullos, sacó del interior de la mesa un gran cuchillo y se lo clavó al bebé en mitad del corazón.

Volteó el cadáver y dejó caer la sangre sobre el cáliz. Mecánicas oraciones de los fieles comenzaron a descolgarse de sus labios. Duncan bebió del cáliz y lo pasó, de forma ritual, a todos los asistentes que, uno por uno, bebieron de la indigna copa.

—Siempre nos repetiste que el verdadero satanista nunca roba una vida.

Un silencio sepulcral inundaba el local. Todos habían salido ya del infierno y sólo quedaban, en una pequeña habitación lateral, Duncan White y Lesbia Aquino, que se estaban cambiando de ropa. Lesbia, tremendamente exaltada, deslizó por sus largas piernas unos raídos pantalones vaqueros mientras no dejaba de repetir, como una alucinada autómata lo mismo:

—Dijiste que nunca robaríamos una vida...

—Pasamos por diversos estadios y Satán nos conduce a través de ellos. —Duncan White se ciñó una elegante americana negra sobre un jersey de cuello alto, también negro, e intentó cambiar de conversación—. Es una lástima que Iris no estuviera con nosotros, la hemos echado de menos...

—¿Dónde está el grabado de Iris? —preguntó Lesbia.

—No sé de qué me hablas... —Duncan se mojó el largo cabello negro y se pasó un peine. En el espejo, pegado en la esquina, una postal de un Cristo con cabeza de cerdo, replicaba a un colérico y cínico Duncan.

—Iris te dio un grabado, ¿dónde está?

Duncan, en ese momento, empezó a gritar y, con su mano izquierda, de un gran manotazo, tiró al suelo todos los frascos que decoraban una pequeña mesa. Lesbia se abotonó su camisa blanca y salió de la habitación, huyendo del local, con más abotargamiento en el cerebro que miedo. Los últimos acontecimientos de su vida habían sido demasiado fuertes y hasta ella, con su pequeño cerebro tan poco preparado para pensar, empezaba a comprender. Antes de salir del local, escuchó la terrosa y profunda voz de Duncan:

—Te espero el próximo sábado.

Las voces en el *Roccobarocco* se mezclaban con el sabor inconfundible de la alegría, de la borrachera, del delirio de un centenar de piratas deseosos de vomitar su parte del botín sobre el cuerpo de alguna mujer a la que seguramente confundirán, en el fugaz destello de su incoherencia etílica, con la más hermosa doncella, con la princesa perdida de los relatos escondidos en cada esquina del océano de la aventura y la muerte.

—Tortuga a un grado y medio de la proa.

El capitán Danko acababa de salir de su camarote. Como un perro viejo había olfateado Tortuga y el grito desgarrado del vigía no le había sorprendido en absoluto. Danko, barba espesa, negra como la noche, adornada con un lazo rojo en su extremo, vestido de forma zarrapastrosa y con un par de pistolas colgando de su ancho cinto negro, se dirigió a uno de sus hombres, mientras el resto de la tripulación basculaba entre la alegría del regreso a casa y el miedo natural que acompañaba cada acción del capitán Danko. Todos sus hombres sabían que, en cualquier momento, el capitán podía decidir practicar su puntería con algún desgraciado...

—¿Puedes distinguir bien el puerto?

—Sí, señor.

—Bien; mantén el rumbo. Y seguid lanzando andanadas. Que sepan esos perros que nos esperan que llegamos cargados de oro y perlas.

—Profundidad seis y rocoso, capitán.

—Puerto despejado, ni un barco a la vista.

Las maniobras del *Roccobarocco* no duraron mucho tiempo y fueron seguidas desde Tortuga por toda una muchedumbre acostumbrada a ellas pero cada vez más intrigada por el tesoro que, con toda seguridad, guardaba en su bodega. Padovani, junto con un par de hombres, ayudó a maniobrar al hermoso navío dotado con 36 piezas de artillería y desplegó una escalera hacia el cielo más escarlata del Caribe.

—Suelten ancla y que los capitanes se reúnan conmigo en mi camarote —vociferó Danko.

—¿No va a bajar a tierra, capitán? —preguntó uno de sus hombres, al que el deseo de pisar Tortuga le había conseguido trastornar durante unos segundos.

—Que los capitanes se reúnan conmigo inmediatamente. El Duque también. Avísale, estúpido alcornoque o te sacaré el hígado con las manos —fue, esta vez, la cariñosa respuesta de Danko.

—Siempre tan amable con tus hombres, capitán. —La alegre danza de los piratas se interrumpió de repente. Todo el mundo sabía que tan sólo el Duque tenía el suficiente valor para dirigirse de esa forma tan cínica a Danko. Durante unos instantes la oscuridad se apoderó de los ojos de todos los piratas hasta que la estruendosa carcajada del capitán Danko dio paso a una renovada alegría.

—Ven a mis brazos, perro negro. La mierda de tus ojos se va a descomponer con lo que va a contemplar.

Todo el mundo se hizo a un lado y el Duque se acercó hasta el capitán Danko mientras todos los piratas, vociferando, dando histéricos y enfermizos gritos, se lanzaron a tierra como perros hambrientos.

Zoé Latorre se vistió para la cena con sus mejores galas porque para ella cada noche era el principio de una historia distinta; eso era algo que aprendió muy pronto y que, desde entonces, jamás olvidó. Acababa de salir del baño, refrescó su cuerpo con cremas hidratantes, se secó el pelo, se perfumó con discretos toques en el cuello, escote, y muñecas, y escogió para la ocasión un perfume fuerte y rico en aromas orientales. Zoé era misteriosa y apasionada y se reservaba totalmente para la noche y, precisamente ésa deseaba estar especialmente atractiva. Acababa de abrir una caja blanca rectangular y, con sumo cuidado, sacó las prendas íntimas de su interior. Su marido, como cada cierto tiempo, había dejado esa mañana, antes de ir a trabajar, junto al baño, un delicado regalo: lencería francesa exquisita, fina, sensual. Zoé ajustó a su pequeño y maravilloso culo un diminuto tanga negro, luego se abrochó el sujetador de fino encaje y deslizó por sus piernas unas finas medias de lycra, negras como la noche, con un delicado y juguetón encaje que se ceñía a sus muslos. Durante unos segundos, Zoé se miró en el espejo para contemplar, orgullosa, toda su fuerza, todo su inmenso magnetismo. Se acercó al lujoso vestidor, escogió un elegante vestido de color rojo, se vistió y, finalmente, se calzó con unos zapatos negros de alto tacón.

La cena había sido servida ya por uno de los criados. Zoé escogió el menú para la ocasión: mejillones mimosos, rape Afrodita y melocotones Scherezade, junto con un vino especial, delicado, de buena cosecha, uno de los varios que decoraban y protagonizaban la surtida bodega de su marido. El tiempo pasó lenta e inexorablemente y, en el reloj del salón, comenzaron a resonar pesadamente los minutos, las velas se fueron consumiendo poco a poco y el alto pebetero de plata que le regaló Jorge Castillo y que perfumaba el salón tuvo que soportar, sin descanso, las arremetidas de Zoé, que no paraba de tabaquear y consumirse en humo envolvente y negro como su pelo.

Por fin apareció su marido. Vestía un impecable traje gris, una corbata color tierra y unos zapatos negros tan limpios como si acabaran de ser estrenados. Parecía cansado e inquieto y sus gafas de fina montura metálica no podían esconder una agobiante mirada de preocupación. Zoé se acercó hasta él, se elevó sobre sus zapatos y, de puntillas, abrazó a su marido. Mandó calentar la cena y, mientras su marido se aseaba, cambió las velas.

La noche transcurrió plácida y tranquila, demasiado tranquila. Únicamente habló Zoé que, apesadumbrada, no tardó en darse cuenta de que su marido estaba ausente, perdido, trastornado en una locura que ella no conocía pero creía intuir.

—Estamos seguros de que el cuadro de Claudio de Lorena es verdadero. ¿Sabes lo que eso significa? —Zoé apuró la copa de vino, sonrió a su marido y le miró con sus ojos marrones de la tierra—. Podemos conseguir una fortuna por él. Hay mucha gente interesada. Zanussi ya ha contactado con varios de los posibles compradores. Sin embargo, no estoy segura. En muchos momentos creo que eso sería una especie de traición a mi padre. Pienso que él nunca vendería el cuadro. Estaba obsesionado con la idea de que escondía el plano de un tesoro.

Zoé volvió a llenar su copa mientras observaba el rostro de incredulidad de su marido. «Al menos —pensó Zoé—, me está escuchando».

—Hay algo raro en el cuadro, siempre lo supe. Y tú también. Cuando mi padre comenzó a investigar, lo único que encontró fue una extraña muerte que nunca comprendí. Y ahora, lo de Iris... Hace una semana y todavía no he conseguido dejar de pensar en ello. Todos los acontecimientos se han precipitado a la vez y el cuadro de Claudio de Lorena está en el fondo de todos ellos. ¿Sabías que el día antes de su muerte Iris me confesó, alocada, excitada, que estaba segura de que el cuadro de Claudio de Lorena era original y que escondía el secreto de un gran tesoro? Algo turbio nos está envolviendo y tengo miedo, Hugo, tengo miedo.

Zoé volvió a apurar la copa de vino y experimentó un extraño viaje, como de carrusel antiguo. Dos filetes de rape quedaron en un rincón de la mesa, junto a varias almejas. Zoé dibujó sobre la salsa mútiples secretos con el tenedor y creyó encontrar en ella las respuestas a todo el silencio de la noche. Por fin, después de mucho tiempo, y mientras apuraba la copa, adornada con nata, de los melocotones Scherezade, Hugo Soto se decidió a abrir la boca en esa noche donde parecía no existir ya la noche.

—No te lo pienses más y vende el maldito cuadro. Te espero en la cama. —Hugo se levantó, se limpió la boca con la servilleta, y se dirigió al dormitorio. Zoé comprendió que la noche acababa de terminar, se acostarían, se amarían como siempre y volverían a empezar. Era la historia de cada una de las noches de sus últimos años. Ya tenía treinta y siete y comenzaba a sentirse mal.

El viaje que nos llevó desde Madrid hasta Valladolid fue una completa odisea, una absurda, dolorosa y triste odisea. Únicamente pude conseguir permiso para acompañar a Teresa hasta Valencia y para lograr ese maldito permiso tuvimos que poner el embarazo de Teresa por delante, airearlo a los cuatro vientos, mostrar nuestra intimidad a un ejército de fulanos, además de fingir una peligrosa dolencia en el corazón de mi mujer. Recuerdo, a partir de entonces, un viaje penoso en tren, con una pequeña radio que apenas se escuchaba, y que nos obsequiaba con partes militares y música rancia. Cuando, tras varios días, llegamos a Valencia, tomé la decisión, saltándome todos los permisos, de acompañar a Teresa hasta Barcelona, hasta el final, hasta cualquier sitio, porque lo único que realmente deseaba era escapar, seguir corriendo indefinidamente, con los ojos cerrados, y no regresar nunca a la guerra. Resultaba curioso: para ir a Valladolid desde Madrid íbamos a tener que recorrer casi toda España, una España en guerra, dividida, herida, feroz. El trayecto hasta Barcelona lo hicimos en un camión militar, muertos de frío y de miedo, parando cada poco, esperando contraseñas y temiendo el final en cada recodo del camino, en cada una de las luces que se acercaban a nosotros en medio de la noche más oscura.

Al final llegamos a Barcelona, donde estuvimos retenidos absurdamente durante interminables días en los que no nos dejaron salir de una tétrica estación en la que, en realidad, estábamos presos. Finalmente, a través de un amigo, uno de esos amigos que en época de guerra se tienen sin conocer para nada, reclamaron a Teresa del pueblo francés de Bidart, cerca de Biarritz. Era la única salida digna a una situación de por sí bastante desesperada. En la estación de trenes me despedí de Teresa y dejé que marchase hasta Bidart. Sin embargo, no podía dejarla partir así, tan sola, desamparada, muerta de miedo y con una criatura en las entrañas. Mientras el tren empezaba a alejarse, despisté, con las fuerzas y el valor que nunca tuve, a través de una hábil manganilla y un empujón dado a tiempo, a los sabuesos que me retenían, eché a correr y alcancé el dichoso tren.

Pasamos siete días y siete horrorosas noches en ese tren, rumbo a Bidart. Recuerdo, con la insistencia de una pesadilla constante que no me ha abandonado en todos estos años, a los desgraciados que íbamos en ese fantasmagórico tren, que caminaba con exasperante lentitud durante el día, mientras se detenía por la noche para evitar peligros mayores. Y en la noche, tirados todos por el suelo de los pasillos del tren, como inmunda escoria, escuchábamos todas las bombas del mundo explotar alrededor de nuestras vidas y acabábamos rezando lo que podíamos y como podíamos. Había tenido, para entonces, la buena idea de esconder todos mis ahorros, que alcanzaban la deslumbrante cifra, para aquella época, de mil pesetas, en el tacón del zapato. Sabía que ese dinero, si surgían problemas, me podría servir como el mejor salvoconducto. Mientras tanto, intentaba enjugar las lágrimas de Teresa y rezaba, acompañando, sin saber muy bien cómo, a los demás en unos rosarios estúpidos e interminables que nos empujaban a la ansiada frontera.

En el tren recuerdo la desesperación de otros dos matrimonios que nos acompañaban en idéntica farsa y con el mismo destino y, sobre todo, a una pobre mujer que buscaba pasar a Francia para encontrarse con su hijo y que desconocía el destino de su marido. Por los datos que nos daba y por los comentarios que conseguí entresacar a algunos hombres de los que viajaban en el tren, imagino que nunca más se reunió con él. Era el precio a pagar por una guerra estúpida, trapienta y cruel.

Por fin, tras eternas y angustiosas noches, después de soportar todo tipo de miedos, a principios de agosto de 1938, llegamos al puente internacional de Irún.

Larios, descalzo, sudoroso, con unos guantes de boxeo rojos y con unos calzones negros inmensos, golpeaba frenéticamente el saco de arena. La habitación se encontraba, casi por completo, a oscuras y tan sólo las luces de la calle que entraban por una pequeña ventana lateral se posaban intermitentemente en su rostro. En una esquina, en penumbras, un gran cartel de *Taxi Driver* asistía impasible a los salvajes puñetazos. En su parte superior, un Robert De Niro con un corte de pelo estilo mohicano, una cazadora paramilitar, unas gafas negras y una expresión sombría y consumida miraba fijamente a Larios.

Se oía, a lo lejos, encima, siempre, el *Secret Story*, dibujando por toda la casa sueños y miedos. Tras unos minutos de combate desigual, Larios dejó de pegarse con el saco de arena y entró en la ducha. Poco después, casi sin secarse, con miles de gotas iluminando su desocupado cuerpo, se puso unos pantalones vaqueros y una camiseta blanca con dibujos azules algo naíf. Bajó a la calle, miró su reloj y comprobó que eran más de las dos de la madrugada. Sin embargo, la calle rebosaba gente, alcohol y alegría de vivir. Era sábado, día de Saturno, de cuerpos desnudos, de vida plena. Llevaba en la mano derecha un par de llaves unidas por un llavero metálico, una elipse dorada con una palabra en medio, *Elitebilist*. Cogió el 4 × 4 negro y comenzó la peregrinación de siempre, de todas las noches, por las tripas de la ciudad. Desde que comenzó su exilio por el insomnio, Larios conducía cada noche por el centro de la ciudad, como un solitario, como un errabundo, mezclándose con los fantasmales neones sobre el asfalto mojado, asistiendo a la procesión de rostros cadavéricos en la penumbra, deambulando por su mente, como un desequilibrado, como un obseso, asistiendo al continuo espectáculo de fulanas contoneándose delante de sus extraviados ojos enseñando furtivamente sexo barato, miserias escondidas, mezclándose en tracamundanas explosivas, sintiéndose siempre una pequeña mierda repudiada, apartada de la vida y de la felicidad.

El universo, con su grandiosa pata de oso, se había encargado de derrumbar todo su mundo. El universo destrozó su casa, su cabeza y su vida. Larios había tirado ya todos los planos y había seguido caminando porque la clave estaba en dejar de luchar y abrazar la vida tal y como le venía, aunque fuese llena de miseria. En la radio un locutor preguntó a un oyente qué haría si fuese feliz y el majadero no supo contestar, tan sólo se puso a reír de forma espasmódica y un punto anormal. Larios se acordó de Robert De Niro en *Nunca fuimos ángeles* y, parafraseando al ingenuo presidiario, repitió en voz alta: «Haría de todo. Y luego repetiría».

Las luces vaiveneaban alrededor, mezclándose con los focos del 4 × 4 negro, con personajes de mirada esquiva, con rostros procelosos, con pandillas de chicos y chicas que comenzaba a vivir y que despertaban en Larios una mistificación de su permanente tristeza. Sentía que la gente le miraba con descaro, que se fijaban con inquietud en el 4 × 4 negro que daba vueltas y más vueltas por el mismo lugar y pensó, sin saber muy bien por qué, en Travis Bickle cuando le miraban al probar las armas: «¿A quién miras? ¿Me estás mirando a mí? ¡Eres un hijo de puta!» Comprendió que si seguía así, algún día, al igual que Travis, explotaría, asqueado por la vida y enfangado hasta el cuello en un sentimiento brutal que le llevaría a traspasar locuras a cualquier precio.

Eran las tres y veinte de la madrugada y en la radio sonaban los primeros y característicos *riffs* de la guitarra Gibson Les Paul de Gary Moore, acompañados por su voz gastada por el *blues* y destrozada por la melancolía:

> *So long, it was so long ago,*
> *but I've still got the blues for you.*
> *So many years since I've seen your face,*
> *but here in my heart there's an empty space*
> *where you used to be.*
> *So long, it was so long ago,*
> *but I've still got the blues for you.*

Larios recordó esa canción y a una mujer abrazándole, besándole, y sintió que un brutal y agónico nudo comenzaba a atenazar su garganta. Cada vez había más noche en la noche y más miedo en su mirada. Son tiempos difíciles, le decía Scorsese a De Niro en *Caza de brujas*. Y Larios lo sabía mejor que nadie, porque Larios dormía en soledades, en nostalgia, en melancolía pura y dura. Y eso era tan eterno y estaba tan cosido a su piel como *Still got the blues*.

Durante varias horas, en el camarote del capitán Danko, se procedió, de forma extrañamente profesional y hábilmente dirigida por el Duque, al reparto del botín. Esta vez la víctima había sido un galeón español, el *Santa Marta*, montado con 16 piezas de artillería y ochenta personas de guarnición. Dentro de él, abarrotando despensas y camarotes, los piratas habían hecho suyas 120.000 libras de cacao, 10.000 pesos en joyas, municiones de guerra (siete mil libras de pólvora, cientos de mosquetes) y dinero para pagar a los soldados de Santo Domingo (12.000 reales de a ocho en moneda). 43

La expresión de felicidad, una expresión turbia y gozosa a la vez, rebosaba por los cuatro costados del rostro del capitán Danko que, a intervalos perfectamente marcados, soltaba una espeluznante carcajada en el acto coreada por el resto de capitanes. Sólo el Duque permanecía callado y concentrado mientras escribía en un libro todos los detalles de la expedición y de lo apresado.

—¿Hemos tenido bajas? —preguntó, sin dejar de escribir en el grueso libro de tapas negras.

El capitán Danko se descubrió y, con la mano en el pecho, recordó de manera hipócrita a los catorce valientes que no habían tenido la suerte de terminar el trabajo empezado.

—El infierno les mantendrá despiertos —concluyó jocosamente mientras su estruendosa carcajada era coreada por todos.

—¿Heridos?

—Sí, unos veinte. Vamos, Duque, ya te dará los datos Litmanen.

—Los necesito para hacer el reparto...

—Ya está bien. Todo el mundo abajo. Tengo el gaznate seco —gritó Danko mientras abría la puerta de su camarote y todos los capitanes comenzaban su peregrinación y huida de la cubierta del *Roccobarocco*.

Justo en ese preciso momento alguien acababa de subir al barco. Era un tipo bajo, escurrido y con un ojo completamente destrozado que no se molestaba en ocultar. El gesto de Danko había cambiado y su expresión torcida se transformó en una furiosa orden.

—¡Todos a tierra!

Ahora, en el barco, sólo quedaban Danko, el Duque y el enigmático tercer hombre. La actitud del capitán Danko había cambiado radicalmente. Se acercó al maltrecho tipo del ojo seco y le abrazó. Éste se apartó de Danko instintivamente y llevó su mano derecha al cinto.

—Wooter, qué alegría volver a verte. Ven aquí, viejo zorro —insistió Danko.

—Pensarías que habría muerto. Siento desilusionarte.

—Sí, la verdad... No puedo dar crédito a lo que ven mis ojos.

—Me abandonaste en aquel arrecife. Sé muchas cosas de ti, tantas que tendrías que empezar a temblar. Últimamente mi lengua se suelta con mucha facilidad.

—Tranquilo, vamos al camarote.

Los tres hombres entraron de nuevo en el camarote del capitán. Danko se limitó a servir una copa de vino y se sentó. Con un gesto de su mano indicó a sus dos compañeros que hicieran lo mismo.

—Sé por qué me abandonaste. Seríais tres a repartir en vez de cuatro —comentó Wooter mientras procedía a sentarse en una de las sillas y apuraba de un trago su copa.

—Siento desilusionarte: el pobre Scholten murió hace unos meses. Dios le tenga en su gloria. —Danko había mirado estúpidamente al cielo, amagando una especie de cruz sobre el pecho.

—Qué tremenda casualidad. De los doce que nos salvamos de aquel infierno sólo quedáis vosotros dos.

—Hice lo que hubieras hecho tú en mi lugar.

—Ahora somos tres.

—Soy ambicioso, mierda, todos lo sabéis. Nadie puede interrumpir mi camino. Prefiero que seamos menos en el reparto, así me quedo con más. El mayor tesoro del Caribe es nuestro y algún día iremos a desenterrarlo. Estoy feliz con tu regreso. No sabes lo triste que es no tener un alma gemela al lado.

—No intentes nada conmigo, Danko. He dejado a un amigo de Jamaica un sobre lacrado con todo lo sucedido...

Justo en ese momento, Wooter empezó a tambalearse sobre la mesa mientras los ojos de Danko comenzaron un particular tobogán de delirio. En la mente de Wooter se entremezclaron las voces de un pasado ya muy lejano y, sin duda, inalcanzable; las imágenes de un cofre repleto de plata y medallones de diamantes que nunca podría ya desenterrar. «¿Estáis satisfechos —la voz del capitán Danko retumbaba en el pasado—, carne de horca? Somos los más ricos del Caribe. Ahora vamos, deprisa, antes de media hora subirá la marea y no podremos salir de aquí. Blind, siempre fuiste un cretino, te voy a abrir en canal. Los tiburones me lo agradecerán.» El cuerpo de Blind caía a los pies del capitán Danko mientras, estúpidamente, éste rezaba unos cortos responsos. «Aquí yace un hombre que se recreó en la traición y aquí seguirá yaciendo–. Luego volvía su rostro anguloso al resto de los hombres–: Olvidemos todos. O vuestros cuellos se alargarán tanto como vuestra memoria.»

En unos segundos el cabezón de Wooter, de ojo muerto y cerebro seco, se estrelló contra la mesa de roble. Danko se levantó, acercó sus dedos al cuello, comprobó que había muerto y estalló en una sonora carcajada.

—Ahora sé que tendrás un placentero y feliz viaje.

El Duque, sin inmutarse lo más mínimo, se acercó a Danko.

—Podías haber envenenado mi vino también. Todo el tesoro ahora sería tuyo.

—Duque, por favor, no me subestimes.

—Ya sé que me necesitas para volver allí. Estabas tan borracho que te pasarías media vida para encontrar aquel sitio.

—Sabes que eso no es cierto. Eres como mi hermano y quiero compartir contigo ese tesoro. Es el mayor botín que ha existido jamás y es nuestro.

—Aquello fue una carnicería. Nunca nos habíamos enfrentado a una tripulación tan poderosa como la del *Gran Mogol*. Nos salvamos muy pocos y todos han ido muriendo en circunstancias muy extrañas.

—Sí, ha sido una feliz coincidencia... —comentó Danko, aguantando su estrambótica y vulpina risa.

El Duque sonrió y abandonó el camarote. Sabía que, junto a aquel hombre, su vida no valía mucho y eso era algo que, en realidad, tampoco le importaba demasiado.

Como en casi todos los cuadros de Claudio de Lorena el paisaje cobraba animación con arquitecturas de espíritu y sabor antiguo que se convertían, hábil y asombrosamente, en escenarios ideales para la narración de temas mitológicos y de historias varias. Zoé Latorre, Igor Zanussi y Jorge Castillo, maravillados, encantados, embobados, contemplaban el cuadro recién traído de Barcelona. Una nueva luz se había apoderado de él y todo un volcán de enigmas había comenzado a anudarse a su vieja tela. La composición que presentaba Claudio de Lorena era inteligente y, como la mayor parte de sus obras, estaba bañada por una especial calidad poética que hacía del paisaje el verdadero protagonista de la obra, aunque una poblada galería de pequeños personajes se agitasen en su interior. El mundo pictórico de Claudio de Lorena se descubría en toda su intensidad, con la naturaleza tremendamente idealizada, con una sensual interpretación de la luz, la atmósfera y el espacio, con un fascinante y armonioso equilibrio entre las proporciones y los contrastes.

Usando la luz y el color como elemento capaz de dar unidad al cuadro, todos los personajes convergían al verdadero punto focal de la composición: el horizonte, amplio, luminoso y espectacular, con un sol que empezaba a ocultars creando toda una sinfonía de luces y matices y, casi en primer plano, un gran barco. El sol bajo penetraba con fuerza dramática a través de los mástiles de la nave y se extendía hacia todos los rincones, impregnando de tonalidades claras y creando cielos cambiantes de un rosa inflamado al naranja. Era un típico atardecer con cielos encendidos tan propio de la primera época de Claudio de Lorena. Hacia el gran barco situado en el centro se dirigían dos hombres a bordo de una barca y uno de ellos, de pie, hacía señales a los hombres que estaban en cubierta. Al fondo, en la lejanía, se podían distinguir un total de diez barcos más de distintos tamaños. En la parte superior, a la izquierda, marcando la entrada al puerto, una serie de edificios de estilo renacentista lo cerraban por uno de los lados. En primer plano, a la izquierda, dos grandes columnas corintias, avanzadilla de un templo clásico griego, dejaban entrever otro gran barco que se acercaba. A la derecha, al fondo, guardando perfecto equilibrio y simetría con los anteriores edificios, se desplegaban dos más, uno de ellos una esbelta torre. A su lado, más cerca, la puerta de un gran palacio se elevaba sobre unas delicadas y lujosas escaleras de mármol. Un barco estaba anclado al lado mientras en primer plano una barca era descargada por tres hombres.

El análisis detenido de los pequeños personajes que poblaban el cuadro no podía resultar más fascinante ya que todos estaban vestidos a la vieja usanza pirata, lo que siempre hizo de esta obra, ya antes de confirmarse su originalidad, un caso único entre las obras de Claudio de Lorena. Dejando a un lado las decenas de diminutos personajes que se adivinaban en segundos y terceros planos y sobre la cubierta de los barcos, se podían distinguir un total de 19 figuras principales: un hombre descendiendo con una cuerda por una ventana situada en la torre del fondo, a la derecha; debajo de la torre, dos hombres luchando a espada; junto a la puerta del palacio, en las escaleras, tres hombres conversando; una mujer —la única en toda la composición— aguardando a algo o a alguien en la misma puerta del palacio; junto a las escaleras, más en primer plano, tres piratas y un indio observando a un cuarto pirata, en cuclillas, mientras dibuja algo en el suelo; dos piratas de pie, sobre una barca, dirigiéndose al gran navío situado en el centro del cuadro; tres piratas, en el centro, en primer plano, descargando unos cofres de la barca; en primerísimo plano, a la derecha, junto a los cofres descargados, un pirata, todo de negro, de espaldas, y otro más, de perfil, con una larga barba y unas extrañas cintas rojas atadas a ella. Los dos llevando dos lujosas espadas ceñidas al cuerpo.

—Es maravilloso... ¡No me lo puedo creer! Si parece otro cuadro... —Zoé no acertaba a dar crédito a lo que sus oscuros ojos intentaban transmitir a su cerebro.

—Nunca entenderé por qué no se hizo una limpieza de este cuadro mucho antes. —Zanussi continuaba desplegando sobre la mesa toda una serie de fotografías que ilustraban las distintas etapas de la limpieza del cuadro.

—Sabes que ésa fue la intención y el primer deseo de mi padre. Pero con su muerte todo se abandonó. Nos olvidamos del cuadro y comenzamos a creer su penosa leyenda. —Zoé no podía dejar de mirar el lorena, aunque ahora alternaba su contemplación con la de las fotografías.

—De todas formas, no está nada claro que la maldición haya desaparecido de este cuadro... —Castillo, deslizando las fotografías entre sus delicadas y cuidadas manos, sonrió. Para él, el cuadro de Claudio de Lorena siempre fue el tesoro de la familia, un maldito y amado tesoro.

—Eso es una estupidez —terció, ligeramente enfadado, Zanussi.

—Sin embargo, cuando hemos decidido volver a meternos en las tripas del cuadro, otra misteriosa muerte ha sacudido a la familia. ¿Cómo explicas eso? —Castillo miró fijamente a Zanussi y esperó su contestación.

—Pero ¿ya es seguro que el cuadro es original de Claudio de Lorena?, ¿no será de alguno de sus discípulos, de su escuela, como tantas veces nos han repetido? —comentó Zoé intentando desviarse de la conversación y apartarse de Iris, de su extraña y dolorosa muerte.

—Por supuesto, mirad. —Zanussi dio la vuelta al cuadro y Zoé y Castillo pudieron leer: CLAUDIO ROMAE y, a su lado, una fecha cuya última cifra resultaba completamente ilegible, 163[...].

En ese momento, Castillo se fijó en otra inscripción sobre el bastidor de madera:

—¿Qué significa esto? —preguntó.

—Sí, está en estas ampliaciones. —Zanussi buscó las fotos y cuando las encontró las mostró a sus dos compañeros—. Parecen ser dos palabras francesas TRESOR y SECRET, tesoro y secreto. No podemos saber lo que quiso decirnos Claudio de Lorena con ellas, si es que fue el propio pintor el que las escribió... También han llamado particularmente la atención del laboratorio unos extraños anillos que apenas se ven en el cuadro pero que sí aparecen en las fotografías ampliadas. Son dos anillos que están junto al pirata de negro

49

que aparece de espaldas en primer término. Mirad. Otro anillo igual está en la puerta del palacio, junto a la otra figura de negro del cuadro, la de la extraña mujer.

—Curioso. —Castillo observó las fotografías y se sintió, al igual que Zoé, tremendamente interesado, enganchado definitivamente a un enigma tan bello como absorbente.

—Sin embargo, lo que más ha llamado la atención del laboratorio, no sé si os habéis fijado, es la bandera que está sobre el castillo de popa del gran barco situado en el centro del cuadro... —comentó Zanussi mientras seguía mostrando fotos.

—Es verdad —exclamó Castillo—, la bandera era francesa.

—En efecto, el cuadro tuvo que viajar por diversos países a lo largo de los años y, con toda seguridad, alguno de sus propietarios, un francés, hizo pintar la bandera de su país. Sin embargo, ahora vemos que es una clásica y típica bandera negra pirata, con la calavera y las tibias cruzadas. Así la pintó Claudio de Lorena, por cierto, sobre un extraño fondo rojo. Mirad estas fotos. —Zanussi enseñó un par de fotografías, de detalles ampliados del castillo de popa del barco.

—Es increíble —volvió a exclamar un cada vez más excitado Castillo.

—No sabemos lo que puede significar pero confirma que todos los hombres ataviados a la manera pirata en el cuadro eran verdaderos piratas. Lo único que tenemos claro es que Claudio de Lorena pintó una bandera pirata y luego, él u otra persona, la escondió detrás de una bandera francesa.

Sentados en el puente internacional de Irún, cansados y desesperados, Teresa y yo veíamos Bidart como un objetivo inalcanzable, mientras mirábamos unas postales que nos escupían la imagen de un encantador pueblecito todo nevado, como un nacimiento de juguete que nos saludaba y nos despedía con la misma velocidad y desesperación. En aquel momento había soldados por todas partes, una mujer apocada y un hombre con mucho miedo. Nuestras vidas no valían nada y el infierno llamaba a nuestra puerta continuamente.

Empecé, sorteando miedos, a moverme con el dinero como en una vieja montaña rusa, comprando contactos y subiendo y bajando por estrechos raíles que siempre me llevaban a la misma desesperanza. Con una botella de agua y un poco de comida dejé a Teresa, sentada encima de una vieja maleta, a la entrada del puente internacional y, con el dinero por delante, conseguí ponerme en contacto con un pastor que intentaría pasarnos a Francia, algo que, al parecer, ya había hecho en otras ocasiones. Cuando me contó su plan comprendí que aquel tipo estaba medio chiflado y no era, para nada y por muchos motivos, fiable. Le abandoné, al recordar a otro hombre que nos acompañaba en el tren y que, por lo que había hablado durante todo el fatídico viaje, debía de tener bastantes contactos por aquella zona. Lo busqué por todas partes y, al fin, di con él. Le ofrecí algo de dinero y se comprometió a llevarme hasta Bidart. Exultante de alegría, nos acercamos a buscar a Teresa que, sentada sobre la maleta a la entrada del puente, embarazada y llena de miedo, beborroteaba de la botella y miraba, temerosa, para uno y otro lado. Habían pasado seis horas desde que la había dejado allí pero a ambos nos había parecido todo un mundo.

Aquel tipo había ideado pasarnos con el cambio de turno, por lo que teníamos que aguardar todavía una hora más. La realidad era que estaba esperando refuerzos... Poco después llegaron varios soldados, cogieron nuestra maleta y nos condujeron lejos del sueño de Bidart. Pasábamos a San Sebastián e íbamos detenidos.

51

San Sebastián era nacional y, bien mirado, aquello era lo mejor que nos podía suceder. Nosotros deseábamos llegar a Valladolid, que también era nacional, y para ello habíamos sufrido una interminable y agotadora odisea que nos había llevado hasta allí tras pasar por Valencia y Barcelona. Sin embargo, todo iba a suceder de una forma mucho más retorcida y compleja, como aquella guerra, como aquella vida sin sentido.

En la Comandancia militar de San Sebastián tenían constancia de que yo era un «jefe de policía rojo». En realidad, nos habían seguido desde que salimos de Madrid. Me partí la cabeza intentando explicar a aquellos fulanos que había sido policía rojo por puro instinto de supervivencia, que incluso había salvado a muchos compañeros de morir vilmente asesinados. Puse sobre el tapete todo mi poder de convicción pero éste debía de ser patético. Yo estaba de parte de aquellos majaderos. No, en realidad no estaba de parte de nadie, sólo deseaba llegar a Valladolid, abrazar a mi familia y a la de Teresa y vivir en paz con mi mujer y con nuestro futuro hijo. Pero aquello era pedir demasiado en aquel infierno. Teresa fue enviada a Valladolid y yo fui conducido a la cárcel sin saber muy bien lo que tardaría en salir de ella o si tan sólo lo haría para efectuar mi último y definitivo viaje a algún campo oscuro y perdido de las afueras de San Sebastián. «Yo sé dónde tiene que estar usted», fue la última frase que salió de aquel caifás vestido estúpidamente, simulando aires imperiales, lanzando a cada segundo consignas fascistoides y repugnantes. Comprendí que tenía muchas papeletas para no volver a ver jamás a Teresa, para nunca conocer a mi hijo.

Sin embargo, todo ocurrió de forma muy distinta. Por primera vez en mi vida tuve suerte: alguien me reconoció, un tal Ramón Nieto, delegado provincial del Servicio de Información e Investigación de Valladolid, un tipo de los que había conseguido salvar del fusilamiento nocturno y atroz en Madrid, y certificó punto por punto, con una carta de su puño y letra que redactó a petición de Teresa, todo lo que había dicho en la Comandancia de San Sebastián. En poco tiempo pasé de villano a héroe y, por fin, me dejaron viajar hasta Valladolid.

Lo que no sabía es que me encaminaba a un infierno mucho más salvaje: un mes después nacía muerto mi hijo. Mi vida se derrumbaba y, en medio de tanta miseria, mis nuevos camaradas me apremiaban para la reconquista. Me vi envuelto en la guerra, en su fétida mierda, y, poco a poco, me fui dando cuenta de que ya nada podía ser igual en mi vida. Pasó el tiempo y la guerra terminó llena de heridas que, todavía, no han cicatrizado en mí.

Recuerdo el fin del amor, el fin de la ilusión y la esperanza, la sensación de subsistir por inercia. La radio tronaba y la gente, envuelta en delirio y confusión, se abrazaba y lloraba. «En el día de hoy, cautivo y desarmado el ejército rojo, han alcanzado las tropas nacionales sus últimos objetivos militares. ¡La guerra ha terminado!»

Duncan White acababa de aparcar su Peugeot 505, negro, recién pintado y con un penetrante olor a gasolina quemada, delante de una tienda de antigüedades muy conocida entre los aficionados a las rarezas, una tienda sobre la que pesaba, desde tiempo atrás, la sospecha de ser lugar de encuentro de extorsionadores y traficantes de arte. Antigüedades Gaudí llevaba abierta desde hacía cinco años y en los libros de cuentas de Andrés Pacheco, su dueño, apenas se registraban movimientos. Sin embargo, la policía, que seguía su pista desde tiempo atrás, había observado que el tren de vida que mantenía Pacheco era asombrosamente alto. Había comprado en los dos últimos años tres casas, cuatro coches, se había casado con una joven gitana que, normalmente, atendía el negocio, mostrando sobre sus manos y cuello, como un escaparate divino, decenas y decenas de diamantes, mantenía a 18 hijos, fruto de relaciones con distintas mujeres, y frecuentaba, de forma más que habitual, la prostitución de lujo y los casinos. Sin embargo, hasta el momento nada se había podido demostrar contra él, aunque la policía sospechaba, de forma muy fundada, que Andrés Pacheco estaba relacionado íntimamente con las mafias italianas del arte, de ahí sus continuos viajes a Roma y Nápoles.

Duncan acababa de entrar en la tienda. Una campanilla resonó al abrir la puerta pero nadie apareció. El demonista vestía, como siempre, de negro y llevaba bajo su brazo derecho una carpeta de color granate. Mientras esperaba que alguien le atendiese, se dedicó a contemplar el maremágnum de obras de arte que se derramaban sobre sus ojos: candelabros de hierro, miniaturas indias, dibujos de Picasso, máscaras aztecas... Al fondo, una chimenea, modelo francés del siglo XIX realizada en mármol de coralito y, sobre ella, unos candelabros imitando piedra, una lámpara de pantalla de rafia, una pequeña estatua de Buda y un espejo bañado en oro con delicados detalles rococós en sus cuatro esquinas. Junto a la chimenea, un sillón, copia Luis XVI, en madera decapada y un escritorio de origen belga, tallado sobre madera lavada, decorado únicamente con una lámpara de pie de hierro forjado que despedía una suave luz ocre, y unos pequeños candelabros que imitaban unas copas de licor de la época de Napoleón III. Además, inundando todas las paredes, cuadros rectangulares, redondos, trapezoidales, cuadrados, combinados con armonía y, muchos de ellos, soportando grabados originales de Miró, Daumier, Picasso, Piranesi, incluso Rembrandt. Marcos exquisitos acabados en pan de oro, lisados, decapados.

—¿Busca algo en especial? —Una joven agitanada, de ojos inmensos, negros profundos, con un lujoso collar y varios anillos de oro interrumpió el examen de Duncan White.

—Quisiera hablar con el señor Pacheco... —Duncan agarraba con fuerza la carpeta granate.

—Un momento... —La joven entró por una extraña puerta y, en pocos segundos, regresó acompañada por un altísimo y fuerte gitano, de largas patillas y aspecto galbanoso pero impecablemente vestido.

—Alguien me habló de usted... Tengo algo que quizá le interese. —Duncan, enredista profesional, se adelantó a los acontecimientos y estrechó la mano de Pacheco. El negro mago y el gitano galano se sentaron en un sofá chéster, rodeados por una mesa baja formada por listones de madera llena de revistas de decoración y un juego de café de porcelana, por una butaca de lectura con su banqueta tapizada en tela de Anne French que imitaba una acuarela, y por un velador indonesio—. Quisiera que me diera una opinión experta sobre este grabado. —Duncan sacó de la carpeta granate, con extremo cuidado, una vieja lámina y la enseñó al amillonado gitano.

El tiempo pasó rápido, como un relámpago de verano. Los dos hombres encaminaron sus pasos a través de la tarima flotante de madera de roble, cálidamente decorada con una estera vegetal, hasta la puerta de salida de Antigüedades Gaudí, se estrecharon las manos y se despidieron.

La noche, atravesada por un zig-zag juguetón, había caído sobre la ciudad. Duncan subió al coche y desapareció de la vista de Pacheco, como un fogonazo, como una visión maldita. El gitano, tras perder de vista la estela del coche negro, miró el grabado, lo acarició suavemente, se acercó a su despacho y marcó un número de teléfono.

✦ ◇ ✦

—¿Dónde has visto que a alguien se le llame pirata por robar millones? No seas estúpida, sólo los que se ensucian las manos por robar cosas menudas son piratas.

El ambiente en El Loro Azul semejaba un volcán en erupción, un millón de volcanes explotando a la vez, donde todo parecía que, de un momento a otro, iba a estallar, que el ruido, las cabezas, las botellas, todos los sentidos iban a saltar hechos añicos. El ron y el vino se esparcían como lavas de salvaje locura y se extendían por todos los rincones, alcanzando, uno por uno, a los hombres que habían llegado en la última expedición del *Roccobarocco* y que, tras recibir su parte del botín, estaban dispuestos a despilfarrarlo lo más rápidamente posible, justo hasta que el cuerpo aguantase. Algunos, los más jóvenes e inexpertos, dormían bajo las mesas su primera noche de victoria caribeña, de murmullo coralino al calor de los tres fuegos más preciados: el ron, las mujeres y el poder. Aunque las tres cosas sólo fuesen suyas en noches contadas, tal vez en noches únicas por el resto de su vida. Pero eso, en aquel momento, qué les podía importar.

—Ya se puede caer el mundo —gritaba uno de los piratas, ebrio de ron y felicidad.

—Ven conmigo que voy a cubrir tu cuerpo con todos estos diamantes —gritaba otro, dirigiéndose a alguna de las rameras que surgían bajo las mesas.

—Más ron, más vino —gritaban todos al unísono, mientras contemplaban a varias mujeres que ponían a subasta sus maltratados cuerpos.

—Ofrezco sesenta guineas...

—Setenta

—Yo, noventa.

—Noventa por esta espléndida mujer. ¿Alguien da más?

—¡Doscientas guineas!

—Es tuya Musampa, no se hable más.

Entre la carcajada general y el vómito de alcohol todos escucharon a Musampa que presentía que acababa de convertirse en el rey de El Loro Azul, mientras se alejaba tambaleándose por el vino que despedían sus ojos y por el carrusel del cuerpo danzarín recién alquilado.

—¡Lo malo es que no sé lo que voy a hacer con ella! —acabó comentando, entre chascarrillos y soeces palabras, el cada vez más ebrio y excitado Musampa.

Pero el rey de El Loro Azul estaba arriba, en un sucio dormitorio, jugando solo al ajedrez y bebiendo hasta perder el conocimiento. Ivonne, encargada del local, rubia salvaje de ojos azules, ojos salvajes, de cuerpo marfileño, cuerpo salvaje, intentaba animar al Duque pero sabía que era imposible. Todos los piratas se morían por tener a Ivonne aunque intuían que era algo totalmente inalcanzable, porque Ivonne sólo deseaba ser del Duque.

—¿Qué estás pensando? —preguntó.

—Sólo pienso tonterías —contestó el Duque mientras movía al azar una pieza del tablero de ajedrez.

Ivonne intentó acariciar el cabello del Duque pero éste se levantó inmediatamente, cogió otro vaso de ron, lo llenó hasta arriba y, con la misma velocidad, lo hizo descender por sus tripas. Luego miró por la pequeña ventana y siguió pensando tonterías.

—¿Por qué me desprecias? —preguntó Ivonne.

—Si te prestara atención, posiblemente te despreciaría.

—Eres cruel; deja de pensar en ella. ¡Vamos a pasarlo bien! ¿Qué tienes pensado hacer esta noche?

—No hago planes por anticipado —concluyó el Duque.

Ivonne comenzó a llorar y el Duque continuó bebiendo y jugando con el tablero de las sesenta y cuatro casillas. A esas alturas ya no podía distinguir el alfil del rey.

—No te comprendo, lo tienes todo. Eres más poderoso y temido que Danko. Puedes salir con él por los mares y convertirte en el rey. Si quieres permaneces aquí, en tierra, y sin el más mínimo riesgo tienes tu parte asegurada. Eres el dueño de este antro de mierda y todo el botín acaba en tus bolsillos porque esos estúpidos en unas semanas lo dejan aquí, ahogados en el alcohol y en los culos de todas esas rameras. Además, por ser capitán de tierra, te llevas el diez por ciento sobre el importe íntegro de todas las presas, los derechos de puerto, todo, todo es tuyo. ¿Qué más quieres? ¿No puedes olvidar de una vez por todas?

El Duque tan sólo se limitó a seguir bebiendo mientras escuchaba a lo lejos un portazo sin sentido. Sin ningún sentido para él.

—Eres un cobarde –había alcanzado a oír. Y para entonces sólo tenía fuerzas para acariciar una bola de cristal que, con sumo cuidado, con manos temblorosas, abría por su mitad. Acercó el perfume secreto a su rostro y se dejó llevar. Se dejó llevar por los recuerdos, por la locura.

La sombra de la muerte de Iris, como un relámpago tenebroso, se había instalado permanentemente en la lujosa casa, habitando rincones, ensombreciendo la llama tenue de todos los candelabros que poblaban las habitaciones, maldiciendo miradas y recuerdos. Y para que el olvido resultase imposible, Batista husmeaba por cada rincón de la casa y se perdía por todas las rendijas de la memoria, investigando, indagando, escudriñando, haciendo de su trabajo un suplicio para Zoé Latorre.

El despacho estaba envuelto por una luz cegadora y, desde él, Batista observaba al jardinero cortar el césped con una máquina tan pequeña como ruidosa. Zoé se acercó y bajó unas persianas de listones metálicos, transformando la habitación en un juego de cuadrículas extraño y enigmático, tan enigmático como el cuadro de Claudio de Lorena que Jorge Castillo mostraba a Batista. Zoé se acercó, le dibujó la historia del cuadro y le relató con su misteriosa voz todos sus infiernos.

—Siempre pensé que mi padre murió por culpa de este cuadro. Ahora, con la muerte de Iris, estoy convencida. —Zoé acarició la tela y sus alargadas manos temblaron, sus cuidadas uñas pintadas de rojo parecieron dibujar lágrimas sobre el impresionante lienzo.

—Vamos, cariño, no digas tonterías. —Castillo se acercó hasta Zoé y la abrazó. Batista miró el cuadro pero sus ojos, llenos de curiosidad, se dedicaron a perseguir, de forma disimulada, las manos del hombre impecablemente vestido acariciando la espalda de Zoé Latorre.

—Le extrañará ver a Jorge siempre conmigo. Es parte de mi vida, tal vez la más importante. —Zoé se separó de Castillo y se sentó en un lujoso sillón, cruzando de forma delicada y elegante las piernas—. Vive con nosotros desde hace treinta años. Yo nunca conocí a mi tía, Dorna Latorre, la hermana de mi padre, pero sé, igual que sabía Iris, que Jorge era el hijo perfecto, nuestro primo preferido, y también nuestro nuevo padre, el hermano que nunca tuvimos, el que más y mejor nos quiso, el que cuidó de dos niñas arrojadas y abandonadas en este cruel mundo. Por eso, Jorge lo es todo en esta familia.

—No lo dudo —se limitó a responder Batista—. Tengo entendido que acaban de descubrir que el cuadro no es ninguna copia, ni tampoco de la escuela de Claudio de Lorena, como hasta hace poco pensaban...

—Es un original de Claudio de Lorena. Un verdadero original, ¿sabe lo que eso significa? —Castillo, alterado, excitado, con los ojos abiertos como lunas, miró el cuadro y disparó hielo al rostro de Batista, sabedor de que el desaliñado policía era completamente incapaz de comprender lo que eso significaba.

Batista miró el cuadro, se acarició su barba de dos días y se creyó en la obligación de susurrar alguna expresión admirativa:

—Sí, es precioso...

—Y, tal vez, peligroso —apuntilló Zoé.

—¿Por qué dice eso?

—Mi padre siempre pensó que el cuadro escondía el plano de algún fantástico tesoro. Supongo que la visión de esos piratas exaltó, de manera extraña, su imaginación. Siempre creí que era una extravagancia... Pero con la muerte de Iris la pesadilla ha vuelto a renacer.

Batista, sin preguntar, tan sólo con la expresión de sus oscuros ojos, intentó abrir más el libro de la mente de aquella exquisita mujer, rebuscar entre las cuatro lujosas paredes del despacho algún pasado sobrenatural emergiendo del cuadro maldito. Sin embargo, tan sólo pudo comprobar de primera mano que para Castillo todo había sido una desgraciada casualidad y así lo manifestó, volviendo a coger las manos de Zoé, y mostrándose demasiado empalagoso con ella. Apartando los ojos de aquella singular pareja, Batista intentó descifrar la peculiar intriga que se escondía detrás del cuadro. Sin embargo, para alguien tan simple como él, para quien la única belleza que podía sacudir su vida era la preparación de algún guiso especial, la visión del trasero de Tina Turner, o el deleite de paladear alguna jugada extraterrestre protagonizada por Laudrup o Maradona, el cuadro de Claudio de Lorena no dejaba de ser un simple lienzo pintarrajeado hacía más de tres siglos. Por fin, después de mucho pensar y no encontrar ninguna vía de escape por ese lado, intuyendo que el cuadro podía ser una pista más, tal vez la principal, se acordó de alguien que podría ayudarle.

—Creo que conozco a la persona indicada... —comentó.

—¿Qué quiere decir? —preguntó Zoé, algo desconcertada.

—Un antiguo compañero experto en estos temas. Nos podría ser de mucha utilidad.

—Si eso nos puede ayudar a encontrar al asesino de mi hermana, no hay ningún problema. Confío en usted.

—Bien, hablaré con él...

Batista se alejó y Zoé le acompañó hasta la puerta. Dijo adiós a Castillo y se despidió de Zoé. En ese mismo instante, en la puerta de la casa, apareció Hugo Soto, el marido de Zoé Latorre. Batista le saludó e, inmediatamente, recordó el asesinato de la puta italiana. Sonrió y comprendió que la vida era un pañuelo. Cuando montó en el coche no vio el momento de contar a su compañero a quién acababa de estrechar la mano, al tipo encumbrado y díscolo que, desde el Congreso, aposentado en su poltrona, con sus impecables trajes y sus corbatas de seda, escupía infiernos y mentiras. Mientras esperaba que el semáforo cambiase de color, intentaba comprender lo retorcido del amor, y es que jamás hubiera pensado que alguien tan exquisita como Zoé pudiese acostarse, cada noche, con aquel estirado tipo de gafas.

Falange Española Tradicionalista
y de las J.O.N.S.
Servicio de Información y Documentación
Delegación Provincial de Valladolid

Teléfono 1274
Número 7.432

Ramón Nieto Calvo, Licenciado en Derecho y Delegado Provincial del Servicio de Información e Investigación de Falange Española Tradicionalista y de las J.O.N.S.

CERTIFICO

Que de don Carlos Rojas Saelices, natural de Valladolid, de veintidós años de edad, casado, mecánico y vecino de Valladolid, obran en esta Delegación los siguientes antecedentes tomados de declaraciones de diversas personas:

Sorprendióle el Movimiento Nacional en Madrid, donde trabajaba en SIGMA, industria de Óptica e Instrumentos de Precisión y donde daba clases en la Academia que para preparación de Aspirantes a Vigilantes conductores de la Dirección General de Seguridad abrió en aquella capital Acción Popular.

Que al comienzo del Movimiento, y por su significación derechista, fue detenido por los esbirros rojos, que le pusieron más tarde en libertad.

Que antes de esta primera detención custodió durante dos días, en el domicilio del camarada José Rodríguez Maza, Claudio Coello, número 95, principal, un fichero de afiliados de Falange Española de las J.O.N.S.

Que al intentar detenerle de nuevo, para salvarse, se ofreció a prestar servicio en el Parque Móvil de la Dirección General de Seguridad, siendo nombrado conductor.

Que desempeñando este empleo salvó a algunas personas de la muerte, consiguió sacar a varias de su prisión y ayudó a otras a evadirse de la zona roja.

Que también distribuyó alimentos entre las personas de orden.

Que salió del territorio marxista y se presentó a las autoridades de la España Nacional en Fuenterrabía el 12 de agosto de 1938.

Que entretanto sea resuelto su expediente, permanecerá en la Prisión provisional de esta capital.

Que tiene reservado puesto en un parque automovilista militar de esta capital.

Y para que conste, a instancia de la esposa del interesado, expido la presente, que firmo y sello en Valladolid, a 25 de agosto de mil novecientos treinta y ocho. III año triunfal.

Saludo a Franco

¡Arriba España!

63

◆ ◇ ◆

Zanussi acababa de bajarse de un taxi en mitad de Montmartre. Agarrando con frenesí un pequeño maletín de piel, recorrió sus laberínticas calles y se dejó atrapar, como cientos de turistas, por rincones típicos y tremendamente sugestivos. Pero Igor Zanussi estaba allí para algo más que para hacer turismo. Bajó por la rue Norvins y llegó a la hermosa y empinada rue Saules, tan característica de aquel especial y bohemio barrio. Sus azules ojos dejaron atrás *boulangeries*, cafés, árboles, bancos con parejas de enamorados, turistas de todo tipo y condición hasta que se detuvieron, en la esquina con la rue Saint Vincent, con un cartel negro de inspiración modernista donde se podía leer, en infantiles letras de color amarillo, lo siguiente:

AU
LAPIN AGILE
CABARET
POÈMES ET CHANSONS
VEILLÈES VERS 21

Era el cabaret Au lapin agile, el antiguo Cabaret des Assassins, medio oculto por una gran y hermosa acacia, con su romántico y ya famoso aspecto rústico, con sus vallas de color verde terminadas en afiladas puntas amarillas, con sus contraventanas de madera también verdes, con los espíritus burlones de todos los pintores y escritores famosos que visitaban el lugar desde tiempos inmemoriales y no lo abandonaban tras su muerte. Según las indicaciones, al lado debía de estar la Galería de Sophie Lavilière. Dobló una esquina y, al instante, encontró lo que buscaba. Miró el escaparate de la galería de arte, en el que se anunciaba, de forma aparatosa, la exposición de un tal Eric Rivière, abrió la pesada puerta metálica, decorada con una fotografía del pintor, y accedió al interior. En él, decenas de cuadros, torpemente figurativos y obtusos, eran objeto de extasiada contemplación por parte de una pareja de ancianos y de dos señoras de mediana edad vestidas con unos ostentosos abrigos. Al fondo, sentado tras una pequeña mesa, un chico joven, con gafas, camisa a cuadros y pantalones azules, escribía algo en un ordenador. Su mesa estaba inundada por los catálogos pertenecientes a la obra del tal Eric Rivière. Zanussi se acercó hasta él y, en un perfecto francés, preguntó por mademoiselle Sophie Lavilière. El joven llamó a una puerta situada justo detrás de él y, pocos segundos después, le hizo pasar al interior.

—Desde que recibí su fax le espero con impaciencia. —

Sophie Lavilière era una mujer mayor, bastante alta y extremadamente delgada, con el pelo blanco recogido hacia atrás y gafas redondas que magnificaban sus ojos de circe, de vieja experta y astuta. Llevaba un vestido gris muy elegante y un gran collar de perlas a juego con la pulsera. Su despacho estaba lleno de cuadros, la mayoría sin colgar, además de unos cuantos archivadores—. Quiero que me cuente con todo detalle la historia de nuestro cuadro...

Zanussi, con la lección bien aprendida, hizo una rápida descripción de todo el proceso que le había llevado a descubrir la originalidad del cuadro de Claudio de Lorena, evitando, en todo momento, mencionar las muertes de Iris Latorre y de su padre. Cuando terminó su exposición, Sophie se levantó, se dirigió a uno de los archivadores y sacó una gran foto del cuadro, una fotografía, por desgracia bastante oscura, en parte por la mala calidad de la foto y en parte por la suciedad del propio cuadro, pero en la que se podía distinguir claramente, entre otros detalles, la bandera francesa que presidía el gran navío central.

—Me acuerdo todavía perfectamente de él —comentó la galerista—. Siempre sospeché que era original y más desde que se publicó, hace un año, la biografía de Lucien Girardot.

—Sophie mostró a Zanussi, en ese preciso instante, un grueso volumen titulado *Lucien Girardot. Vie, oeuvres, mensonges*, buscó una página doblada en su esquina y le enseñó otra fotografía del Lorena—. Girardot fue un hábil falsificador pero también uno de los más importantes traficantes de arte de los años 30 y 40. Empezó como pintor y, harto de sus continuos fracasos, se decidió a realizar una serie de falsificaciones de grandes pintores, especializándose, entre otros, en Claudio de Lorena. Sin embargo, paralelamente, entró en contacto con una mafia nazi, una verdadera red de expoliadores de grandes obras de arte que, a través de una perfecta organización en la que trabajaban primordialmente alemanes, italianos y españoles, colocaban los cuadros en las más importantes subastas de arte del mundo. Así, en abril de 1945, se hallaron en unas minas de sal custodiadas por los alemanes diversos cuadros, entre ellos el nuestro. Aquellas obras habían sido adquiridas o directamente sustraídas durante la Segunda Guerra Mundial por el ministro nazi Goering. Cuando terminó la guerra y se descubrió el tesoro, por motivos obvios, Lucien Girardot prefirió confesarse falsificador antes que ser acusado de colaboracionista. Fue juzgado y obligado a realizar, bajo vigilancia, alguno de los cuadros requisados, demostrando una gran pericia en su ejecución. Cinco años más tarde, a los sesenta y tres años, murió en una cárcel de Burdeos. Durante esa época había estallado ya la polémica, pues no todo el mundo pensaba que aquellos cuadros fuesen falsificaciones. Empezaron a aparecer nuevos cuadros de Vermeer, Rembrandt, Franz Hals y las dudas se extendieron más y más. Sin embargo, la peculiar situación del país, que intentaba olvidar la reciente guerra, y el temor a las confiscaciones hicieron que las autoridades francesas dieran carpetazo al asunto. Tan sólo un par de obras habían sido sometidas a examen pericial y entre ellas no estaba el cuadro de Claudio de Lorena. Las obras analizadas habían conseguido burlar las pruebas periciales clásicas: el análisis del albayalde, la radioscopia, la resistencia de los colores a los disolventes, el examen microespectroscópico de las sustancias colorantes, etcétera, por lo que se siguió pensando, de manera oficial, que todos aquellos cuadros eran falsificaciones. Se difundió la idea, desde las más altas instancias, de que Lucien Girardot había sido muy hábil y astuto en su trabajo. Había investigado los materiales y procedimientos de los grandes maestros y, utilizando lienzos anónimos de la misma época de los originales, conservando los clavos forjados a mano y los listeles de cuero originales de los cuadros, haciendo coincidir los blancos de los antiguos lienzos con los recién pintados, había conseguido realizar falsificaciones lo suficientemente perfectas como para engañar a todos los críticos, revistas especializadas y museos del mundo entero. Todas las investigaciones y las múltiples dudas que surgieron alrededor terminaron ahí, justo hasta la publicación de este libro. Ahora sabemos, sin ningún género de duda, que muchos de los cuadros que se nos hizo creer que eran hábiles copias, en realidad eran originales, verdaderas obras maestras víctimas de expolios injustificados y hábilmente colocadas en distintos lugares del mundo.

—Y el cuadro de Claudio de Lorena es uno de ellos —interrumpió Zanussi, de forma alborozada, olvidando su contenida forma de ser.

—Para mi desgracia lo he sabido demasiado tarde. Yo entonces era muy joven, llevaba muy poco tiempo al frente de la galería y pensé, en su momento, que hacía un gran negocio cuando vendí el cuadro. Jamás lo lamentaré lo suficiente. Sin embargo, tengo que decirle que debe tener mucho cuidado. Desde que apareció el libro varias mafias internacionales de arte buscan por todos los rincones del mundo los cuadros. Le aconsejaría que su representado pusiese, cuanto antes, a buen recaudo el cuadro. Hasta ahora han tenido suerte y a la suerte no hay que provocarla demasiado.

—Tal vez no hayamos tenido tanta suerte. —Zanussi se levantó, estrechó la mano de Sophie y se despidió de la galerista, dejándola sumida, con su último comentario, en una absoluta perplejidad—. Me ha resultado de una gran ayuda. Muchas gracias. Espero poder invitarla pronto para que vea el lorena. Estaremos en contacto.

Una canoa de madera decorada con extraños motivos indígenas se desplazaba por el plateado río, como un punto diminuto y danzarín en medio de la espesa vegetación. El calor resultaba insoportable pero no parecía molestar al Duque. A su lado, mientras manejaba los remos a buen ritmo, Padovani señaló hacia una de las orillas.

—No, no es aquí —comentó el Duque—. Esos indios habitan tierras más lejanas.

La seguridad del Duque se tradujo, al instante, en una mayor intensidad de remo a cargo de Padovani. Él sabía, desde hacía mucho tiempo, que el Duque poseía un sexto sentido único. No tenía ya dedos en las manos para contar las veces que le había salvado la vida, una vida que siempre se había balanceado sobre una cuerda floja y que la mayoría de las veces acababa cediendo por el punto más inesperado. Cuando su familia le obligó a entrar en la Iglesia supo que nunca sería un sacerdote ejemplar pero eso, en los tiempos que corrían, poco podía importar. Toda familia noble que se preciase tenía la obligación y, tal vez, el derecho, al menos eso pensaban, de extender sus tentáculos hacia todos los lados, y la Iglesia era uno de los bocados más apetitosos. A Padovani le tocó en suerte entrar en un monasterio a los diez años y diez años después era conocido en toda Roma. No existía mancebía ni taberna que no supiese de su fama. Su carácter disoluto, pendenciero y goliárdico le granjeó todas las enemistades del mundo y, a pesar de su habilidad con el sable, su vida corrió peligro multitud de veces. Una de esas veces, en la puerta de un lupanar de mala muerte, fue asaltado por cinco matones contratados por alguno de los múltiples caballeros a los que había deshonrado tras haber gozado de todas las mujeres de su palacio, desde la servidumbre hasta llegar al mismísimo dormitorio del noble despechado —«Duque, siempre hay que empezar por la cocinera para llegar a la doncella y meterse en la cama de la señora; nunca falla—»; así que con su larga túnica negra de dominico fantasmagórico y su afilado sable plateado se vio abatido por el amplio número de contrarios y por el volumen de alcohol que descansaba en sus tripas. Estaba ya en el suelo cuando apareció un caballero todo de negro que mató a dos de los esbirros y puso en fuga a los otros tres. Era el Duque. Y aquella fue sólo la primera vez. Luego fueron a Venecia y allí vivieron al límite. Jamás vio al Duque tan feliz. Sin embargo, aprendió rápidamente que en la vida todo termina y mucho antes el paraíso. Huyeron y con el tiempo se separaron. Luego, como en un cuento de hadas, se reencontraron en el fin del mundo, en Tortuga. Y en Tortuga, el Duque le volvió a salvar de las garras de los piratas, convirtiéndole en un bucanero. Ahora habían pasado muchos años y Padovani sabía que nunca le abandonaría, que él se había convertido en la triste música que siempre acompañaría los recuerdos del Duque, porque en la única memoria del Duque estaba Padovani: él había sido testigo de un tiempo feliz del que el Duque no deseaba desprenderse pues sabía que eso sería su muerte.

—Es increíble la forma que tienes de despreciar a las mujeres. Tal vez algún día te falten —comentó Padovani, al hilo de cualquier juguetón pensamiento, mientras no cesaba de remar vigorosamente.

—Calla, cura, no deberías hablar así. Te debes a más altas causas.

—Sí, las más altas causas. —Padovani estalló en una estruendosa carcajada que se confundió con el colorista recital de pájaros exóticos y demás animales que poblaban el río.

Un poco más tarde, cuando el inmenso sol empezó a esconderse, la canoa embarrancó en medio de la manigua, ocultándose y perdiéndose entre las plantas. Los dos hombres descendieron de la pequeña embarcación y llegaron a la orilla. Se adentraron en la selva y empezaron a cortar con sus machetes las ramas que, de mil formas distintas, se cruzaban en el camino. Caminaban en silencio. Sabían que era una zona muy peligrosa, abarrotada de animales salvajes y de reptiles venenosos que se camuflaban entre las hojas secas. Por fin, un par de horas después, consiguieron salir de aquel opresivo lugar y se detuvieron a comer un poco de harina de mandioca junto con algunas piñas.

—Todavía me recuerdo vagando por tantos y tantos lugares, en tantas y tantas expediciones, provisto tan sólo de una mala calabaza con un poco de agua, comiendo pescados de concha que encontraba en los peñascos a orillas del mar —comentó Padovani, mientras daba buena cuenta de una gran piña de un color amarillo casi fosforescente.

—Acuérdate de aquella vez, en la selva de los katai, en la que estuvimos dos semanas sin comer. Al final tuvimos que dar cuenta de los zapatos y las vainas de las espadas y los cuchillos. El cuero era nuestro único sustento y muchos de nosotros esperábamos que apareciese algún indio para sacrificarlo con nuestros dientes —le recordó un pensativo Duque.

—Menos mal que antes llegamos a Santa Teresa de Tierra Firme y nos hundimos en el mayor festín...

—Toma, cura rijoso, una calabaza llena de pulque, para que ahuyente los malos espíritus.

La noche caía, cálida, salvaje, inmensa en su desnudez. Alrededor, los árboles brillaban con una fuerte luz verdosa. Los cucuyos, refugiados en la frondosidad de los árboles, desprendían una luz mágica y turbadora que no impidió que el sueño se instalara definitivamente en los cuerpos de Padovani y el Duque.

—Pásame ese paño, el que está ahí encima. Bien. Ahora esta pequeña delicia la metemos en el horno. Ya está. Contamos 25 minutos y nos vamos haciendo a la idea de que dentro de muy poco tiempo traspasaremos las puertas del cielo, y también del infierno, si se deja. —Batista miró el reloj—. ¿Te has enterado de cómo se prepara mi Quiche Safo? Es fácil. Te repito: se baten dos huevos, se mezclan con 100 gramos de jamón dulce y 50 gramos de bacón cortados en trocitos, con un poco de leche, de nata líquida, queso rallado, una pizca de nuez moscada, pimienta y sal. Todo ello se echa en la pasta de hojaldre y al horno. ¿Lo has cogido? Con la Quiche Safo no se te resistirá ninguna mujer. Te lo aseguro.

—Siempre piensas en lo mismo. No has cambiado nada. —Larios miró fijamente a Batista y sonrió.

—Anda, calla y ven. —Batista condujo a Larios hasta el mueble bar de donde sacó una coctelera de plata en la que echó Bailleys, mangaroca, Cointreau, whisky, pippermint, una pizca de canela y unas hojitas de menta y comenzó, de forma muy profesional, a agitarla—. Con esta Pasión turca y mi Quiche Safo lo tienes todo hecho. No falla. Pero dime, ¿qué ha pasado con Silvia?

—Silvia, Silvia... —Larios posó con suavidad sus labios sobre la copa que contenía la Pasion turca y volvió a sonreír—. ¿Sabes? Ni siquiera le gustaba Pat Metheny...

—Cada vez pones excusas más estúpidas para abandonar una relación. —Batista cogió de los hombros a Larios y le miró fijamente a los ojos—. Nunca la tendrás, una vez estuviste a punto, pero, desengáñate, no volverá... No la sigas buscando en todas las mujeres. Empieza a olvidar... Tienes que volver a trabajar. Se acabó ser un vago. Y además, ve haciéndote a la idea, vas a volver a trabajar para mí...

Larios miró a Batista con ojos extraviados, asustado y extrañado por lo que acababa de comentar su antiguo compañero. Y es que desde que abandonó la Policía, no se le había pasado por la cabeza volver a trabajar como un vulgar destripaenigmas. No se sentía con fuerzas aunque, mientras apuraba su Pasión turca, pensaba que ahora, tal vez, fuese el momento.

—Necesito que me ayudes en un caso. Para mí es un completo misterio y, al parecer, la solución al enigma puede girar alrededor de un cuadro. ¡Tu especialidad! Ha habido una extraña muerte y estoy seguro de que tú eres la persona indicada para resolver el caso. Trabajarás para una mujer exquisita. Seguro que te gusta. Ojalá algún día cenes Quiche Safo con ella y bebáis juntos, a la luz de una vela, una Pasión turca... Pero, vamos a poner la mesa. Se acerca el cielo, Larios, ¡el cielo!

En menos de diez minutos, Batista y Larios estaban sentados alrededor de una pequeña mesa circular y, mientras saboreaban el delicioso manjar, el policía narró toda la historia del cuadro de Claudio de Lorena. Larios, por primera vez en mucho tiempo, pareció interesarse por algo, enganchándose, poco a poco, a la historia. Durante más de una hora dejaron correr recuerdos, pasearon por el bulevar de todos los momentos vividos juntos, se enamoraron de los antiguos casos que debieron resolver y se fueron dando cuenta de que todo podía volver a empezar. En un momento dado, al calor de la noche y de la Pasión turca, Batista se levantó, se acercó al mueble bar y, esta vez, no trajo ninguna nueva copa. En sus manos llevaba dos paletas de tenis de mesa.

—Hace tanto tiempo, que no sé si me acuerdo. —Larios miró la pala y la acarició con el dorso de su mano derecha.

—Vamos, eras el mejor. Esto no se olvida. —Los dos hombres salieron a una pequeña terraza y comenzaron a pelotear—. Vuelve a destrozarme con tu defensa de revés. Eras un maestro, un verdadero frontón que devolvía todas las pelotas. —Batista y Larios saltaron, sudaron, corrieron y se desahogaron dando golpes salvajes a la pequeña bola de celuloide—. Ves, ves cómo no te has olvidado. Sigues siendo el mismo cabronazo que hace perder la paciencia a todos sus contrincantes.

Tras más de veinte minutos abandonaron la partida. La casa había empezado a dar vueltas y la quiche parecía no descansar en paz. Se volvieron a acercar al mueble bar y se sirvieron un whisky.

—Antes, cuando te comenté la historia del cuadro, pasé por alto algo. —Batista se bebió de un trago el whisky—. Zoé Latorre, la mujer para la que vas a trabajar, está casada con Hugo Soto, ya sabes, el ministro, uno de los hombres fuertes del gobierno. —Larios miró a Batista y pareció no comprender—. Miranda, un compañero al que no conoces, pues se incorporó después de tu marcha, está investigando la muerte de una prostituta italiana, Lisa Conti, que apareció hace un par de semanas muerta en su apartamento con más de treinta puñaladas por todo su cuerpo. Los sospechosos son tres hombres, un asqueroso traficante de sexo dueño de un *peep-show* que era, además, su chulo, y un rico gitano, dueño de una tienda de antigüedades, con el que mantenía relaciones...

—Has dicho tres sospechosos, ¿quién es el tercero? —preguntó Larios, cansado, aturdido por el alcohol, pero enganchado a la historia.

—Se trata de Hugo Soto, el hombre digno, el perfecto, el decente. —Larios no pareció extrañarse; en realidad hacía ya mucho tiempo que dejó de sorprenderse—. Todo esto es confidencial, como comprenderás nada ha salido a la luz. Es un asunto muy turbio y delicado. Al parecer, Hugo Soto veía con asiduidad a la puta italiana y montaba numeritos especiales con ella. Para su desgracia todo fue grabado en vídeo y no tardaron en hacerle chantaje...

—¿Qué tiene que ver eso con el caso del cuadro de Claudio de Lorena? —Larios apuró su copa de whisky y se levantó, miró el reloj y se dirigió hasta la puerta.

—No sé, tal vez nada, pero pensaba que debías saberlo.

—La policía siempre ha estado dominada más por los chismes que por la verdad.

—Eres injusto.

Larios volvió a sonreír, salió de la casa y llamó al ascensor. Cuando iba a entrar en él escuchó a Batista:

—¿Visitarás a Zoé Latorre?

Larios no contestó. Se limitó a hacer un expresivo gesto de despedida con la mano y cerró la puerta del ascensor. Y es que, embriagado por pasiones turcas, whiskys y pelotas de ping-pong, sentía ya que, con su vuelta al mundo de los vivos, iba a comenzar su particular descenso a los infiernos.

Habíamos ganado la guerra. Resultaba absurdo y patético: los azotaperros íbamos a entrar en danza, en una danza surreal, estúpida, en completa consonancia con la guerra que acabábamos de sufrir y que, entre otras cosas, se había llevado a mi hijo y, de una forma u otra, también la ilusión, la esperanza, la razón de vivir. Nunca pensé que todas esas cosas las pudiese recuperar, pero hubo un tiempo, en otro país, donde se produjo el milagro. Sin embargo, aquello duró un suspiro y me arrojó cruelmente a un infierno más lejano todavía. Un infierno en el que aún hoy, escondido en mi torreón de Peñaranda de Bracamonte, estoy desesperadamente sumido.

Tras la guerra me convertí en un abanderado del nuevo orden, algo en lo que ni yo mismo creía, aunque lo debí disimular muy bien y, en poco tiempo, empecé a escalar posiciones. La política, como una vulgar ramera, se abría de piernas a todos los «salvadores patrios», nos ofrecía sus carnes y sus jugos, nos reclamaba para nuevas cruzadas.

Personado en esta Secretaría Municipal un Delegado del Excelentísimo Señor Gobernador Civil de la provincia, me ordena cite a Vd. para que esta tarde a las cinco en punto concurra a esta Casa Consistorial, sita en la Carretera de Aragón 48, a fin de posesionarse del cargo de Alcalde-Pre-

sidente para el que ha sido nombrado. Lo que para su debido conocimiento y satisfacción le comunico. Dios salve a España siempre y guarde a Vd. muchos años. Había llegado a lo más alto. O casi. El 8 de febrero de 1940 el Gobernador Civil me nombró Alcalde de la Villa de Canillas, en Madrid. Y, según iban las cosas, con tanto pájaro rondándome, con tanta gloria alrededor, mi carrera resultaba imparable. Era el más joven y el de más carisma. Todo el mundo me apoyaba, estaba a mis pies...

Sin embargo, jamás vi tanta mierda, tanta maldad, tanta corrupción a mi alrededor. Intenté hacer las cosas bien y se hicieron muchas: había que levantar un país, sus ilusiones, y trabajé para ello con todas mis fuerzas. Lo intenté para que otros se llevaran los frutos. Todavía hoy día una calle de Madrid lleva el nombre del fulano que me sucedió en el cargo en base a unos méritos que habían salido de mis manos, de mi esfuerzo, de mi sudor. Pero da lo mismo. Nunca tuve vocación de héroe, todo lo contrario, y nunca deseé estatuas porque toda mi vida he pensado que sólo sirven para que las palomas las utilicen como artístico evacuatorio. Así pensé siempre y así me fue.

Como la situación no me agradaba nada y yo no era feliz ni me sentía bien entre todos aquellos buitres, presenté mi dimisión como alcalde en julio de 1941 y, aunque recibí presiones de todo tipo, decidí retirarme definitivamente. Me instalé en un pueblo cercano a Valladolid y me encerré en el amplio y bien provisto taller que construí en el patio de la casa. Allí empezó mi carrera de inventor, por decirlo de alguna forma, experimentando con mil y una ideas, creando nuevos instrumentos que facilitaran la labor agrícola e industrial a mis vecinos. Creé varios aparatos, y uno de ellos, una tornadera mecánica, me dio mucho dinero y prestigio por aquellas tierras. Se necesitaban dos hombres para, con horcas en la mano, dar vueltas a las parvas en la era. Mi tornadera consistía en un aparato, a modo de horquilla de dos puntas, que daba esas vueltas, de forma mecánica, con lo que se evitaba el duro y penoso trabajo de dos hombres. Mis tornaderas tuvieron un gran éxito y muy pronto me vi superado por los cientos de pedidos que llegaban de todas partes. Patenté mi invento y durante un par de años no paré de construirlas, de crear nuevos talleres en distintos puntos de la provincia y de ingresar e ingresar dinero, a base de mucho trabajo, tiempo y, por qué no decirlo, soledad. El mundo entre Teresa y yo se había ensanchado años luz. Ella en el horno con sus pasteles y su dulce universo tan alejado del mío, y yo en mi taller con mis engendros mecánicos. Y cuando no era el taller, era la biblioteca, donde cada vez me encerraba más tiempo, buscando sentido y significado a todo. Me obsesioné con seguir mis estudios de Derecho pero no estaba preparado, ni siquiera deseaba asistir a la universidad de nuevo. No me sentía con fuerzas. Sin embargo leí, en esa época, cientos y cientos de libros de derecho y me empapé de la doctrina jurídica, del arte de engañar y también de defender causas perdidas. Incluso llegué a asistir como letrado en diversos juicios en los que yo hacía el trabajo y el título, con las consiguientes firmas, lo ponía algún abogado amigo.

Fue en aquel momento cuando, por medio de diversos contactos, me llegó la oportunidad de asistir a un importante Congreso Jurídico en Florencia. Además, un antiguo compañero de la fábrica daba clases como profesor de Lengua y Literatura Española allí, y cabía la posibilidad de ser contratado temporalmente para sustituirle ya que, por motivos personales, debía regresar a España. Todo se presentaba como una aventura, una aventura que se arregló, gracias a mis antiguos e influyentes contactos, en pocos días, y que no dejé escapar. Mi mundo en España se había derrumbado, no encontraba sentido a casi nada, me sentía perdido, tornadizo, veleidoso. Debía huir de todo y de todos.

No me lo pensé dos veces y me presenté en Florencia. Era el año 1946 y no me imaginaba que llegaba al paraíso.

✦ ✧ ✦

El exquisito Jorge Castillo, con sus sienes plateadas, su elegante traje negro y su delicadeza perpetua, rodeó la cintura de Zoé Latorre. Sumergidos en una mañana misteriosa y sensual, llevaban varios minutos contemplando el cuadro de Claudio de Lorena. Y es que, en los últimos días, desde el momento en que recibieron la noticia de su autenticidad, no sabían hacer otra cosa, habían sido conquistados por la extraña magia del más celebrado paisajista, cayendo en una especie de embabiamiento que les mantenía aturdidos, encantados, atrapados en medio de una búsqueda total que les condujese hasta el maravilloso elucidario capaz de esclarecer oscuros secretos.

Mientras Zoé observaba, en completo silencio, los efectos de luz, el sol, siempre en posición baja, tan característico en Claudio de Lorena y que provocaba esa luz tan especial, crepuscular y asombrosa, comenzó a sentir sobre su piel los labios de Castillo. Durante unos segundos, la boca del delicado zahorí navegó por el cuello de Zoé, por sus mejillas, por sus negros cabellos, por sus ojos, para acabar desembocando apasionadamente en la boca. El beso fue largo, cálido, misterioso hasta que Zoé, por fin, apartó de su cuerpo a Castillo, sentándose, aureolada por un oscuro sentimiento de elegancia, en un sofá junto al amplio ventanal que daba al jardín.

—No volvamos a empezar. Eres mi mejor amigo, eres mi hermano mayor, ahora mismo lo eres todo. ¡No lo estropeemos! Aquello sucedió hace mucho tiempo. Yo era una niña...

Castillo, con sensibilidad aterradora, se acercó a Zoé, la abrazó con todas sus fuerzas y sólo pudo repetir, entre susurros milimétricamente calculados:

—Eres mi pequeña, mi pequeña. —Luego, con la dignidad que siempre le había caracterizado, se apartó, miró por enésima vez el cuadro, recompuso, como un teatral vanistorio, su elegante traje, abrió el cajón de un pequeño armario y alcanzó a Zoé un frasco de perfume Givenchy III.

—Mi pequeña niña se debe a los aromas de notas actuales poco convencionales, como el verde, el helecho, el chipre. Pero, como buena mujer independiente, tu sentido de la libertad no te esclaviza a un solo perfume. Necesitas cambiar, sobre todo por la noche, necesitas llenarte de perfumes orientales. Imagino que nunca llegaré a conocer totalmente a la Zoé seductora, sensual y apasionada, cubierta de perfumes cálidos, embriagadores, a base de aromas dulces de lila, jacinto, tuberosa, rosa, jazmín y nardo. Eso lo reservas para ese hijo de puta... Las composiciones florales-amaderadas-polverosas y orientales como las notas animales de ámbar, almizcle y civeto son sólo para él, para vuestras noches. El misterio y la pasión nunca llegan hasta mí. Sin embargo, todas las mañanas huelo tu perfume de la noche...

Con una sonrisa desarmante, Zoé se acercó a Castillo y besó su mejilla. Sabía, porque conocía a Jorge desde que tenía uso de razón, que era tierno, demasiado tierno y frágil.

—El perfume de la noche también es tuyo —le susurró en el oído.

—Anoche llevabas Diva, de Ungaro. Lo dicho: misterio y pasión. Es importante elegir el propio perfume, lo más importante, porque deja una huella que los demás asociarán a nuestra personalidad y nos recordarán por ella. No, no huelas el perfume ahora. —Zoé acababa de llevar el frasco de Givenchy al rostro—. Ya conoces las reglas: 1, la fragancia nueva hay que olerla por la mañana, antes de comer, cuando el olfato aún es sensible; 2, no cometas el error de llevar ya otro perfume, y no pruebes más de tres o cuatro aromas, comenzando por el más ligero porque varias fragancias pueden confundir y tapar unas a otras; 3, no aspires el olor directamente del frasco, ponte una gota en la piel, con preferencia en el dorso de la mano, en la parte interna de la muñeca o en la parte interna del codo; 4, no frotes, porque mareas el perfume; 5, no acerques demasiado la nariz a la piel, un aroma debe olerse a cierta distancia; 6, da tiempo al perfume a que se adapte a tu piel, a su acidez y calor. ¡Te lo he repetido cientos de veces!

Y Zoé reía con esa risa de la que sólo ella era capaz. Y Castillo, desde su rigidez, desde su seriedad, reía con Zoé, se abrazaban y se sentían felices porque estaban juntos y se necesitaban, después de los últimos tristes acontecimientos, más que nunca. El cuadro de Claudio de Lorena, con su tesoro oculto, en cierta forma, también pareció reír.

—Es un secreto —susurró Castillo—. Como tu perfume. Y nadie lo sabe.

Durante varios días el Duque y Padovani recorrieron la isla buscando a dos indios que habían acompañado expediciones anteriores de los piratas de Danko. En su agotador periplo dejaron tras de sí bosques de sándalos amarillos y de guayacos, árboles estos últimos tan propicios para los que no observan el sexto y de cuyo jugo tomó buena cuenta Boris Padovani...

—Recuerda, cura lujurioso —comentó Duque—, que el médico también utiliza los jugos del guayaco para extraer un antídoto contra los males que proceden del juego de Venus.

—Perfecto, mucho mejor, así mataré dos pájaros de un tiro —fue la extravagante aunque previsible respuesta de Padovani.

—Eres incorregible. Debería darte vergüenza vestir esa sotana —concluyó el Duque.

El día avanzaba en medio de un calor sofocante y de un ruido insoportable de miles de insectos cantando a la locura del sol. El Duque conocía Tortuga, mancha de Neptuno con maderas tremendamente propicias para fabricar navíos, como la palma de su mano, pero había momentos en que le desconcertaba su espesura. Ahora le parecía imposible encontrar a alguno de esos indios, como si la tierra y todos sus misterios se los hubiesen llevado consigo. Los días y las noches se juntaban como en un carrusel desconcertante, haciendo que la particular odisea de Padovani y el Duque les hiciera cruzar toda la espesura selvática de lado a lado. Acababan de salir de ella y sabían que, en pocos kilómetros, estarían de nuevo ante la inmensidad del mar. El Duque, viendo que sus provisiones comenzaban a escasear, ya había decidido acercarse hasta el Peñasco del Nuevo Mundo, lugar estratégico donde el gobernador había hecho construir una fortaleza, con dos piezas de artillería y una copiosa fuente que podía dar agua a más de mil personas y que impedía la entrada y el abordaje a navíos enemigos o desconocidos, aunque para llegar hasta ella tuvieron que separarse de su ruta y trepar por un angosto camino especialmente diseñado para la defensa de la fortaleza al no permitir subir a más de dos personas juntas. Al llegar descansaron unas horas y preguntaron a los vigías por alguno de los indios. El esfuerzo fue inútil. Hacía meses que no veían a ninguno de ellos. Pero, al menos, pudieron disfrutar de un exquisito vino que los indios extraían del zumo de ciertos árboles y pudieron saborear manzanas y ananás antes de continuar su camino.

—¿Se puede saber, Duque, por qué es tan importante encontrar a esos indios? —preguntó Padovani mientras descendían por el angosto camino.

—Parece mentira que me hagas esa pregunta. Sabes que son los más diestros con el arpón, son los mejores para el sustento de los navíos según se emplean en la pesca de tortugas y manatíes. Uno solo de ellos es capaz de abastecer una nave con más de cien personas. Además son industriosos para elaborar delicados licores, lo acabamos de comprobar. Eso te gusta más, ¿verdad, cura?

Aquellos indios, de los que cada vez quedaban menos en estado salvaje porque los que tenían la desgracia de caer en las manos de los piratas o de los soldados franceses del gobernador eran utilizados para otras funciones como la de siervos en las grandes plantaciones, huían continuamente y cambiaban de asentamiento como animales perseguidos, acorralados, temerosos. No querían comercio con los piratas porque en varias ocasiones habían acabado siendo víctimas de su propia inocencia y de la furia incontrolable de los hombres blancos que acababan robándolos, asesinándolos y tomando a sus mujeres para servirse de ellas en sus desenfrenados vicios. Pero con el Duque todo era distinto. Sabían que si hacían comercio con él no había peligro. Siempre había cumplido con su palabra y les había tratado, en todas las ocasiones que trabajaron para él, como a los demás, incluso mejor. Posiblemente el Duque se sintiese plenamente identificado con aquellos hombres solitarios, callados y fieles a una tradición, a una idea, a una religión muy superior a las religiones al uso, las de los altares y las de las coronas. Eran hombres pacíficos que se mantenían con bananas, patatas, ananás, cangrejos y con lo que pescaban a flechazos. Era gente en la que se podía confiar y el Duque preparaba una expedición muy especial que sería el preludio de un sueño, el sueño de entrar en Maracaibo, ciudad que se estaba convirtiendo, poco a poco, en una de las más prósperas del Nuevo Mundo.

◆ ◇ ◆

Pasan las luces de neón a través de mis ojos y no consigo ver nada, no puedo adivinar hacia dónde va la noche, ni yo ni nadie, nadie lo sabe. Sólo te busco, te busco en todas las mujeres que la atraviesan, te veo en cada espalda, detrás de todos los cabellos negros, escucho, desde el coche, tu inabarcable sonrisa, pero ya no estás. Tiene razón Batista, debo volver al trabajo, tengo que olvidarte, pero no puedo, es imposible. Hace ya dos años y todo permanece en mi mente igual, sigo empelotado en tus besos salvajes, confundido eternamente, con el estómago inquieto, basqueando por todos los rincones de mi vida. Y es que lo peor de la infelicidad es haber sido feliz... La noche ya sólo es locura y yo me sigo sintiendo un advenedizo del corazón, un desterrado de la magia, el más fracasado de los hombres. Y continúo soportando, como siempre desde que me dejaste, aguijonazos del corazón, latigazos en los recuerdos. Sigo sintiendo cómo tus afiladas uñas se clavan en mi espalda, sigo viendo las veinticuatro horas del día tu culo increíble, inexplicable, octava maravilla. En realidad, creo que ya he muerto porque sin ti nada tiene sentido. Es como la historia de los dos siameses. Dos hermanos mellizos unidos por el tronco que, durante años, fueron la atracción de un gran circo. Pasó el tiempo y cierto día, al despertarse, uno de ellos comprobó, aterrorizado, que su hermano había dejado de respirar. Se dio cuenta, en ese mismo instante, que parte de su cuerpo había muerto y comprendió que, en unas horas, se iría por completo. Durante unos minutos, un pánico atroz le invadió. Sabía que no podría vivir sin la otra parte de su yo. Horas después un empleado del circo encontró a los hermanos siameses muertos. Días más tarde supieron que uno había muerto a causa de un derrame cerebral mientras que el otro había muerto, antes de que se precipitaran los acontecimientos, por simple pánico. Y así me siento desde que te fuiste, como el siamés que sabe que va a morir, que su vida no tiene ningún valor sin su otra mitad. ¿Y qué hago yo aquí? ¿Por qué miro la tarjeta que me ha dado Batista? Zoé Latorre... ¿Qué mierda me importa lo que ocurra en su casa? Lo único que tengo claro es que no te tengo, que nunca te tuve. Sin embargo, siempre pienso lo mismo... ¿Qué lamentaré de viejo? Te lamentaré a ti.

Siempre me he sentido como un lobo en celo, como un dolorido perro que quiere lo que no tiene, perdiendo el timón de lo previsible, del río que fluye sin retorno, de lo lógico y común. En este momento, en mi viejo torreón, sólo puedo defender mi espíritu desnudo con siete flores y creer en otro cielo, lejos del sol, donde el mundo, mi mundo, se llene con sus ojos, su perfume y su cuerpo increíble, con el color de un tiempo distinto y sus besos eternos, turbios, indescriptibles. En el silencio de este torreón busco, dentro de mis recuerdos, el fulgor de sus ojos, el movimiento etéreo de su cuerpo, es decir, todo lo que me destrozó y me resucitó. Pero no lo encuentro, es difícil reconstruir lo irreconstruible y, desde mi posición, no tiene sentido: el fin es rojo, tremendo y estúpido pero desprendido y gentil con mi mente. Como siempre, pienso y dispongo lo que después no sé construir. Noto, incluso en este momento, cómo me deslizo, cómo me diluyo, sintiendo sólo un goce inmenso, desconocido y confuso. Y sé que es el fin, que todo terminó y que el hombre feliz huyó, del mismo modo que el hombre triste. Todo terminó y, en el fondo, es lo mejor. El precipicio que existe luego es el del hombre libre.

Un siglo después de lo sucedido, no termino por creérmelo. ¿Cómo puedo sobrevivir sin sus besos? Me confundo y me equivoco, entendiendo por redención esto que me sucede. En el fondo, sé que es el último sendero, el que no tiene regreso. ¿Quién me puede decir que en el fin tendré su rostro encendido, sus finos dedos, sus ojos de terciopelo? El reencuentro es mi destino y por él, sólo por él, respiro y, en ese límite, tengo su sexo en mi mente, exprimiendo su cuerpo sobre el mío. Es el símbolo que me sostiene de pie y vivo; de todos modos, y esto es lo único seguro, siempre tendré el recuerdo de sus besos y de su perfume, eso me pertenece y ningún dios puede destruirlo.

—Ahora ya es completamente seguro. El lorena es original...

La habitación, amplia, lujosa, llena de mármoles y frialdad, estaba inundada por una completa y angustiosa oscuridad. Contrabandeando belleza, dos hombres, de espaldas, hundidos en un par de inmensos y agobiantes sillones, se pasaban fotografías y papeles diversos que muy difícilmente podían siquiera vislumbrar. Fuera, las gotas de lluvia golpeaban con insistencia el gran cristal situado frente a los dos hombres y que servía, con la noche como inmenso murciélago negro desplegando sus alas, de única y escasa fuente de luz.

—¿Has dejado una copia de las fotografías y de los informes en nuestro Archivo Central?

—Sí, todo queda en la Embajada. Ha sido fatigoso pero ha merecido la pena.

—¿Cómo ha podido aparecer, de la noche a la mañana, un cuadro tan importante y del que no se tenía conocimiento hasta ahora?

—No es tan difícil como parece. Claudio de Lorena tuvo muchos imitadores y se han perdido, a lo largo de los siglos,

los rastros de muchos de sus cuadros en varias ocasiones. Cuando Hitler, con su obsesivo expolio de colecciones de arte en los países ocupados, apareció en escena provocó un descontrol absoluto del mercado artístico europeo. Grandes obras de arte aparecían y desaparecían con una facilidad asombrosa, por lo que las posibilidades de que estas sorpresas, tras la guerra, surgiesen no eran nada desdeñables. Incluso, tal vez, no sea la última vez que esto ocurra...

—Pero el cuadro ha pasado de mano en mano como si se tratase de una vulgar tela. No lo entiendo. ¿Por qué al final ha terminado en España?

—Todavía quedan puntos por aclarar. Muchos, quizá demasiados. La historia anterior al expolio nazi está todavía por descubrir. Sin embargo, a partir de ese momento, podemos reconstruir algo este confuso puzle. Al empezar la guerra, Hitler ordenó la construcción de un museo de arte europeo en Linz, Austria. Muchos historiadores de arte alemanes viajaron por la Europa ocupada y se encargaron de reunir miles de pinturas que formaron la base del museo del Führer. Algunas obras, cuyos propietarios eran arios, fueron compradas bajo amenaza y otras, pertenecientes a judíos, requisadas. Goering, que a partir de ese momento se convirtió en una especie de lugarteniente artístico de Hitler, se propuso, costase lo que costase, reunir la colección de arte privada más grande de Europa. En Francia, el ERR —el servicio nazi encargado de confiscar obras de arte de judíos, masones y opositores al nazismo— utilizó el museo del Jeu de Paume como almacén y base de operaciones. Un equipo de 50 personas —historiadores de arte, peritos, fotógrafos y administradores— evaluaron, fotografiaron y embalaron las obras que partieron hacia Alemania. Según el último informe del ERR, 203 colecciones privadas fueron confiscadas entre noviembre de 1940 y julio de 1944. Veintinueve convoyes ferroviarios cargados de obras salieron de París hacia Alemania en ese mismo período de tiempo. En total, 138 vagones cargados con 1.170 cajas cruzaron la frontera francoalemana. Y en una de esas cajas iba nuestro cuadro. Todavía no está nada clara la procedencia, el nombre del coleccionista privado, pero sí he podido seguir el rastro del largo viaje emprendido por el Lorena. Las colecciones se las repartieron Hitler y Goering. Por ejemplo, la caja H13 contenía, nada más y nada menos, *El Astrónomo* de Vermeer. La caja G63 el *Puerto* de Claudio de Lorena, nuestro cuadro, sin duda. Poco después, cuando la derrota nazi comenzaba a acercarse, muchos de los colaboracionistas que participaron en las confiscaciones buscaron refugio en países amigos y España fue uno de los destinos más socorridos. Aquí, con militares adictos a la pintura y al dinero, se comenzó a fraguar una especie de mafia que colocó muchas obras en mercados clandestinos, especialmente en Estados Unidos y Sudamérica. Alguna obra, sin embargo, acabó en España. El Lorena, en concreto, se escondió en una modesta galería de Arte parisina, regentada por una joven e inexperta mujer que iniciaba por aquellos años su carrera de galerista. Poco tiempo después, dos españoles, un tal Vidal y un tal Latorre procedieron a comprar, por bastantes francos, lo que en aquel momento se consideró una mediocre copia llevada a cabo por el presunto falsificador Lucien Girardot. Todo fue un montaje, hábilmente publicitado en el que el marchante colaboracionista Girardot se convirtió, de la noche a la mañana, en el falsificador Girardot. Pero el montaje se llevó hasta tal extremo, que los dos españoles pensaron que el cuadro no era original, al menos Carlos Latorre. Sin embargo, algo debió de suceder para que Latorre cambiara de opinión y comenzara a investigar. Además apareció, por extrañas circunstancias, aunque imagino que lo fundamental fue el motivo central del cuadro dominado por unos hombres vestidos a la manera pirata que descargan unos cofres repletos de dinero y joyas, el sentimiento obsesivo en Latorre de que el cuadro escondía, en realidad, el plano de un tesoro.

—Fascinante... ¿Y qué hay de cierto en eso?

—Pienso que todo es una leyenda, aunque los últimos acontecimientos me hacen dudar.

—¿Tenemos alguna posibilidad de hacernos con el cuadro?

—Depende de los métodos que utilicemos.

—Eso no importa.

—Puede ser peligroso. Cuando saquemos a la luz la verdad y notifiquemos al mundo la aparición de un nuevo lorena nos enfrentaremos a las mafias de arte que intentarán hacerse con él por todos los medios y usted sabe que esas organizaciones no se paran ante nada ni ante nadie. Además, en cualquier momento puede surgir el verdadero dueño que reclame sus derechos, al igual que ha sucedido, por ejemplo, con los herederos de la colección Schloss.

—Entonces habrá que intentar, como sea, que no salga a la luz el hallazgo. En Polonia no tenemos ningún lorena y debemos conseguir que éste sea el primero.

—No va a resultar nada fácil. Creo que Zoé Latorre está dispuesta a subastarlo cuanto antes. La muerte de su hermana y la confirmación de que su cuadro es un original han precipitado los acontecimientos.

—Confío en ti, Igor. Quiero ese cuadro a cualquier precio.

—La sala estaba ya completamente a oscuras. Tan sólo entraba, por un ventanal lateral, una luz tenue, desnuda y turbia como un Modigliani. La Embajada polaca, desde el exterior, parecía una fantasmagórica mansión, un sueño engendrado en una noche de opio por Edgar Allan Poe. Zanussi se levantó y estrechó la mano del linajudo funcionario de las ruinas. Poco después se hizo el silencio total. La oscuridad, definitiva.

87

✦ ✧ ✦

Boris Padovani acababa de caer al suelo y en los ojos del Duque aparecieron, en el acto, unos peculiares destellos de preocupación, de fatalidad, de reencuentro con algo que conocía muy bien. Sin embargo, Padovani se levantó tan rápido como el rayo y reanudó su marcha. El Duque siguió con la vista, de forma disimulada, a su compañero y observó los denodados esfuerzos del cura por seguir adelante entre los matorrales y el fuego...

—Vamos a descansar unos minutos. El Duque mandó parar y señaló un pequeño claro para acampar.

—Por todos los clavos de Cristo, no sé lo que me ocurre —protestó Padovani mientras seguía sintiendo continuos vahídos en su loca cabeza.

—No seas estúpido, cura, te he dicho un millón de veces que no abuses de los cangrejos marinos, sabes que provocan flaqueza de cerebro y el tuyo es terreno abonado para que eso ocurra.

—Serán unos minutos y luego hablaremos sobre la debilidad de mi cerebro. —Padovani sonrió mientras procedía a recostarse encima de la maleza.

—Ya sé que tienes la cabeza más dura de toda Tortuga... —comentó el Duque, al tiempo que buscaba un mullido lugar donde reposar su cansado cuerpo.

—Si me hubieras dejado echar mano a ese jabalí con el que nos hemos cruzado... —protestó Padovani.

—Sabes que es una especie protegida por todos nosotros, porque es un seguro de vida en caso de ser invadidos por alguna armada indeseable. Por Dios, si acababas de comer; ¡en verdad, eres insaciable!

Poco tiempo después, tras el merecido descanso, Padovani y el Duque siguieron con su interminable búsqueda de los indios. Se acercaron a un pequeño riachuelo y Padovani se agachó para recoger entre la palma de sus manos un poco de agua. Sin embargo, el Duque se abalanzó sobre él, impidiéndoselo.

—Espera, espera... —El Duque se precipitó sobre las aguas, tomó un poco entre sus manos y lo acercó al rostro—. Lo sabía, estamos encima de ellos. Posiblemente nos estén observando en este momento. Creen que los perseguimos y tienen miedo. Acaban de envenenar el agua del río con las ramas del nikú. Echan al río unas pocas, al instante se colorean, pasan del blanco a un fuerte color nacarado para regresar a su transparencia habitual. Inmediatamente los peces empiezan a revolverse y a agitarse de forma desesperada hasta la muerte. Si hubieses bebido un poco de esa agua probablemente ahora estarías retorciéndote de dolor. Da lo mismo, vamos al encuentro de esos insensatos...

El Duque se despojó del cinto del que colgaban su espada y su pistola y empezó a gritar en una lengua extraña. Al poco rato, comenzaron a aparecer unos indios completamente desnudos y con llamativas pinturas en sus pechos.

Mientras tanto, en Tortuga, empezaba el quinto día de fiesta ininterrumpida salpicada de ron y peleas. El Loro Azul hervía por los cuatro costados y asistía, con todos sus sentidos en deplorable estado, a la homilía lujuriosa y satánica del capitán Danko, a todas sus indignas historias, sus bravuconadas, llenas de infiernos y ángeles caídos.

—Llegamos a aquella pequeña ciudad. Ibamos ciegos, hartos de mascar, tragar y digerir durante días únicamente cuero seco, repugnante como un veneno. Pero allí estaba esa ciudad repleta de cerdos, llena de joyas, llena de mujeres que nos esperaban con los brazos abiertos. Y eran todas nuestras, carne fresca y gratis después de tantas penurias; carne gratis, escuchad estúpidos que os gastáis en mujeres todo vuestro botín y a la mañana siguiente os halláis sin una buena camisa que poneros, decídselo a ese perro estúpido de Van der Sar que ha dado a Ivonne 500 reales de a ocho sólo por verla desnuda. Pero allí no, allí las mujeres eran tratadas bien y se entregaban dulcemente a nuestras libidinosas y concupiscentes demandas. Recuerdo una dama de buena cuna, hermosa como una ternera en su jugo, recuerdo todos mis agasajos con ella, y recuerdo su culo rotundo, sus pechos salvajes escondidos en un pudor extraño que sólo poseen los estúpidos de buena cuna, recuerdo mis ardientes deseos de quererla gozar. Pero uno no siempre gana, la tuve que convencer de otra manera... Jo, jo, puercos imbéciles, tenemos que volver allí. Esta botella está vacía, traedme más.

La noche volvía, se iba, regresaba de nuevo y se volvía a ir. Casi todos los piratas habían fundido su parte del botín y regocijaban su espíritu con las astracanadas del capitán Danko, a pesar de que casi todos ellos habían asistido a aquella expedición y sabían que las cosas no habían sido así precisamente. Pero, tal vez, aquello aligerase su conciencia y la dejase libre para mendigar algunos sorbos de las botellas que alegremente descorchaba el capitán Danko.

—El señor Larios —proclamó un mayordomo salido de una película de los años cuarenta.

—Sí, gracias. Puede retirarse. —Zoé Latorre se acercó a la puerta y estrechó la mano de Larios, mientras el mayordomo, un tipo ampuloso, cerraba la puerta del despacho con extrema delicadeza, no sin antes haber efectuado un rápido y exhaustivo examen a los sucios zapatos de Larios, a la vieja americana negra, a sus gafas oscuras, a sus vaqueros negros y estrechos, a su blanca camiseta de extraños dibujos.

—El inspector Batista dijo que usted nos podría ayudar. Me comentó que es un experto en arte.

—Batista, por ser un buen amigo, es muy subjetivo en sus apreciaciones. —Larios estrechó la mano de Zoé—. Me gustaría ver el cuadro...

—Por supuesto. Sígame. —Zoé condujo a Larios a una habitación contigua y mostró el lienzo, llena de orgullo y, en parte, de un oscuro temor que no alcanzaba a comprender.

—Un lorena auténtico... —susurró Larios.

—¿Eso piensa?

—Es fácil engañarme. Claudio de Lorena tuvo infinidad de imitadores. Algunos de ellos de altísima calidad.

—Hemos comprobado que es auténtico. —Zoé pareció sentirse ofendida y abandonó, durante un momento, el espíritu alegre que le solía acompañar.

—El estilo es del lorenés, su gama cromática también, las ruinas fantasiosas, los pequeños personajes, el sol en su punto bajo. Sí, un Lorena de su primera época. ¿Han comprobado si tiene réplica en el *Liber Veritatis*? —preguntó Larios.

—Mi agente trabaja en ello. No hemos encontrado nada al respecto, pero eso no es relevante.

—Podría ayudarnos. Sería la prueba más palpable y determinante de su veracidad. —Larios examinó el lienzo con minuciosidad extrema, acariciándolo sin tocar la tela, y con una lupa que siempre solía llevar consigo, buscó secretos en los rostros de los pequeños personajes que poblaban el magnífico cuadro.

—Perdone, creo que no ha comprendido su trabajo. No necesitamos que nos certifiquen la autenticidad del cuadro, de eso ya nos hemos encargado. —Zoé condujo a Larios de vuelta a su despacho, lo cruzaron en su totalidad y ella abrió la puerta que daba al amplio y lujoso hall—. Quiero que descubra al asesino de mi hermana.

—Lo siento, tiene razón. Todos los detalles me los ha confiado Batista. Sin embargo, ese caso está en manos de la policía. Yo únicamente puedo buscar las pistas que nazcan

91

del cuadro. Eso intentaba. Creo que su padre también murió en extrañas circunstancias y que estaba obsesionado con la idea de que el cuadro escondía el plano de un tesoro. ¿Por qué piensa que llegó a esa conclusión?

—No sé, debió descubrir algo. Lo mismo que mi hermana. El día antes de su muerte así me lo confesó...

—¿Qué le dijo en concreto? —preguntó Larios.

—No sé, no me acuerdo. Creo que dijo que mi padre tenía razón, que había un tesoro, que el cuadro era original... No sé, no recuerdo, estoy confundida. —Zoé miró fijamente los ojos de Larios—. ¿Cree que es posible que esconda el plano de un tesoro?

—En principio, yo me creo todo. El que aparezcan piratas en el cuadro es algo único, pero no imposible. Claudio de Lorena trabajaba por encargo: un comitente ponía el dinero y escogía el tema... Muy bien pudo sugerirle ciertas claves. Investigaré todo lo que pueda y la mantendré informada. Necesitaría fotografías ampliadas de los detalles.

—Lo había imaginado. —Zoé se acercó a la mesa y le alargó un gran sobre marrón—. Aquí tiene. ¿Quiere que avise para que le acompañen a la puerta de salida? —Larios acarició el sobre, atravesó el gran hall y llegó hasta la impresionante puerta:

—No, sabré encontrarla. Gracias.

Cuando ya se disponía a salir de la fastuosa mansión, de una puerta lateral surgió Jorge Castillo con unos frascos balanceándose en sus manos. Vestía una bata de seda azul y parecía tener prisa. Larios le ayudó con los frascos y le acompañó hasta una habitación sorprendente, muy blanca e inundada por complicados artilugios. Parecía un laboratorio extraño y odorante, lleno de sugerencias, abotargado de olores.

—Éste es mi pequeño refugio... Supongo que usted es el policía amigo de Batista. Seguramente le habrá hablado de mí. —Castillo dejó los frascos sobre una alta mesa y comenzó a olisquear alrededor de Larios—. No me diga nada... Moustache, de Rochas.

Larios se mostró extrañado y gratamente sorprendido. Tan sólo acertó a mover afirmativamente la cabeza.

—Lo sabía. —Un exultante Castillo se acercó a un armario y sacó una botella de algo que parecía whisky y sirvió dos copas—. Es una de las fragancias más difíciles de adivinar. Usted es un hombre introvertido, cerrado en sí mismo, tal vez dolido. Seguramente le han hecho daño y no ha encontrado otra manera de reaccionar que encerrarse dentro de un oscuro caparazón. Por eso prefiere aromas sedantes, que no llamen la atención. Quiere pasar desapercibido para el mundo. El mundo ya no le interesa.

—No sabía que fuera adivino. —Larios, confundido, acercó los labios al whisky y esbozó una mueca de desagrado.

—Por Dios. —Castillo, lleno de damería e indisimulada satisfacción, fingió sentirse ofendido—. No confunda la adivinación con el arte del perfume. El perfume evoca imágenes en nuestra fantasía y forma parte de nuestra vida, también nos ofrece claves, desentraña enigmas, es el principio y el fin de una persona, su marca de fábrica, la más perdurable. Y a ello he dedicado toda mi vida. Puedo conocer a las personas única y exclusivamente por su perfume. La composición de un perfume es un arte delicado. Es el resultado de una total dedicación artística y profesional. Un perfumista debe tener un profundo conocimiento de los miles de productos de olor característico, una excelente memoria olfativa para recordarlos y, sobre todo, imaginación para combinarlos. Somos pocos los elegidos, nos llaman hombres-nariz, pero simplemente somos artistas del olor, o dicho de otra manera más poética, artistas del aire, somos los nuevos alquimistas. Yo tengo todos los aromas y fórmulas registradas en mi cere-

93

bro. Una idea, un sentimiento, una emoción puede inspirar la composición de un nuevo perfume y su elaboración es muy lenta y complicada. Las posibilidades de combinación de los diversos elementos olorosos son infinitas... Se requieren centenares y miles de pruebas distintas, según las varias etapas de evaporación, practicadas en diversas personas, en diferentes ambientes. La creación puede llevar de uno a varios años de trabajo. Veo que mira su reloj. Tal vez algún día, cuando tenga más tiempo, pueda explicarle detenidamente toda la magia que se esconde en el universo de los perfumes.

Larios se despidió de Castillo y le dejó enfrascado en sus aromas, en su peculiar y atractiva taumaturgia de los sentidos. Sabía que volvería a hablar de perfumes con Castillo y, según se alejaba de la fantástica mansión, sintió que todo aquel mundo estaba mucho más próximo a él de lo que nunca imaginó. Y es que, en el fondo, Larios siempre había navegado por las ondas de un perfume secreto...

✦ ✧ ✦

Era una fría mañana de invierno y me desperté, como todos los días, con el sentimiento rutinario de sentirme admirado y despreciado a la vez, con ese sentimiento de felicidad consistente en que no te pasa nada, en que nunca, realmente, te ha pasado nada, en que la vida fluye dócilmente, sin inquietudes de ningún tipo. ¿Se puede ser feliz sin que un volcán haya explotado dentro de tu cuerpo, te haya sacudido y despertado, llamándote a la vida o a la nada? Al final de todo siempre corres el riesgo de que sean sólo cenizas las que caigan de tu cuerpo desnudo. Es el riesgo que hay que correr, y el riesgo es como el lago de ojos verdes que te llama, te llama, y te engulle.

Corregía los exámenes de un puñado de cretinos incapaces de distinguir magia a un palmo de sus narices cuando comencé a notar mucho movimiento en el ático de enfrente. Durante días no aparté mi vista de aquel ático y es que Laura, desde el primer momento, se metió dentro de mi cuerpo y de mi alma. Vi cómo fue ordenando todo, cómo fue construyendo todo un mundo nuevo y excitante. Enseguida supe que era pintora, que era alguien como yo, alguien atacado por la enfermedad de los sentidos, la única enfermedad digna y alegre, porque el arte es una enfermedad de los sentidos, una enfermedad del espíritu, del otoño: en el fondo, casi toda la actividad creadora no es otra cosa que prepararse para morir.

Desde mi casa podía divisar perfectamente dos de sus ventanas: una de ellas correspondía a su estudio de pintura, al quirófano de los sueños; la otra, para mi desgracia, era la de su dormitorio. Cuando aparecía en su estudio, dispuesta a comenzar su peculiar jornada, ya me tenía allí, con ella, cosido a su cuerpo, convertido en el espía de su perfume. Cada mañana, durante horas, pinté con ella mil sueños, escalé por la cremallera de ese vestido negro, vaporoso y pizpireto, que solía ponerse para pintar y, ya entonces, desde los primeros días, me veía detrás de Laura, acariciando sus pechos y estrechando su cuerpo contra el mío, deslizando un tirante y después el otro, hasta dejar que sus pechos empezasen a construir el arco iris de mi vida.

Pero no me conformé con eso. Sentí la necesidad de atraerla hacia mí, de hacerla mía, de llevarla hasta mi terreno y seducirla, hacerla comprender que éramos la misma persona, que el destino nos unía y nadie podría impedirlo. Así que decidí seguirla a todos los lados y esperar que surgiese la oportunidad. Ella salía poco de casa y siempre se valía de una pequeña moto. Ni corto ni perezoso me compré una idéntica a la suya y comencé a seguirla por toda Florencia, esperando el momento preciso y precioso en que el destino hiciese chocar nuestras vidas.

95

✦ ✧ ✦

—Me estoy despidiendo de Zoé Latorre, ya sabes, la hermana de la víctima, y ¿a que no sabes a quién me encuentro? ¿No te imaginas con quién está casada esa preciosa mujer? ¡Hugo Soto! Tu hombre, el Hombre con mayúsculas. —Batista, soberbio enredista, sonrió de forma pícara, entonando un afilado miserere con la blanca espuma de su cerveza.

Carmelo Miranda cogió la pelota de ping-pong con la mano, acarició la paleta y se acercó a una pequeña mesa, tomó entre sus grandes manos la botella de Carlsberg y bebió un trago. Las luces del Wang Tao reverberaban sobre su rostro, hacían filigranas en torno al espeso bigote y formaban reflejos indefinidos en las grandes gafas. Como un arúspice romano examinó las entrañas de la pequeña pelota y buscó sentido a lo que, rápidamente, comprendió que era una tremenda casualidad. Con un toque melindroso, tan alejado de su habitual actitud, acarició la pala por su lado negro, dejó escurrir sus dedos por la goma y movió, significativamente, de un lado a otro la cabeza.

—Al principio estaba completamente seguro de que ese soberbio hijo de puta estaba metido hasta el cuello en la muerte de Lisa Conti, pero cuanto más me introduzco en esta sucia historia, cuanto más conozco a los sospechosos, más me alejo de esa idea. —Vistiendo la apariencia fantasmal que siempre le había sido tan propicia, Miranda empezó a mirar fijamente a Batista y le señaló con su grueso dedo corazón—. Me juego los huevos a que el jodido gitano está metido en esto hasta el cuello.

Batista dejó la paleta encima de la mesa, se acercó a la barra, pidió otro par de cervezas y regresó a la mesa de ping-pong. Los dos policías, en pocos minutos, dieron buena cuenta de ellas.

—Deberías leer el diario de la puta italiana. Lo tenía todo: licenciada en Ciencias Económicas y Empresariales, traductora, azafata, actriz porno (protagonizó un par de *gang-bangs* en Italia y aquí llegó a rodar una cutre película por 200.000 míseras pesetas en la que iba de felación en felación y era sodomizada por un negro tan grande como la torre Eiffel), aficionada a la lencería de lujo (tenía un verdadero arsenal de sujetadores, ligueros, bragas, camisones y todo lo que tu sicalíptico cerebro pueda imaginar), ninfómana, etcétera, etcétera, etcétera. Y la guarra de ella apuntaba, en un pequeño diario, toda la miseria de sus clientes, que si le gusta el dolor, que si es pasivo, que si la lluvia dorada, que si una hora, que si botas altas. Mierda, mierda y más mierda. Registraba hasta seis servicios diarios y se embolsaba al mes más de cinco millones de pesetas. Sin embargo, hay algo que no nos cuadra en todo esto: no se le conoce ningún patrimonio y su cuenta estaba casi a cero en el momento de su muerte. Sospechamos de todo el mundo, por supuesto de Hugo Soto, pero también de otros clientes e, incluso, de una mafia italiana a la que llevamos mucho tiempo persiguiendo y que se dedica a la encomiable tarea de extorsionar a compatriotas dedicadas a estos productivos juegos. Sin embargo, hay dos tipos que me parecen especialmente execrables y sospechosos, y el orden lo puedes decidir tú mismo. Sabemos que Jorge Comas, más conocido por *el Sietepolvos*, te puedes imaginar por qué, dueño de un famoso *peep-show* y magnífico y excelentísimo rector de putas, maquinó el chantaje sobre Hugo Soto. Persuadió a Lisa Conti para que, junto con otra de sus chicas, a la que por cierto parece que se le ha tragado la tierra, engatusaran a Soto y le grabaran en vídeo. Un vídeo, por cierto, muy edificante que seguro encantaría a tu admirada Zoé Latorre, un dúplex lésbico con ingredientes de sado en el que Soto parece sentirse a sus anchas y donde los tres intercambian papeles de dominación y sumisión. ¡Una verdadera delicia! Después, *el Sietepolvos* se encargó de extorsionar al afamado político. Comas reconoce el chantaje pero no sabe nada del asesinato, incluso ha confesado que había reñido días antes con Lisa a cuenta del famoso vídeo y que había dejado de trabajar para ella.

—¿Y el gitano? ¿Por qué estás tan seguro de su culpabilidad? —Batista apuró una nueva botella de Carlsberg y comenzó a juguetear con la pelota de ping-pong.

—Ese tipo es el que más me confunde. Tiene una tienda de antigüedades y parece estar forrado. Sabemos que, de una u otra forma, mantiene contactos con una poderosa mafia italiana de arte aunque nunca se ha podido demostrar nada contra él. Es listo, demasiado listo. Ya sabes que se llama Andrés Pacheco, que está casado con una joven gitana, y que tiene 18 hijos con distintas mujeres. Lo curioso del caso es que mantenía una extraña y platónica relación con Lisa Conti. Y, aunque no te lo creas, parecía no saber nada de las actividades sexuales de su novia, a pesar de ser un putero de los pies a la cabeza. Hay algo en él que no me gusta nada.

La música en el Wang Tao, a esas horas de la noche, venía marcada, rítmicamente, por las sacudidas metálicas de las pequeñas pelotas de celuloide sobre las mesas de juego, creando una especial melodía de percusiones infinitas. Ya ni siquiera la guitarra de Eric Clapton podía planear más suave y poéticamente.

La mañana era radiante y, desde el primer momento, el Duque supo que debía seguir ejerciendo esa odiosa y cínica tarea de intentar demostrar que el color negro era, en realidad, el blanco hábilmente ensuciado. Tenía en sus manos la carta que el gobernador francés le había enviado dos días antes: «A petición del capitán Danko, el ilustrísimo gobernador de Tortuga se complace en solicitar la comparecencia ante él, en su residencia, la mañana del cuatro de marzo, a las diez en punto, del capitán de tierra Duque, capitán español, con la intención de discutir acerca de un viaje por aguas del Caribe».

El Duque llevaba tiempo esperando ese encuentro y se disponía a sacar el máximo provecho a sus peticiones aunque tuviese que soportar a todos aquellos engendros ruinosos, aguantar estoicamente el impecable almidonado de sus gorgueras, la ostentación de sus jubones de raso, la suave ondulación de sus gregüescos y la hipocresía de sus jetas repugnantemente corruptas.

—Mi buen amigo, tenía ganas de volverle a ver. Debemos renovar ciertos documentos. —El gobernador, Henri Doyle, carcamal infame de peluca torcida y polvos blancos cubriendo su rostro, vejestorio indigno de indigno historial, cubierto de sedas y perifollos alarmantemente chabacanos e impropios, se había abalanzado sobre el Duque, todo de negro en claro contraste con los blancos y pasteles del pseudocamisón almibarado que portaba el gobernador, llenándole de halagos y palmadas infantiles, invirtiendo unos términos que tenían su raíz en los pantanosos contratos que ambos hombres tenían firmados y que comprometían muy seriamente la honra, el pasado y el futuro de aquella peluca andante—. Pase a mi despacho.

Doyle acompañó al Duque hasta sus aposentos privados que servían de tapadera para un trabajo que no existía, mientras apartaba con una patada a un sirviente negro que llevaba unos minutos en la puerta.

—Que nadie nos moleste, perro estúpido.

Dentro del despacho el Duque se acomodó en un opulento y lujoso sillón, tomó una botella de ron, una copa de fino cristal y se dirigió de manera desdeñosa al gobernador:

—Cuando un hombre es caballero lo es para siempre —comentó, sin mirar para nada a Doyle, mientras se servía el ron.

—Mi buen amigo, tiene que aprender algo que me enseñaron desde pequeño —contestó, levemente molesto, el gobernador—. Algo sustancial a la buena crianza es demostrar a todo el mundo la diferencia que existe entre esos perros y nosotros, dejarlos en su sitio, a patadas o con el látigo y, sobre todo, para que no haya grandes problemas, no dar grandes sueldos a la servidumbre...

—Es decir, matarlos de hambre.

—Usted es demasiado educado con esos perros. Mire esta noticia que acaba de llegar de París, la casa Real sabe lo que vale un criado que ha robado a su señor.

El Duque tomó en sus manos el pergamino que le había alargado el gobernador, una sentencia de muerte firmada por el propio rey que aquel mamarracho enseñaba como un trofeo, y procedió a leerla en voz alta para dar mayor gusto al viejo badulaque:

—«... que se le lleve a la Torre Redonda y de allí se le saque por las calles de la ciudad hasta La Rochelle, donde será ahorcado: vivas aún las entrañas, se removerán de su cuerpo y arrojarán al fuego, se cortará entonces su cabeza y el cuerpo se dividirá en cuatro partes: la cabeza y los cuartos se colocarán en cinco distintos lugares que la Casa Real designe...»

El gobernador estalló en una risita estúpida que no logró contagiar al Duque. Ante el serio semblante de éste, el gobernador se limitó a cambiar de conversación:

—Supongo que vendrá a renovar nuestras famosas cartas de represalias.

—Llamémoslas comisiones provechosas... —matizó el Duque.

—Sí, será mejor. Según el espíritu de las cartas de represalias, cuando un barco es desprovisto de su cargamento en provecho de un corsario, el armador del buque perjudicado, en virtud de estas cartas, tiene derecho a recuperar lo perdido a costa del primer navío de la nacionalidad del que le había despojado que se cruce en su camino. Eso no es precisamente lo que hace el *Roccobarocco*...

—Bueno, podemos fingir que hace algo parecido, que busca un desagravio por algún incidente anterior. El gobernador de Tortuga sabe que eso resulta muy provechoso para sus arcas, para mantener este nivel de vida, estas sedas y tapices que cuelgan por doquier.

—En efecto, no tenemos nada que discutir. Acérquese al escritorio y firmemos todo lo que haya que firmar.

El acuerdo fue tan rápido como había previsto el Duque antes de entrar en aquella tétrica mansión. Después, el gobernador se limitó a ofrecer al Duque su tabaquera y juntos sorbieron unos polvos de rapé, el polvo de tabaco que tan de moda se había puesto en todos los ambientes cortesanos. El Duque sabía que no podría aguantar mucho más tiempo allí y terminó despidiéndose gentilmente, dejando a aquel pobre hombre sumido en su miseria, en su estupidez, en su gran mentira.

◆ ✧ ◆

Las conversaciones que, en los días siguientes, se sucedieron entre Larios y el elegante sibarita hicieron comprender a Larios que todo era exequible en el campo de la perfumería, que no era otro que el mismo campo de la seducción o, lo que resultaba más difícil y abstracto, de los recuerdos, de la evocación, el rescate perpetuo de la memoria, el olor que te llevaba, te arrastraba hacia otro momento de tu vida, que te empujaba hasta una felicidad virtual, la única que, a esas alturas de su vida, podía permitirse Larios. Descubrió, como un ángel caído, como un excitado párvulo, que, según el porcentaje de esencias y alcohol empleados en la fabricación se obtenía: el extracto o perfume, la más concentrada y duradera de las fragancias líquidas y la que contenía la máxima cantidad de esencia pura, suspendida en alcohol, suficiente para que con unas gotitas el olor persistiese durante siete u ocho horas; *eau de parfum*, más suave que el perfume, con la mitad de concentrados que el extracto y con un efecto proporcionalmente menos duradero; *eau de toilette*, menos perfumada; *eau fraîche*, igual que la *eau de toilette* pero con una fragancia cítrica-floral-amaderada; la colonia (*eau de cologne*), la forma más ligera del perfume, con la menor cantidad de aceites de esencia, la menos fijada, la menos duradera y la más refrescante. Y, poco a poco, emborrachado por lecciones y olores, Larios comenzó a conocer, por su fragancia, las distintas familias de los perfumes. Jorge Castillo, entusiasmado con el simple hecho de haber encontrado un alumno aventajado, un cómplice hermano, alguien, en definitiva, tan enamorado de los perfumes como él, enseñó a Larios un pequeño tesoro que apenas nadie conocía. De un gran arcón sacó un precioso armario antiguo de madera granate en el que reposaban majestuosamente toda una gran colección de perfumes en sus diminutos envases primitivos y originales, desde Calandre de Rabanne, hasta Turbo de Faberg, pasando por Choc de Cardin, Gentleman de Givenchy, Drakkar de Laroche, L'air de temps de Nina Ricci, Oasis de Myrurgia, Chamade de Guerlain, Squash de Dana, Charlie de Revlon, Diva de Ungaro y decenas y decenas más. Larios, poco a poco, fue distinguiendo aromas, y aprendió a agrupar, ayudado por el mejor maestro, los perfumes en familias con componentes comunes según las características de su fragancia.

En un momento dado y al hilo de un perfume singular, Larios se dio cuenta de que, entre tanta magia, en medio de una cortina fascinante de increíbles olores, se escabullía provocadoramente del motivo central que le retenía en la lujosa mansión y se sorprendió, de forma absurda, pensando en el perfume que utilizaría Claudio de Lorena, en el lirismo desprendido de sus cuadros a través de olores muy especiales. De pronto se sintió en la obligación de preguntar algo de forma más directa a Castillo, algo que les devolviese a la realidad, algo que les alejase definitivamente del mundo de los perfumes:

—¿Descubrió usted el cuerpo de Iris?

Castillo pareció no inmutarse. Dejó los frascos a un lado, recompuso su almibarada figura y movió afirmativamente la cabeza mientras volvía a colocar en su lugar todos los perfumes. Comprendió, en el acto, que había llegado el momento de salir del túnel fantasioso al que había conducido a Larios y en el que se habían irremediablemente perdido. Sin embargo, no fue Larios el que, con un chasquido de sus dedos, con una varita mágica especial, terminó con el encanto: alguien acababa de golpear la puerta del admirable santuario y, en el umbral, apareció Igor Zanussi. Larios conoció por fin al hombre que llevaba los asuntos artísticos de Zoé Latorre. Conversó durante unos minutos con él y llegó a la conclusión de que sabía mucho más de lo que decía. A instancias de las insistentes preguntas de Castillo y, esperando hablar más detenidamente con Zoé, Zanussi confesó que tras su viaje a París estaba completamente convencido de que el cuadro de Claudio de Lorena era original y, además, creía conocer su oscura procedencia, tan escondida para la familia y especialmente para Carlos Latorre, que compró el cuadro en una galería de París y jamás supo nada sobre él, ni sobre sus antiguos propietarios, ni sobre su verdadero valor. Al menos eso pensó, durante toda la vida, la familia Latorre...

✦ ✧ ✦

Pensaba que las mariposas eran las flores más hermosas porque a su belleza natural se unía el don de la vida, del movimiento, del vaivén delirante y sinuoso. Sin embargo alguien un día tomó una mariposa entre sus manos y le quitó las alas. ¿Qué quedó de ella? Sólo una pequeña y asquerosa bestia que, seguramente, sólo amarían los entomólogos. ¡Qué simple resultaba engañarme! En ese dilema me he movido durante toda la vida, subiéndome a una balanza en la que, en un platillo estaba la mariposa, la flor más hermosa, y en el otro, la mariposa, la pequeña y asquerosa bestia amada sólo por los entomólogos. Después llegó Laura Gabelatti y la balanza empezó a moverse de un lado a otro, hundiéndome en un mar de dudas del que ya jamás supe, ni quise, salir. Aprendí que las mariposas ya no se podían tener entre las manos sin que quedara, por todos los dedos, el polvo de oro de sus alas. Ésa, en el fondo, fue la verdadera historia de Laura Gabelatti; ésa, en el fondo, es la verdadera historia de mi vida.

Había empezado, prudentemente, a investigar sin respiro todo lo que me llevaba hasta Laura. Si Laura salía yo me transformaba en su sombra; y es que andar sobre sus pasos empezaba a ser lo más semejante a ser suyo, a poseerla eternamente.

✦ ✧ ✦

Jorge Comas atendía solícitamente, como un camandulero profesional, a dos jovencitas que, entre risas y miradas cómplices, se habían decidido a comprar una peculiar caja, rebosante de sorpresas, que se presentaba bajo el llamativo nombre de Clímax Kit y, mientras esperaban que el dueño del establecimiento les devolviese el cambio de las 5.000 pesetas, leyeron la parte posterior del impecable y algo hortera estuche, llenas de nervios uterinos, de risas espasmódicas y alfileres nerviosos:

Con un vibrador multirregulable, con funda tipo pene, con rugosidades y venas y una funda anatómica anal. Se incluyen dos pilas 1,5 V.

Comas repasó la caja, cogió unos cuantos billetes, los introdujo en su cartera y se preparó para cerrar su próspero establecimiento, aunque en las cabinas del *peep-show* todavía estaban trabajando un par de chicas. Aquel peculiar pandemónium de rojas paredes comenzaba a tranquilizarse. Eran las tres de la madrugada y estaba deseando seguir la fiesta en otro lugar, purear el resto de la noche, putañear tranquilamente durante unas cuantas horas. Comas, con su pelo cortado casi al cero, sus tatuajes en ambos brazos, su perilla y sus aros en las orejas, su rostro hocicudo y prognato lleno de prematuras arrugas, se había hecho famoso, unos años atrás, protagonizando varias películas porno y paseando su famoso apodo de *Sietepolvos* por las camas de muchas de las mujeres más famosas del mundo del espectáculo y de la gente más importante del país. Entre unas cosas y otras, consiguió una pequeña fortuna que invirtió en un pequeño sex-shop que, poco a poco, fue ampliándose hasta convertirse en un auténtico sanatorio del sexo conocido como el Peep-show Ginger en homenaje a la exquisita actriz porno Ginger Lynn —según él la mujer por excelencia, una Ava Gardner rubia, con treinta años menos y con películas mejor escogidas—, donde trabajaban doce chicas que desnudaban sus cuerpos en las cabinas ante todo tipo de público y ampliaban horarios en sus apartamentos pasando la conveniente comisión a Jorge Comas.

Cuando ya estaba a punto de cerrar, entró en el establecimiento un gitano alto, de largas patillas y vestido de forma impecable.

—Vamos a cerrar —le recordó el Sietepolvos.

—Sí, sólo será un momento —fue la respuesta de Andrés Pacheco. Mientras tanto comenzó a mirar un estante lleno de reafirmantes y afrodisíacos y se aseguró de que no había nadie en el local. Para hacer tiempo, comenzó a leer, lleno de alcohol y navajas, alguna de las cajas que inundaban la repisa de cristal. En ese preciso instante, salieron las dos últimas chicas y se despidieron de Comas mientras miraban, hipnotizadas y provocadoras, al elegante gitano.

—¿Queda alguien? —preguntó el Sietepolvos.

—No, somos las últimas —contestaron las mujeres.

Comas cerró la parte de atrás del establecimiento y se acercó al estante donde Pacheco seguía leyendo las cajas de afrodisíacos. Tenía en su mano una pequeña caja rectangular de un color rojo brillante.

—Tengo lo que busca —comentó Comas—. Me acaba de llegar este perfume especial con el que cualquier mujer se verá irremediablemente atraída hacia usted, sin poder hacer nada por evitarlo. —El Sietepolvos enseñó a Pacheco un frasco negro, pequeño, con un gran tapón en forma de esfera, también negra—. Contiene la sustancia que segregan machos y hembras en los procesos de mutua atracción sexual...

En ese instante, con las luces del establecimiento semiapagadas, Andrés Pacheco, atacado por una furia aparentemente irracional, empezó a tirar todas las estanterías, a romper todo lo que se le puso por medio y a dar grandes alaridos. En un rincón, el Sietepolvos, con ojos como esferas taladradas, vio acercarse al gigantón gitano con una gran navaja que le puso en el cuello.

—Creo que los dos conocíamos a Lisa. —El filo de la navaja estaba ya tan cerca de la mejilla de Comas que ésta empezó a sangrar—. Me ha visitado un policía y me ha contado cosas que espero no sean verdad. Si alguna vez mi pequeña Lisa trabajó para usted, es hombre muerto. Sabré esperar.

Pacheco salió del establecimiento dejando al calavera de Comas muerto de miedo, mirándose la sangre, viendo cómo el gran gitano le rompía el cristal de su tienda. A esas alturas, el Sietepolvos no tenía ya ni fuerzas para coger el teléfono y llamar a la policía. La noche, esta vez, había caído demasiado deprisa sobre sus tatuajes de chicas Vargas.

Eran dos hombres extraños, sucios, de ceño fruncido y mirada turbia. Llevaban las camisas y los pantalones con restos de sangre, unas aparatosas gorras redondas, botas de piel de cerdo y cinturones de cuero crudo que sujetaban un par de sables y cuchillos. En El Loro Azul ya les habían visto en otras ocasiones, siempre venían a firmar un acuerdo de colaboración con el Duque cuando éste preparaba una importante expedición y eso les hacía ser bien recibidos, eran tratados como mensajeros que traían buenas noticias: las de una nueva aventura. Durante el tiempo que los dos bucaneros estuvieron reunidos con el Duque no se habló en El Loro Azul de otra cosa que de la habilidad de aquellos hombres para conservar la carne, con una técnica aprendida de los indígenas, descuartizándola, secándola al sol y ahumándola mediante la quema de madera verde, eso que los indios arawacos llamaban *bucan*. Ahora estos comerciantes de la carne se habían organizado y poseían el control de multitud de pequeñísimas islas a lo largo del Caribe que eran punto de referencia básico para el avituallamiento de los piratas, comerciando con el *bucan*, con frutas y con agua y obteniendo a cambio ropas, pólvora y armas de todos los navíos que no podían hacer escala en los puertos españoles.

El Duque, en su despacho, tras aquella rutinaria visita de los bucaneros, ultimaba los preparativos de su próxima expedición, calculaba, sobre una mesa de roble desvencijada, las libras de pólvora y balas que iban a resultar necesarias,

107

estipulaba la recompensa a obtener por el primer pirata que descubriese una vela, el derecho al mejor par de pistolas apresadas y acababa de redactar la escritura de contrato donde reflejaba todo lo que iba a subir al *Roccobarocco*, así como los salarios del capitán, del carpintero encargado de reparar el navío y el dinero reservado para el cirujano y los medicamentos. Por fin, y como medida extraordinaria a causa de las últimas bajas entre las filas de los piratas y de la importancia de la venidera expedición, había decidido subir las indemnizaciones que debían percibir los mutilados y heridos a consecuencia de la acción desarrollada: por el brazo derecho perdido, 600 pesos o seis esclavos; por el izquierdo, 500 pesos o cinco esclavos, al igual que por la pierna derecha; por la pierna izquierda, 400 pesos o cuatro esclavos y por la pérdida de un ojo o de un dedo, 100 pesos o un esclavo. Todas estas cantidades se separarían del fondo monetario o en especie obtenido durante el viaje; el resto se dividiría equitativamente entre los piratas, pero con especiales mejoras para los capitanes. Danko recibiría cinco veces más, el Duque tres veces más y los oficiales y los piratas con contenidos para los que se les había contratado especialmente, dos veces más. Este convenio obligaba, como parte especial y fundamental en el honor de los piratas, a no esconder ninguna parte bajo penas gravísimas que el capitán Danko se reservaba elegir para mayor deleite de su cruel y desvencijado espíritu.

El Duque terminó de redactar el contrato y procedió a firmarlo en silencio, mientras no dejaba de escuchar los aromas embriagadores que subían desde el salón. Ya sólo restaba presentarlo al capitán Danko, seleccionar a la tripulación y ultimar los preparativos finales. Mientras procedía a leer de nuevo el documento apuró la botella de ron y con su mano derecha agarró fuertemente la bola de cristal con el perfume secreto de la que tanto amó. Era el único refugio de su mirada perdida, de sus recuerdos rotos, de la octava maravilla que se diluía en sus ojos destrozados.

Batista y Larios acababan de terminar su habitual partidillo de tenis de mesa y, sudorosos, se acercaron a la barra del Wang Tao. Pidieron un par de cervezas y, en silencio, observaron las manecillas de un gran reloj que tenían enfrente. Eran las doce de la noche. Fue el momento escogido para comenzar a hablar, despreocupadamente, de sus trabajos, de las últimas investigaciones, de Lisa Conti y sus hombres, del encanto de Zoé Latorre, de los perfumes de Castillo intentando, a la vez, exorcizar las últimas veinticuatro horas de su vida.

—Muchas veces me siento como un un viejo achacoso. Y acabo de cumplir los treinta... –Larios bebió la cerveza y miró fijamente el botellín.

109

—¿Pero es que no sientes nada cuando ves dos preciosidades como ésas? —comentó Batista mientras señalaba a dos chicas sentadas en la barra, antes de pedir a la rubia camarera de Tarragona que mezclase dos cuartos de ron, con limón y lima—. Vas a probar un cóctel que te pondrá en órbita...

Larios siguió mirando el botellín de cerveza. No había escuchado nada de lo que le decía Batista. Cogió su americana negra y se levantó de la alta silla, del trono de los nuevos dioses:

—Llega un momento en el que aprendes a ser frío, sólo quieres estar solo, es lo único que necesitas. Te das cuenta de que si no abres la puerta, nadie puede entrar y hacerte daño.

Larios se acercó a la puerta del bar ante la mirada atónita de Batista que le señalaba los cócteles.

—No es tan malo vivir en una canción triste. Acabas acostumbrándote...

Fueron las últimas palabras que escuchó Batista antes de ver perderse a Larios dentro de la noche. Empezaba a hacer frío y el local, esa noche, estaba casi vacío. Los labios de Batista comenzaron a acariciar, a hacer suyo, el alto vaso del cóctel. El reloj ya señalaba la una de la madrugada, la hora de la pasión, la mayor puta y Batista no podía dejar de pensar en Larios, en el dolor del recuerdo y, poco a poco, sin darse cuenta, comprendió que esa noche sólo podía beber, beber hasta reventar, porque sólo había algo peor que no querer abrir la puerta y era abrir una ventana y tirarse por ella. Batista nunca sintió, dentro de su piel, el terremoto que, con tanta asiduidad, sacudía la mente de su amigo pero se daba cuenta, instintivamente, de que Larios podía estar ya muy cerca de abrir la ventana.

✦ ✧ ✦

Me resultaba imposible continuar así. La persecución callejera acababa por resultar frustrante, al igual que espiarla en las mañanas... Por supuesto, la angustia era más intensa por la noche: el momento en que llegaba ese hombre a su casa para instalar el infierno en mis ojos.

Sin embargo, cierta mañana, aún no sé cómo, empecé a hablar con Laura. Y en unos pocos meses empecé a sentir que me convertía en algo más. En el momento en que notamos que saltaban chispas al juntar levemente nuestras piernas, supimos que el encantamiento estaba ahí. Poco a poco, las cosas empezaron a precipitarse hasta el momento final. Me invitó a subir a su casa y supe lo que era el paraíso, el sitio en el que el tiempo no existe porque con ella una hora abarcaba, como mucho, un minuto. Empezó a quejarse. Parecía un tirón muscular y comencé a hacerle un pequeño masaje. Sabía que si ponía una mano sobre ella me volvería loco para siempre. Ella se resistía pero era una resistencia suave, engañosa. Por fin se levantó y empezó a mirar por la ventana. Yo me acerqué y me coloqué tras ella. Comencé a acariciar su cuello, suavemente, sabía que moría y me sentía el hombre más feliz; al poco, y no sé con qué fuerzas, la volví hacia mí y la besé en la boca. Sentí que aquel beso me rompía interiormente, noté sus labios, su lengua: Laura estaba en mi boca. Al separarnos sus ojos eran infinitos, nunca sabré explicar suficientemente bien lo que vi en esos ojos, sé que vi el mar, vi la lluvia y la locura, el universo entero, y supe que Laura, como una *geisha* nocturna, me ofrecía el veneno lunar, el que mata poco a poco, el más terrible porque se ofrece y en el momento en que resulta insustituible te lo arrebatan para siempre, el veneno que obliga a visitar eternamente los besos.

✦ ✧ ✦

111

Los pasillos eran amplios, con un toque fantasmagórico y peliculero, iluminados con un millón de grandes fluorescentes, los funcionarios subían y bajaban, perdiéndose entre las puertas, y Carmelo Miranda, con sempiterna actitud de perdonavidas, y traje arrugado y sucio, llegó hasta el despacho de Hugo Soto. En la puerta, como flanqueando al dios, dos secretarias le abordaron. Una de ellas, de mayor edad, bullebulle y parlanchina, de piel muy blanca y llena de extrañas manchas, se acercó a Miranda.

—¿Deseaba algo? —preguntó, solícita, excesivamente simpática para el adusto carácter de Miranda.

—Tengo una cita con el señor Soto. —El policía enseñó su placa de manera mecánica.

En ese preciso momento, la otra mujer, mucho más joven y hermosa, algo rabisalsera pero con un toque exquisito de elegancia, abrió la puerta del despacho y anunció la presencia del policía.

Hugo Soto, en mangas de camisa y con el pelo revuelto, se levantó de su mesa, se puso la chaqueta, recompuso con las manos su cabello y saludó, demasiado efusivamente, a Miranda. La secretaria, mientras tanto, aprovechó la ocasión para despedirse de Soto con arrumacos estúpidos que no pasaron desapercibidos al policía.

—Bien, ¿deseaba verme? —Un poco azorado, el soflamero profesional, comenzó a hincharse en palabras—. Pensaba que en nuestro último encuentro ya le había dejado aclarado todo el asunto. En realidad, no sé en qué más puedo ayudarle; de todas formas estoy a su entera disposición. Siéntese, por favor.

Mientras Soto procedía a sentarse en un gran sillón ergonómico de piel, Miranda se acercó hasta un televisor que, en una esquina, adornaba el despacho y colocó una cinta de vídeo.

—Quería que viese esto... —Miranda manejaba el mando del vídeo como si fuese suyo de toda la vida.

En la pantalla del pequeño televisor, con una imagen de mala calidad, vieron a una mujer desnuda encima de una gran cama redonda y a otra mujer con botas altas de cuero que la besaba por todo el cuerpo mientras con un pequeño látigo negro golpeaba todos los sitios que iba besando. Después, un hombre (la imagen era muy borrosa) se fue acercando. Estaba desnudo y así, lleno de borrones y luceros, se mezcló entre las dos mujeres. Se besaron, se golpearon, los tres comenzaron a construir un mundo especial sobre la gran cama redonda de agua y lunas rotas. La imagen se hizo más nítida. Ahora se veía, de forma muy diáfana y explícita, a Hugo Soto, en toda su inmensidad y en toda su miseria.

De repente, la pantalla del televisor se volvió negra. Hugo Soto había arrebatado el mando de las gruesas manos de Miranda. Apagó el vídeo y arrojó, furiosamente, el mando al suelo. Las pilas se desgajaron como un castillo de fichas de dominó y circularon velozmente por toda la moqueta gris hasta detenerse en distintos puntos del despacho. Todo un ventanal lleno de luz y plantas se acababa de transformar como víctima de un chispazo eléctrico: Soto había corrido las grandes cortinas beis, sumergiendo el ampuloso y frío despacho en una angustiosa luz crepuscular.

—¿De dónde ha sacado esta mierda? —preguntó Hugo Soto, cauteloso y enredador, urdemalas con traje de cien mil pesetas, político profesional.

—Eso no importa. ¿Sabe que una de esas mujeres es Lisa Conti y Lisa Conti murió asesinada? ¿No tiene nada qué decir?

Hugo Soto tomó asiento, se quitó las gafas de fina montura metálica y las limpió, mientras intentaba reorganizar su cerebro. Recompuso su teomaníaca figura, suspiró un par de veces profundamente y acertó a rehacer su discurso:

—¿Cuánta gente ha visto esto? Es una clara maniobra. Quieren destrozar mi carrera y mi familia. Y no pienso permitirlo, ¡no pienso permitirlo! ¿Desde cuándo tienen en su poder esta basura?

—Desde el principio. Esperábamos que hiciese referencia a ello...

—Ya les confesé que había tenido un encuentro casual con esa mujer. Nada más.

—Vamos, no está tratando con sus votantes. —Miranda parecía feliz de poder patear por fin al dios—. Sabemos que se vio repetidas veces con Lisa Conti. Sabemos que fue objeto de un chantaje a causa de este vídeo. Vuelvo a preguntarle lo mismo, ¿tiene algo que decir?

Hugo Soto intentó encontrar las palabras, hacer comprender al estúpido y gordo policía que era víctima de una conspiración, de un hábil y asqueroso montaje, pero sabía que estaba contra las cuerdas, que todas las pruebas estaban en su contra, que se podían aliar para destrozar su carrera

113

política, su matrimonio y que, llevadas al extremo, le podían conducir directamente a la cárcel.

—Esto debe ser puramente confidencial. No quiero prensa ni publicidad de ningún tipo. ¿Me da su palabra?

Carmelo Miranda movió la cabeza afirmativamente. Él nunca tuvo palabra pero sí el desparpajo suficiente para comprometerla siempre que fuese necesario y las circunstancias así lo exigiesen.

—Me vi con Lisa Conti varias veces. En su apartamento todas ellas. Era una gran mujer, muy excitante, muy salvaje, ya me comprende... Cierto día me propuso algo más fuerte y apareció esa otra mujer. Todo fue muy raro, muy extraño y, para mi desgracia, caí en la trampa. Esa puta grabó el encuentro. Pocos días después recibí un paquete en el despacho. Era el vídeo. Me amenazaban con mandarlo a mi casa y a los periódicos. Pedían 500.000 pesetas. No tuve elección. Pagué y pensé que todo había terminado.

—Un poco ingenuo por su parte... Parece mentira, teniendo en cuenta su profesión. ¿Dónde y cómo hizo el pago?

—En el Parque del Sur, junto al lago. Un tipo alto, medio calvo, con pendientes y tatuajes recogió el dinero y nunca supe más de él ni del vídeo hasta hoy.

—¿Y cuando murió Lisa Conti pensó de verdad que todo había terminado? —preguntó Miranda.

—De la muerte de esa chica ya le he dicho todo lo que sé ¿No le parece evidente que me quieren utilizar? Yo pagué el sucio chantaje, me dieron el vídeo y me olvidé del tema. El día de la muerte de Lisa estaba en el Congreso de los Diputados, ya se lo dije la otra vez. Salí en todas las televisiones y en todos los periódicos al día siguiente.

—Sí, es una coartada perfecta. —Carmelo Miranda se levantó y se dirigió a la puerta—. Estaremos en contacto —acertó a musitar antes de salir.

✦ ✧ ✦

El capitán Danko se pavoneaba estúpidamente, gesticulaba, lanzaba patadas y ensordecedores gritos al asfixiante aire de El Loro Azul, arremetía contra mesas y hombres, vaciaba vasos y vasos repletos hasta arriba de ron y asistía, triunfante, a la gloria del vencedor. Todos los piratas, a su alrededor, se postraban, entre encantados, embriagados y atemorizados, ante el vértigo salvaje que destilaba cada uno de los ojos negros de muerte de Danko. Recordaban que la última vez, reunidos en una celebración parecida, sentado en la mesa junto a alguno de sus hombres, en un arrebato pasajero tan habitual en su enferma personalidad, empuñó dos pistolas, las amartilló bajo la mesa, hizo apagar las luces de la taberna y disparó, única y exclusivamente por la curiosidad que le producía el saber quiénes habían sido los elegidos.

—Si no mato de cuando en cuando a uno de mis hombres se olvidan de quién soy yo —recordaba cada poco a sus alucinados esbirros mientras apuraba una tras otra la dolorida y amada copa de ron.

Los barriles de todo tipo de licores caían como una ciega catarata desbordada y salvaje. Todos sospechaban que eran los últimos y esperaban ya, con verdadera expectación, que el capitán Danko, una vez comprobado el fin de existencias en El Loro Azul les invitase, como tantas otras veces, a su refugio, una especie de castillo situado en lo alto de la isla de Tortuga donde vivía con sus nueve mujeres. Sabían que entonces, en las noches de tempestad tan propicias y habituales, Danko obligaría a todas sus mujeres a prostituirse con ellos.

Mientras eso llegaba, todos recordaban, amparados en el silencio de su terror, en el alegre desasosiego del cerebro adormilado por el vino, y en las homilías esperpénticas narradas de forma febril y jocosa por Danko, las últimas fechorías de su capitán, como cuando mandó llevar a todos los heridos de su tripulación a una iglesia donde previamente había hecho encerrar a todas las mujeres supervivientes del asalto de la noche anterior a una pequeña aldea. Allí la iglesia se convirtió en hospital y lugar de prostitución, violentando a las afligidas viudas con insolentes amenazas. O como cuando encerró a todos los poderosos de la ciudad recién asaltada en una catedral rodeada por pólvora para pedir rescate por ellos. Dos días después había conseguido todo el oro solicitado, pero Danko no quería perderse el festín final, el último, e hizo volar la catedral con todos sus prisioneros dentro e incluso con alguno de sus hombres, en un fin de fiesta glorioso para sus extraviados ojos. Había transformado la sangre en lingotes de oro, joyas, estatuas y escudos de metales preciosos. Era experto en utilizar el gato de siete colas, en amputar con golpes precisos de su espadón las manos de amigos y enemigos, gozaba de forma extrañamente anormal con amarrar a alguno de sus hombres a la quilla del *Roccobarocco* y esperar que el agua y la ferocidad de algunos peces destrozaran cuerpos, desgarrasen piel y devorasen ojos. Experimentaba un extraño placer con hacer avanzar a algún desgraciado que se ponía en su camino por el tablón de madera y hacerle bajar hasta el infierno de los voraces e insaciables colmillos de cientos de tiburones que reconocían en Danko a un privilegiado amigo, compañero de sangre y muerte. Sabían todos, piratas rodeados de alcohol, memorias sangrientas y mujeres perdidas, que cuando saliesen de El Loro Azul, Danko, siempre con su par de pistolas puestas en fundas que le colgaban de los hombros, podía empezar a correr calle arriba, borracho de delirio satánico, como un belcebú cualquiera doliente y salvaje, disparando hacia todos los lados e hiriendo con armas a cuantos encontrase en su camino. Y es que el alcohol para Danko era su ley y su religión, y como dios de todos aquellos desgraciados, inculcaba en sus hombres la importancia de estar siempre bebidos para ser felices, para no pensar, que era la mejor forma de alcanzar la felicidad.

—Se había acabado el ron, nuestra compañía más sobria. Había una gran confusión entre todos nosotros. Sabía que todos mis hombres podían empezar a conspirar, no hablaban de otra cosa que de separarse. Así que me apresuré a buscar una presa; ese día atrapamos una con gran cantidad de licor a bordo, de suerte que la tripulación agarró una condenadamente buena y las cosas volvieron a ir perfectamente. Desengáñate, Duque, el alcohol es nuestro mejor aliado —repetía, siempre que podía, a su capitán de tierra y a todo aquel que le quisiese escuchar.

La noche, mientras tanto, caía sobre Tortuga dejando El Loro Azul hundido en sus propias mentiras y en las fanfarronadas lanzadas al agobiante aire por el cerebro desquiciado de Danko:

—Nadie queda ya para desenterrar el tesoro. Todos han muerto bajo el fuego de mis pistolas. Ahora sólo el demonio sabe dónde he escondido el tesoro. El que viva más de los dos lo cogerá todo.

Todos callaron en El Loro Azul. Incluso el propio capitán Danko oscureció su mirada, miró por enésima vez la botella de ron y en el reflejo insultante del sucio cristal, farfulló unas oscuras palabras. Alguno de sus hombres intuyó que Danko empezaba a recordar una historia que ensombrecía sus recuerdos. Sabían que el demonio, su hermano de sangre, era el único capaz de destruir su mito, y sabían que ya había visitado, en más de una ocasión, al capitán. Recordaban, algunos de ellos, mirando el reflejo de los ojos aterrorizados de Danko, una expedición años atrás en la que un hombre apareció en la cubierta del barco que capitaneaba Danko. Nadie le había visto hasta aquel momento y nadie sabía cómo había llegado hasta allí. Durante unos días apa-

117

reció y desapareció de forma mágica creando el desconcierto en la tripulación hasta que un día, de la misma forma que había llegado, desapareció, justo unas horas antes de que el barco naufragara. Todos supieron, y el primero Danko, que aquel hombre que les había visitado era el mismísimo diablo.

✦ ✧ ✦

La Casa de América era un edificio moderno pero todo en él tenía un regusto antiguo, como un templo de ojos platerescos construido a imagen y semejanza de una casa colonial de estilo antillano, de modales indianos. Delante de la austera puerta había un pequeño jardín, con varios árboles de tamaño reducido, una fuente y una estatua de bronce que representaba una carabela.

Larios miró su reloj de esfera blanca y alfabeto dorado, sin números que marcasen horas ni días, y llamó a la puerta.

—Te esperaba. Pasa. —Un viejecillo, con expresión bonachona, como de sabio perdido y despistado, recibió, medio en penumbras, a Larios.

Los dos hombres cruzaron varios pasillos atestados de estanterías, planos y estatuas diversas que conducían a un pequeño despacho completamente desorganizado, lleno de libros por todas las partes, de apuntes, folios, una pequeña mesa, una silla y, bajo la ventana que daba a la puerta principal, un sofá en el que nadie podía sentarse porque estaba totalmente inundado de libros. El aspecto del despacho era el mismo que recordaba Larios de anteriores visitas al doctor Piñeiro, con el mismo desorden, la misma poca luz e idéntico sabor a polvo de libro.

David Piñeiro, catedrático jubilado de Historia de América, seguía siendo el alma máter de la Casa de Amé-

118

rica. Sus conocimientos de la historia y el arte hispanoamericano habían cruzado fronteras y se habían visto reflejados en multitud de publicaciones a ambos lados del Atlántico. Por ese motivo, y por tantos y tantos años de aprendizaje y admiración, el mismo día que Larios decidió volver al ruedo de la investigación, llamó por teléfono a su viejo profesor, pues sabía que él era el único que podría bucear por sitios a los que Larios ni siquiera podía imaginar llegar.

—¿Has traído alguna foto? —preguntó el viejo profesor.

Larios dejó un sobre encima de la mesa. Piñeiro lo abrió en el acto y comenzó a mirar las fotografías del cuadro de Claudio de Lorena apasionadamente. Cogió una lupa y analizó, detalle a detalle, todas las fotos. Luego, buscó algo en una gran monografía de Claudio de Lorena que tenía preparada, abierta sobre el sofá. «Pensaba que era alguno de los cuadros perdidos...» le oyó murmurar Larios, mientras seguía mirando las fotos con una absoluta devoción. Finalmente, se sentó, dejó todas las fotografías sobre la mesa y dirigió su mirada al techo. Larios, intentando no interferir en sus pensamientos, se acercó a la ventana y vio a una pareja besándose junto a la estatua de la carabela. Comenzaba a llover.

—Muchos piensan que Claudio de Lorena es el más perfecto paisajista que el mundo ha conocido. —David Piñeiro parecía hablar solo y seguía sin apartar la vista del techo. Mientras tanto, haciendo tiempo, bebiéndose los minutos de angustiosa espera, comiéndose las uñas, Larios continuó enganchado detrás del cristal de la ventana, mirando a la calle.

—Sus cuadros son tan bellos, tan dulces, tan tiernos y sinceros. Fue el primer pintor subjetivo, el primero que supo interpretar la naturaleza como un estado de ánimo, a través de sus percepciones y sus impresiones sensoriales. Pero ése no debe ser nuestro problema. Parece ser que ya han demostrado que el cuadro es original. Y a ti lo que te interesa es la historia que nos cuenta o nos quiere contar Claudio de Lorena sobre el lienzo. Tú sabes de sobra que siempre se pensó que esas historias eran sólo un pretexto, que no tenían ningún valor en sí mismas y, sin embargo, quieres que investigue algo probablemente baladí. Lo verdaderamente importante es que es un lorena...

—¿Quiénes pueden ser esos malditos piratas? —Sin dejar de mirar a través de la ventana, Larios encendió un cigarrillo y siguió viendo caer la lluvia, contemplando a la joven pareja comerse a besos, devorando la lluvia y la vida a tragos.

—No sé, tendré que investigar. —Piñeiro volvió a mirar las fotografías—. A primera vista resulta evidente que Claudio de Lorena desea resaltar preferentemente a dos personajes principales, los dos piratas que están de espaldas, en primer plano, en la parte derecha. Uno de ellos, un poco de perfil, tiene todos los rasgos característicos de Edward Teach, *Barbanegra:* su forma de vestir, su larga casaca, su pelo negro y corto, sus pobladas barbas y, especialmente, ese par de cintas rojas que las adornan.

—Empieza a investigar por Barbanegra...

—Pero hay algo que no me cuadra.

Larios dejó de mirar por la ventana y fijó sus ojos sobre los del viejo profesor.

—Claudio de Lorena murió en 1682 y las andanzas de Barbanegra se remontan a principios del siglo XVIII. —Piñeiro movió significativamente la cabeza de un lado a otro.

—No entiendo.

—Ya sabes que Claudio de Lorena trabajaba por encargo. Este cuadro se lo tuvo que encargar uno de estos dos piratas. —Piñeiro señaló una de las fotografías—. El comitente es fundamental en la obra de Claudio de Lorena, él pagaba y él elegía el cuadro, el motivo, la historia... Si hay un tesoro escondido, una historia oculta, debemos descubrir primeramente quién encargó el cuadro.

En ese momento, Piñeiro se levantó y acudió al sofá donde empezó a mirar el *Liber Veritatis* de Claudio de Lorena.

—Creo que el cuadro no está catalogado —comentó en voz baja. Después de unos minutos se volvió a dirigir a Larios:

—Como sabes perfectamente, Claudio de Lorena fue, desde el principio, muy imitado. Para evitarlo compuso el *Liber Veritatis* que da fe de los cuadros originales del autor. Lo empezó a dibujar a partir de 1636, a pluma, o a pluma y bistre, con realces. Era un verdadero registro que le garantizaba a él y a sus comitentes contra las obras falsificadas. Son 180 hojas con distintas numeraciones. Siento decirte que tu cuadro no está entre ellas, aunque me imagino que eso es algo que ya has comprobado. Si, por otro lado, se ha demostrado que el cuadro es original, no nos queda otro remedio que pensar que el cuadro es anterior a 1636.

Larios se dirigió a la puerta. Sabía que había dejado todo en buenas manos, pero antes de irse le pidió al viejo profesor la gran monografía sobre Claudio de Lorena. Cuando estaba a punto ya de salir a la calle escuchó a sus espaldas un extraño comentario:

—¿Sabes lo que más me sorprende? Hace unos treinta años otro hombre vino a preguntarme sobre un cuadro de Claudio de Lorena en el que unos piratas parecían descargar un tesoro...

Larios se volvió inmediatamente. El frío de la calle entraba con desasosegante ímpetu en la Casa de América. Había dejado de llover.

—Se llamaba Rojas, y creo que murió poco tiempo después. En aquella época tenía mucho trabajo y no le hice el menor caso. Ahora lo siento.

Una gran habitación, luminosa, muy blanca, con pintura amarilla como un alborotador sol. La habitación blanca, con Laura y sus cuadros, conmigo, con su blancura como dogma vital. Había dibujos a tinta, a lápiz, a carboncillo, como alucinados brujos... Imaginaba mi casa inundada por sus cuadros, imaginaba a Laura conmigo y la imaginación volvía a salir rota: Laura no vivía conmigo y sus cuadros tampoco, nunca lo harían. Ahora sólo busco sus ojos, busco, busco y no hallo nada, busco la habitación blanca soñada por mí, busco un olor cristalino, profundo, sutil, busco una mirada conocida y sólo hallo hondas simas, palacios oscuros, sol mortal.

✦ ✧ ✦

La noche había caído sobre la gran mansión de Hugo Soto. Zoé y Hugo cenaban rodeados por un fatigoso silencio. Por primera vez, en mucho tiempo, Soto había regresado antes de lo habitual a casa y todo su cuerpo desprendía un olor a derrota que no pasó desapercibido a Zoé, tan acostumbrada a su pose arrogante de califa orgulloso, seguro de sí mismo, experto en disfraces y exquisitas zalamerías. Desde luego, el Soto gemebundo y encogido no tenía el mismo encanto, aunque resultaba más humano.

Hugo Soto bebía el vino a grandes tragos, sin medida ni liturgia, mientras Zoé Latorre miraba a su marido y pasaba sensualmente su dedo índice por el borde de la copa, intentando meterse dentro de su cerebro. Soto no podía dejar de pensar en la visita del gordo policía y en la montaña de emboscadas que le lanzaban, poco a poco, al precipicio de la mierda. Además, antes de salir del despacho, le había llegado un adelanto de lo que iba a salir en la portada de un semanario de gran tirada. Una malversación de fondos, unos cheques de ocho ceros sin destino, sin firma, y un hombre del presidente en el ojo del huracán. Por un momento sintió que todo se volvía contra él; estaba en el rincón del cuadrilátero, golpeado, vomitando sangre, con los ojos cerrados por el dolor, por las heridas, por el miedo. Y sabía, porque era un profesional de ello, que el acoso sería cruel y que los periódicos especializados en radiografiar tripas en descomposición iban a encontrar en él el cebo perfecto, el más jugoso y apetecible.

Sin embargo, a mitad de velada, en el repiqueteo estúpido y juguetón del gran reloj de pared marcando las doce de la noche, Hugo Soto pareció transformarse. El milagro de los cuentos de hadas, al dar las campanadas de medianoche, llegaba auspiciado por dioses y diablos. Y entonces, como un vistoso camaleón, regresó a casa el Soto sublime, exquisito, seguro, triunfador, el buscarruidos fajador e insaciable. El dolor de cabeza era ya irreversible, la vida color vino y el maravilloso cuerpo de su mujer, milagroso. Ya no existían vídeos negros ni artículos amarillos. Sólo la obsesión, en el carrusel de alcohol, de que Zoé Latorre vendiese el maldito cuadro que había llevado la desgracia a aquella apacible casa, que cogiese todos los millones cuanto antes, los metiese en un avión y se fuesen de viaje los dos, como hacían antes, como siempre soñaron. Ya sólo quedaba en la noche, también como antes, una bañera llena de exquisitos aromas, de espumas y juegos ardorosos, de dos cuerpos entrelazados, derrotados y victoriosos, como espadas de luz, como jinetes de la noche.

Las gafas de Hugo Soto, en una repisa, junto a la bañera, no podían dejar de mirar. Hasta ella llegaban gotas de espíritu sin nombre, de delirio casi mortal.

La vida allí no resultaba nada fácil y, en medio de fuego y zumbidos interminables, de colores chillones y locuras de ron, Boris Padovani empezaba a intuir que el Duque se derrumbaba. Era una sensación que conocía bien y, posiblemente, él fuese el único en darse cuenta de ello, porque aquel hombre de negro sabía esconder su infortunado pasado bajo una aguerrida máscara de imperturbable hombre de acción. Padovani era el único, de todas formas, en aquel mundo de locura y superficialidad insana, que conocía su historia y que sabía olfatear el reguero de la melancolía. Por eso, en mitad de la noche, mientras escuchaba las estrambóticas carcajadas de Danko en el piso de abajo, no podía apartar la vista de los ojos de su compañero. El Duque miraba sin mirar el tablero de ajedrez y cada cinco minutos movía, como un estúpido autómata, alguna pieza. Mucho más rápido se mostraba, sin embargo, para servirse, una tras otra, alguna copa de la lujuriosa botella que le acompañaba desde hacía tanto tiempo.

Padovani deseaba conversar con su amigo porque sabía que ésa era la única forma de apartarle de su peculiar precipicio, pero en esas noches abrasadoras el cerebro del Duque era tan frágil como obstinado, tan abierto a los recuerdos como encerrado en su obsesión. Padovani insistía y solicitaba, ansioso, detalles y más detalles de la próxima expedición.

—Tengo que volver a hablar con el gobernador. Puede haber un cambio de última hora... —acertó a susurrar el Duque.

Costaba un mundo sacar alguna mísera palabra de la boca del Duque y extraerla de sus labios se convertía, poco a poco, en un parto doloroso y pesado. Padovani comenzó a quejarse de la expedición última, de lo laborioso que resultaba, cada vez más, encontrar a un par de indios dispuestos a acompañarles en sus andanzas marinas.

—Hemos pasado malos momentos... —volvió a susurrar el Duque con un delicado hilillo de voz que reverberaba en la oscuridad del despacho pero que a Padovani le sabía literalmente a gloria.

El cura sonrió. Claro que habían pasado malos momentos juntos. Y recordaba, recordaba. Deseaba traspasar recuerdos a la mente del Duque para alejar cuervos inmundos. Padovani comenzó a sermonear pesadamente, gritando, riendo y saludando las alegres penurias de sus aventuras.

—Estábamos locos por encontrar un río. Y llegamos todos y nos lanzamos a sus aguas, dispuestos a devorarlas. Nunca me dijiste que aquellos gigantescos caimanes de más de setenta pies de longitud se ponían en las entradas de los ríos, permanecían estáticos, como viejos y achacosos árboles, y, confundidos entre las aguas, colocados en una trampa mortal increíblemente aprendida, aguardaban a que algún jabalí, vaca salvaje o pirata estúpido se acercase a beber. Entonces, después de haber comido durante tres días piedras para hacerse más pesados y aumentar sus fuerzas, atraían a sus presas a la profundidad para ahogarlas. El malogrado Reuser así cayó. Y luego aquel mal nacido le dejó cinco días en la orilla, intacto, esperando que comenzase a pudrirse para así hincarle mejor el diente. Una verdadera mezcla de sadismo y sibarita paciencia. Las moscas de fuego, con sus puntos luminosos en la cabeza, alumbraron el cuerpo de Reuser hasta que aquel inmundo ser procedió al banquete definitivo ante los ojos expectantes de Danko y todos los demás que no se cansaron, en los días siguientes, de explicarnos al detalle la cruenta cena.

»Sólo pudimos comer, durante doce días, albaricoques, gigantes como melones, de color ceniciento y pepitas del tamaño de un huevo de gallina. Comida de jabalí para perros hambrientos como nosotros, acuérdate, Duque. Y acuérdate de cómo engañaste a aquel necio capitán español para que nos dejase escapar días después esperando un ascenso en recompensa a su trabajo, cómo le entregaste el salvoconducto que habíamos robado en La Española y que él llevaba buscando tanto tiempo. Cómo redactaste una carta idéntica con el negro licor extraído de las jupinas y que como tinta se adhería mágicamente al papel para, en nueve días, desaparecer totalmente y dejar la blancura total como único testigo. Me hubiera gustado estar en el pellejo de aquel capitán cuando su tesoro se evaporó...

Padovani se reía con el jocoso recuerdo de la escena nunca vista pero tantas veces imaginada. Sin embargo, tras beber un trago de vino, miró al Duque y comprendió que no había escuchado ni una sola de sus palabras, que, tal vez, no le hubiese escuchado en toda la noche. Se acercó a él, observó la botella vacía, el vaso vacío y el tablero de ajedrez estúpidamente amarrado a una lucha absurda. Durante unos segundos estudió la situación y por fin tomó entre sus manos la dama negra y la condujo a un extremo del tablero:

—Jaque mate.

Después salió de la habitación y dejó solo al Duque. Sabía que, en esas noches, dejaba de existir, tan sólo era polvo en el viento, un perfume descolorido y sin vida, un trozo de carne lleno de violines en llamas, como la mirada de la mujer que tanto amó.

La ciudad, con todas sus luces de verbena, se precipitaba bajo la noche como en un juego de desenlace previsible, como en una película de final conocido y prematuramente desvelado. El Wang Tao había cerrado antes de lo habitual. Era un miércoles soso, aburrido. Era una noche sin noche.

Camilo Batista aparcó su Ibiza rojo frente a la puerta de su casa. Vivía en un apartado barrio obrero, de casas muy altas e inmensamente pequeñas, como apestosas colmenas sin personalidad, llenas, en su mayoría, de lobos solitarios. Cerró la puerta del coche y, cuando se acercó al buzón para recoger la correspondencia del día, una mujer, medrosa y chispoleta a un tiempo, salió de la oscuridad.

—¿Se llama Camilo Batista? —La mujer de la negra gabardina miró hacia todos los lados, escondiéndose detrás de su habitual disfraz de reina nocherniega.

El policía no contestó.

—Yo conocía bien a Iris Latorre. Era su mejor amiga...

Batista sacó las llaves de su bolsillo, abrió la puerta del ascensor y la invitó a subir. En el apartamento encendió, como cada noche, todas las luces y se quitó la cazadora. El salón de la casa era diminuto, medio desnudo, de apoltronadas suciedades y espíritu fugaz. Batista utilizaba la casa, en realidad, tan sólo para dormir unas pocas horas y, dado su espíritu de conquistador impenitente, la mayor parte de las veces ni eso. Luego se quitó la americana, descolgó la pistola del hombro, se despojó de la camisa y, de una silla, cogió una camiseta blanca con la inscripción *Maranello rossa Collezione* y la imagen de un fabuloso Ferrari, y se la puso cuidadosamente. Se acercó al mueble bar y se sirvió un whisky. Con un expresivo gesto invitó a la desconocida, pero ella rehusó. El seductor policía se acercó, con un espíritu gazmoño hábilmente estudiado, a la extraña mujer, y le quitó la gabardina. Ahora vio a otra persona, desnuda de su disfraz negro, un poco más alta que él, con unos ojos iridiscentes y tristes a la vez, un punto resabiados. Era joven pero no lo parecía, tenía el pelo muy negro y muy corto, varios aros de plata en las orejas, camisa y pantalón vaquero y botas de cuero negro.

—Me llamo Lesbia Aquino y conocí a Iris Latorre. Mucho. Demasiado. En el último año de su vida no nos separamos ni un segundo...

—Es extraño. Nadie me habló de ti —comentó Batista.

127

—En su familia yo no gustaba demasiado... Hay cosas de Iris que nadie sabe, sólo yo. Un día antes de su muerte Iris me contó algo acerca de un cuadro. No le hice mucho caso pero ella parecía excitada. Me enseñó un dibujo que había encontrado en algún sitio oculto de su extravagante mansión. Parecía muy antiguo y comentó algo sobre el dinero que podíamos conseguir. No comprendí nada, ni tampoco me preocupé más. Luego, enseñó el dibujo a Duncan y él lo guardó en su caja fuerte...

—Un momento, ¿quién es ese Duncan? —Batista acababa de encender un cigarrillo y, mientras lo apuraba con profundas y ansiosas caladas, escribió algo en una pequeña libreta.

—Duncan White es nuestro sacerdote, es nuestro hombre. —Batista no desvelaba ninguna reacción pero lo comprendía todo, miró fijamente a Lesbia y siguió fumando nerviosamente—. Hace varios meses Iris y yo conocimos a Duncan, nos enamoramos de él y nos metimos, como en un ingenuo juego, en la secta. Siempre fuimos alocadas y caprichosas. Para nosotras era un pasatiempo, uno más... Duncan es el mismísimo Satanás, ahora estoy segura. Él se quedó con el dibujo y ella murió.

—¿Cómo era ese dibujo? —Batista acababa de terminar el cigarrillo y, sin solución de continuidad, encendió otro.

—No me fijé. Era extraño. Estaba como roto por la parte superior. Había un barco... No sé.

Los ojos de Batista se encendieron y, automáticamente, volvió a manchar su pequeña libreta. Apuró el whisky.

—¿Es una secta satánica? —preguntó.

Lesbia no dijo nada pero movió afirmativamente la cabeza.

—¿Sabes que en la habitación de Iris aparecieron extrañas marcas de origen, al parecer, satánico pintadas en las paredes?

Lesbia se levantó del sillón y cogió su gabardina pero Batista se abalanzó sobre ella..

—Deja que te invite a cenar... —susurró Batista.

—Todos los restaurantes estarán cerrados.

—¿Quién necesita un restaurante? Quiero seguir hablando contigo.

—Es muy tarde...

—Nunca es tarde. La noche es nuestra y empieza con nuestra cena. —Batista, experto zalamero y conquistador impenitente, sonrió y volvió a colocar la gabardina negra sobre la percha. Desde el principio se había enamorado de la jerga rabanera de Lesbia, de sus ojos machacados, de sus enormes aros de plata.

Durante muchos meses, junto a Laura, comprendí lo que era la completa sensación de plenitud, de dicha total, sabía que en Laura estaba todo y todo era Laura. Pero junto a esa placentera sensación creció en mí la idea de que esa dicha era pasajera, que en cualquier momento todo iba a terminar igual que había empezado, con un encantamiento singular que aplastase mi cerebro. Empezaba a comprender que la situación en la que se movían mis sentimientos era inestable y estúpidamente ridícula. Laura podía manejar la situación porque era distinta, porque, entre otras cosas, era una persona mucho más madura que yo. Conocía la situación y la aceptaba. Comprendí, al poco tiempo, que cada mañana me levantaba borracho de celos, que Laura no estaba conmigo y que, con toda seguridad, nunca lo estaría. Y, a partir de ese momento, empecé a alimentar lluvias, a caer en picado a un abismo particular. Tenía la sensación de que había un adiós encerrado en cada beso y comenzaba a tener triste la boca. No lo entendías, Laura, para mí era lo más normal del mundo pero tú no lo entendías, me decías que el mar era bello, lo más bello del mundo y yo, automáticamente, pensaba que no era cierto porque el mar nunca había sido y, seguramente, nunca iba a ser nuestro. Desengáñate, Laura, lo peor del mar no es la distancia, ni el tiempo, ni el olvido, ni el sol asesino, lo peor del mar es que nunca, nunca, podremos pasear juntos, abrazados por la orilla, nunca veremos una puesta de sol y nunca nos revolcaremos por la arena, dejándonos empapar de sol y sal. Un olor a derrota empezaba a sobrevolar por mi cabeza y, aunque sabía que toda la vida iría cosido a su piel, sentía que el amor se escapaba de puntillas, que Laura cada noche me engañaba con otro. No podía entender, jamás pude hacerlo, que Laura me devorase a besos y me matase con su cuerpo y, una hora más tarde, estuviese con otra persona como si no hubiese ocurrido nada. No lo entendía y lo peor de todo, ahora lo comprendo, es que yo me equivocaba pensando que su corazón y sus besos eran mi casa. Ella tenía otra casa y estaba lejos de mí. Notaba, poco a poco, cómo mi corazón se vestía de otoño, se llenaba de hojas secas, robando pedazos de mi vida. Soñaba con dormir abrazado a Laura, enredado en ella, saboreando las noches de tormenta y de miedo junto a su cuerpo, pero era imposible, todo resultaba imposible para mí. Nunca podría mirar a Laura con los ojos del amanecer. ¿Por qué tuve que enamorarme de ella? Yo, por entonces, había llegado a un punto en que no podía volverme atrás, no podía esquivar su mirada ni el imán de sus besos. Era una llama que me abrasaba pero sin la que no podía vivir porque todavía me abrasaba más su ausencia, la pasión de sus besos que siempre me perseguían. Desde el primer día repetí a Laura la misma pregunta: ¿quién te ha enseñado a besar? Notaba que se rompía algo por dentro, que me hacía suyo, era algo increíble y maravilloso, una experiencia única y excitante, las espadas de sus labios eran lo más parecido a la muerte enamorada, a la doble luna del beso.

El gran salón estaba casi a oscuras, tan sólo tristemente iluminado por la luz desprendida de una televisión donde ya no había imágenes, sólo líneas, iluminación fantasmagórica y expresionista. En una esquina, Larios, completamente desnudo, lleno de sudor y furia, golpeaba un saco de arena. Acababa de ver, una vez más, *Toro salvaje* y se sentía, él más que nadie, esa noche más que nunca, Jack La Motta. Recordaba a Robert De Niro levantando los dos brazos, con los ojos cerrados y completamente ensangrentados, guantes y calzón negro Everlast, y, rodeando su musculoso y sudado cuerpo, el cinturón de campeón mundial de los pesos medios, inmenso, real y desafiante. Su hermano, el gran Joe Pesci, con una toalla sobre los hombros, miraba el cinturón con una expresión incrédula, de completa y absurda felicidad. A su alrededor, todos sonreían y aplaudían. Larios no podía dejar de pensar lo que quedaba detrás, lo que venía después. ¿Dónde había desembocado toda esa alegría? Tal vez en el alcohol, en un cuerpo deteriorado, destrozado, que no resistía las piernas, que no aguantaba el empuje de los pulmones, en un odio que iba creciendo poco a poco dentro. Odiarse a sí mismo, eso era lo peor, porque el combate se libraba en cada momento y la sangre que salpicaba las primeras filas cercanas al ring se quedaba dentro de ti. Y es que tú estabas en el cuadrilátero luchando, pero también estabas sentado en todas las sillas que rodeaban el ring. Larios conocía esa sensación mejor que nadie.

Luego se duchó, se miró en el espejo y observó su rostro lactescente, pálido, sin vida, se mojó la cabeza y salió del baño, apagó la televisión, llena de interferencias y grises malditos, y puso un poco de música. Cogió todas las fotografías del cuadro y las extendió sobre una gran mesa de madera. Comenzó a fumar, uno tras otro, cigarrillos negros, capaces de dejarle sin sentido, de enredarle febrilmente en un cambalache singular, en las caderas letales de un poético misterio y, a fuerza de ver una y otra vez las fotos, de mirar hasta los detalles más nimios, consultando las fotografías que agrandaban partes concretas del cuadro, soñándolas, viviéndolas, recordándolas, haciéndolas suyas, con el cerebro achajuanado de tanto pensar, Larios se fue introduciendo, por enésima vez, en el cuadro, se sintió un pirata más, uno de tantos, tal vez el que tenía la clave del misterio, aunque Larios, siempre estúpido, prefería ser el que tuviese la llave del corazón de la hermosa dama que esperaba en la puerta.

Concentró toda su atención en la parte inferior derecha del cuadro. Pensaba que allí podía estar la solución al enigma, si es que existía realmente un enigma. Había dos piratas en primer término, uno de espaldas, completamente de negro y el otro, algo girado, con unas largas barbas adornadas con una cinta roja —¿por qué pensó Larios, en ese momento, en Iris Latorre, en la cinta roja que rodeaba su cuello?—. Junto a los dos piratas, varios cofres repletos de dinero y joyas. Pero había algo especial. Eran los dos anillos que, a simple vista, no se veían pero que con la limpieza y las fotos ampliadas se reconocían meridianamente, dos anillos de plata junto a la figura del pirata negro y, curiosamente, uno igual junto a la figura de la mujer, también vestida de negro. Y luego estaban las extrañas inscripciones en la parte posterior del cuadro, las dos palabras francesas: SECRET, TRESOR. Parecía demasiado evidente y, por eso, demasiado estúpido. Larios cogió la monografía de Claudio de Lorena que le había prestado el profesor Piñeiro y leyó de forma compulsiva, tan compulsiva como las caladas que daba a los cigarrillos.

Sabía que la escenografía monumental en los cuadros del lorenés, la mayor parte de las veces, era completamente imaginaria aunque, en muchos casos, había una referencia verdadera, edificios famosos y reales que él mezclaba, sabiamente, con sus parajes fantasiosos. Larios volvió a mirar el cuadro. Algo en él le sonaba familiar. Observó detenidamente los detalles fotográficos de los monumentos que había en la parte alta del cuadro, tanto a la derecha como a la izquierda, y que conformaban la entrada al puerto. De repente, llevado por una corazonada, se arrojó sobre una estantería, tiró varios libros y algunas carpetas y cogió un álbum de fotos, pasó rápidamente por el carrusel de sus sueños, de su felicidad, volvió a ver a quien no deseaba ver, y llegó hasta la isla de San Giorgio, hasta el campanile de la iglesia de Santa María y Donato de Murano. Era Venecia. Y allí estaba él con la que tanto amó. Incluso el cuadro de Claudio de Lorena se revolvía contra sus recuerdos, le escupía su antigua felicidad, le conducía de nuevo a unos besos, a una felicidad, a unos atardeceres.

Larios se acercó a las fotografías y reconoció Venecia. Hasta el edificio donde parecía esperar la mujer de negro, donde estaba el anillo de plata, recordaba, sin duda, un palacio veneciano. Larios tuvo una idea. Buscó entre las fotografías ampliaciones del palacio, de la monumental entrada, arquitrabada y almohadillada, pero no tuvo suerte. Sólo había un detalle, precisamente de la figura, donde destacaba el anillo. Sin embargo, a Larios le interesaba el escudo que presidía la parte superior. Tal vez buscando el palacio, nos acerquemos al tesoro, pensó Larios.

Luego, después de hacer un ovillo del paquete de tabaco del que había dado cumplida cuenta en unas pocas horas, se acercó a la cama, sin dejar de pensar en las fotos de su viaje a Venecia. Ahora se sentía un ser despreciable, un mierda que no supo mantener a su lado a la mujer que amaba. Fi-

133

nalmente, como cada noche, imaginando el amartelamiento imposible, encogido, agarrando con fuerza la almohada, Larios terminó soñándola de nuevo.

El capitán Danko continuaba el relato de sus aberraciones ante los expectantes, atemorizados y drogados ojos de todos sus hombres que, desde el hedor, la intriga, el miedo y el alcohol, reían sus ocurrencias. En ese momento, Danko les recordaba, ahogado en vino y en los descuidados senos de una mulata que, tendida sobre la mesa de roble, se dejaba acariciar por los hombres que la rodeaban, su última hazaña, la noche anterior, para demostrar a todos quién era el dueño de la isla. Recordó, entre gritos y sucios manoseos, cómo había torturado a uno de sus capitanes, Seedorf, por no acceder a uno de sus caprichos, en este caso dejar compartir con los demás a la mujer que acababa de alquilar, cómo le mandó torturar y descoyuntar sus brazos, cómo le ataron una cuerda al cuello tan prieta que casi le saltaron los ojos, cómo le colgaron de los testículos y le golpearon repetidas veces, cómo le cortaron la nariz y las orejas y finalmente le quemaron hasta que el mismo Danko terminó por darle una lanzada. Todos rieron por miedo y porque estaban inmersos en una vorágine de locura y alcohol que les lanzaba a obedecer la salvaje mirada de Danko al segundo.

Después, unos minutos después, cuando la mujer tendida sobre la mesa había abandonado aquel sucio lugar, asustada y asqueada, todos comenzaron a escuchar un edicto que había recogido Danko en su última expedición y que enarbolaba como un trofeo de guerra. Mandó a uno de sus hombres que comenzara a leerlo y, entre trago y trago, aquel siervo, con su áspera y oscura voz, esculpió un monumento de miedo y estupidez.

Edicto haciendo pública la recompensa por prender o matar piratas:

Por cuanto, en acta de asamblea, celebrada en una sesión, iniciada en la isla de La Española, el día 31 de enero del año en curso, ha sido aprobada una disposición para alentar el apresamiento y destrucción de piratas: se decreta, entre otras cosas, que todas y cada una de las personas que en el presente año del Señor de 1632 apresaren a cualquier pirata, o piratas, en la mar o en tierra, o en caso de resistencia mataren a tal pirata, o piratas, en el ámbito de acción de las tierras reales, mediante convicción o presentando la debida prueba de haberlos matado a todos, y cada uno de los tales, pirata o piratas, ante el Gobernador y el Consejo, tendrá derecho a percibir y poseer del erario público, en manos del Tesorero de esta ciudad, las diversas recompensas: a saber, por Marco Danko, comúnmente llamado capitán Danko, 100 monedas de oro; por cada uno de los demás comandantes de barcos, balandras o embarcaciones piratas, 40 monedas de oro; por cada lugarteniente, patrón o cabo de brigadas, contramaestre o carpintero, 20 monedas de oro; por cada otro cualquiera oficial inferior, 15 monedas de oro, y por cada marinero raso apresado a bordo de tal barco, balandra o embarcación, 10 monedas de oro; y que por cada pirata apresado en cualquier barco, balandra o embarcación pirata que surque aguas españolas, las recompensas se pagarán de acuerdo con la calidad y condición de tales piratas. Por tanto, para estímulo de todas las personas deseosas de servir a su Majestad en tan justa y honrosa empresa, como es la de suprimir a una clase de gente que puede en verdad calificarse de enemiga de la humanidad: juzgo conveniente, con el asesoramiento y aprobación del Consejo, publicar este edicto, por cuya publicación las dichas recompensas serán puntualmente y justamente pagadas según instrucciones de la dicha acta. Por lo que ordeno y decreto que este edicto sea hecho público por las autoridades en sus respectivos edificios, y por todos los párrocos y predicadores en las diversas iglesias y capillas de toda esta colonia. Dado en nuestro Consejo, el día 31 de enero de 1632. Dios salve al rey.

Tras escuchar a su hombre, Danko estalló, como un borracho y orgulloso orate, en una luciferina carcajada que, automáticamente, fue coreada, aclamada y acompañada por gritos anormales de sus esbirros. El delirio ya se había instalado definitivamente en el desnutrido cerebro del capitán Danko.

—Somos unos privilegiados. Seguidme y os convertiré en dioses.

En El Loro Azul, la fiesta subía y bajaba como un carrusel demoniaco y parecía no tener fin. Tan sólo el amanecer, con el sol carmesí y el sueño profundo del alcohol más rancio, conseguía detenerla durante unas horas.

✦ ✧ ✦

—Es muy fácil, ¿lo ves? Coges los bistecs de buey y los sazonas con sal y pimienta y luego los rellenas con jamón dulce, queso de gruyere rallado, piñones, pasas y perejil picado. Los enrollas cerrándolos con palillos y los colocas en una fuente con aceite, los riegas con vino blanco y se dejan cocer a fuego lento durante unos cuarenta minutos. Cena sensual, cena exquisita, cena amorosa con una amorosa muchacha... —Camilo Batista se resistía a perder su pieza, sabía que sus platos y su labia le ayudaban, que su inverecundo espíritu le apoyaba en cada momento. Ya era de madrugada y en el equipo de música sonaba una suave melodía.

Lesbia Aquino, mientras tanto, seguía recordando miserias y lanzando justicieros dardos contra Duncan White y su secta aunque, en ningún momento, pareció sentirse especialmente culpable, ni siquiera cuando contó, saltándose algún delictivo detalle, su experiencia en la misa negra. Batista sentía fuego en su garganta, el exquisito vino tinto se había cortado con su imaginación y observaba, encantado, a Lesbia dar buena cuenta de los mejillones, primorosamente preparados con vino blanco, ajo machacado, perejil picado, cebolla finamente cortada, mantequilla y laurel. La veía gulusmear y devorar febrilmente todo lo que alcanzaban sus manos. En la mente y el cerebro, algo escaso, de Lesbia ya sólo quedaban restos de vino y un gran dolor de cabeza:

—¿Sabes? Yo sé lo que tengo entre las piernas. ¡Es una bomba! —Lesbia se levantó, tambaleándose, empezó a reír de forma alocada, alucinada, fuera de sí y achispada por completo, se desabrochó varios botones de la camisa vaquera y enseñó un fino sujetador negro. —Sí, sé que se la puedo poner dura a cualquiera y, claro, exploto mis recursos... Pero ahora tengo miedo, tengo miedo de Duncan. Es demasiado listo y sabe que hay algo oculto detrás del dibujo que le dio Iris. Algo pasa y tengo miedo —Lesbia se abrazó a Batista y comenzó a llorar.

137

Batista, consolador de primera, la abrazó y reconoció en Lesbia a una mujer tan experta como él, versada en halconear, en someter, en poner de rodillas a todos los hombres que quería. Batista se lo pensó unos segundos y decidió que él también deseaba ponerse de rodillas.

Ahora, desde la cama, revuelta, enredadora, fantasiosa, apenas se escuchaba la suave música del disco ultrajado tantísimas veces.

Cuando la noche caía sobre Florencia el infierno se apoderaba de mí. Me dolía esa sensación de tener un millón de cosas de las que hablar con ella y no poder hacerlo porque siempre aparecía, de improviso, el momento en que tenía que irme. Después, en mi casa, me acostaba con su perfume y sus recuerdos, me abrazaba desesperadamente a su olor y a sus caricias. Las luces anunciaban, en el ático de enfrente, la aparición del dolor. Con mis prismáticos les veía besarse, hablar, acariciarse, abrazarse, reír. Y siempre lo mismo, todas las noches la misma historia, las mil fantasías del amor, las locuras en el baño llenas de lavanda y canela mientras yo, desde la ventana, sólo podía convivir con la asfixiante sensación de morirme en vida. En mi habitación sólo quedaba un vacío de cuerpos y el doloroso sentimiento de que la vida era una mierda, que yo debía de estar con Laura y, en cambio, tan sólo podía conformarme con verla en brazos de otro, dando besos a la sombra de un recuerdo y mojando mi mano, cada noche, con su pasión robada. Ponía el disco que horas antes habíamos escuchado juntos, abrazados, con mi mano acariciando sus pechos, y comenzaba a llorar de manera estúpida. Había tardado menos en enamorarme que en advertir que estaba enamorado. Y después de cada noche rota volvía a volar hacia ella, volvía a buscar a Laura por todos los lados y no era difícil encontrarla porque ella siempre escondía su rostro en el espejo de mi baño.

—Zoé no tardará mucho. Podemos esperarla aquí. ¿Le apetece un whisky? —Sin esperar contestación Castillo le alargó un vaso. Luego, se sentaron en unos cómodos sillones y contemplaron, en silencio, la pared llena de cuadros: cuadros cubistas, expresionistas, llenos de vivos colores y de cuerpos desnudos y, en medio de ellos, un yatagán, un sable curvo que, años atrás, Castillo regaló a Zoé, tras un largo viaje por Turquía—. Es hermoso, ¿verdad? —Castillo se levantó y recorrió con sus finos dedos el filo del sable, jugueteando con los delicados grabados que decoraban la afilada hoja.

Larios miró su reloj y esbozó una forzada sonrisa. Desde que esa misma mañana consiguiera del laboratorio una ampliación del palacio situado a la derecha del cuadro de Claudio de Lorena, esperaba impacientemente el momento de perderse tras sus pasos, de encontrar su escudo por algún lugar de la vieja y hermosa ciudad, de sumergirse, de una vez por todas y de manera definitiva, en el cuadro. Mientras tanto, observaba al adulador de blancos cabellos que le acosaba sistemáticamente con sus chismes y, recordando tiempos pasados, resucitando la pasión por el perfume y por la seducción, que era casi lo mismo, buscó informaciones suplementarias, nuevas pistas; intuía que a Castillo había que llevarlo a su terreno y convertir su delicado espíritu en el mejor cómplice.

—El otro día me sorprendió al descubrir mi perfume. Me parece algo increíble. Ni yo mismo sabría, posiblemente, distinguirlo —comentó, como al azar, un Larios calculador, frío, lleno de múltiples aristas.

—La perfumería es un arte especial, un arte exquisito. —Los ojos de Castillo se agrandaron indefinidamente y se cubrieron de luz como en un fucilazo deslumbrante—. Es el arte de combinar de forma sutil y precisa unas sustancias aromáticas para lograr una mezcla armónica, homogénea, persistente y, por supuesto, agradable. Una fragancia sugestiva, original y duradera es el secreto de todo buen perfume...

—Pero tiene que resultar muy difícil el saber distinguir tantos aromas, tiene que haber miles de esencias distintas.

—Más de diez mil esencias forman las bases de los perfumes —contestó un Castillo lleno de candelabros, iluminado por la indescriptible emoción de compartir una reli-

139

gión tan especial—. La naturaleza nos brinda casi mil. Las plantas nos ofrecen todas sus partes, flores (jazmín, nardo, rosa, lavanda), hojas (pachuli, estragón, menta), frutos (limón, naranja, bergamota), semillas (coriandro, pimienta, apio), raíces (vetiver, iris, jengibre), maderas (sándalo, cedro), cortezas (canela, nuez moscada), bálsamos (benjuí, bálsamo de Perú), resinas (gálbano, mirra), musgos, algas. Después tenemos esencias animales como el almizcle, el ámbar gris, el castóreo o el civeto, todas ellas unidas al impulso sexual del macho y de la hembra por lo que se les atribuyen propiedades eróticas y son muy apreciadas por los perfumistas para elaborar esencias penetrantes, persistentes y cálidas. Finalmente están las esencias sintéticas, producto artificial de investigaciones y de síntesis químicas, y que son las empleadas mayoritariamente en los perfumes modernos. Hay hasta 9.000 cuerpos químicos que han revolucionado el mundo de la perfumería. Y es que la creación de un perfume es como la composición de un cuadro o de una sinfonía...

—Lo que me resulta más fascinante es que pueda conocer a las personas a través de su perfume. —Larios tiraba y tiraba del hilo, iluminándosele el rostro y apagando la solemnidad de su camiseta negra.

—El perfume es mensaje y su principal misión es crear una atmósfera, establecer una corriente de simpatía, atracción, deseo, curiosidad. Un perfume es una invitación, pero también puede resultar una trampa. Los perfumes están profundamente unidos a nuestra vida emocional. Su lenguaje realza la personalidad y el atractivo. El perfume es el mejor estimulante de los sentimientos. Un aroma fresco y cítrico es especialmente apropiado para los jóvenes. Una fragancia dulce a base de notas florales es la más adecuada para mujeres de aspecto suave y romántico. Un perfume oriental corresponde a las misteriosas y sensuales. Una fragancia de hierbas, como la lavanda, es apropiada para la mujer madura. Cuando predominan las maderas, definen a los hombres de mundo y a las mujeres independientes, emprendedoras y seguras de sí mismas. Las notas de cuero dan el tono en los aromas masculinos...

—Y Zoé, ¿cómo es Zoé? —Larios apuró totalmente su whisky, repleto, a esas alturas, de millones e indefinidos olores.

—Zoé es misteriosa y sensual. Le gustan los aromas orientales. Pero va mucho más allá. Sabe la importancia de los perfumes y cambia a menudo. Por supuesto, no utiliza el mismo perfume de día que de noche. Es demasiado exquisita y sensible. Últimamente usa Intrigue de Yardley y Diva de Ungaro. Pero su carácter independiente y libre le empuja a los aromas poco convencionales como el verde, el helecho y el chipre, también notas masculinas como el tabaco y el cuero. El carácter indómito de Zoé le lleva hasta Givenchy...

—¿Cómo era su hermana? —Larios se acarició la mejilla y miró fijamente los ojos iluminados de Castillo.

—A Iris le gustaba llamar la atención, ser el centro, era orgullosa y extravagante, demasiado infantil. Adoraba los aromas cálidos, picantes y de gran volumen, los olores poco comunes y muy personales, que marcaran diferencias. Ella cambiaba poco de perfume, era una mujer Opium, de Saint Laurent...

—¿Y el marido de Zoé? ¿Cómo es el perfume de Hugo Soto? —preguntó, embobado por el tema, Larios.

—Yacaré, de Astor. Muy típico en él, y nunca cambia. Es ambicioso y luchador y, por eso, prefiere los persistentes perfumes convencionales, las fragancias amaderadas y secas. Igor, en cambio, es el típico intelectual que odia los perfumes cálidos y embriagadores. Prefiere los acordes naturales, el verde, el tabaco, el cuero, el helecho. Ahora lleva Brut, de Faberge.

141

—Y mi compañero, ¿qué me podría decir de él? —Larios se había instalado definitivamente en los azules ojos del plateado perfumista.

—Apenas le he tratado, pero sé que utiliza Drakkar, de Laroche. Eso indica que es una persona enérgica, activa, dinámica, emprendedora, amante del riesgo y por eso elige perfumes que manifiestan su agresividad y vitalidad. Imagino que, por su carácter, debe cambiar habitualmente de perfume. Tienen que gustarle las fragancias basadas en arriesgadas notas amaderadas de fondo. Son dinámicas y discretas a la vez. No hacen soñar, pero estimulan la fantasía...

—En verdad, es asombroso. —Larios no pudo disimular una atontada expresión de admiración, mientras intentaba descifrar, a través del juego de los perfumes, un enigma desbordante y peligroso—. No se imagina lo que le envidio...

En ese preciso momento se oyó la puerta de la calle. Los dos hombres salieron y vieron llegar a Zoé. Se quedaron callados. Larios pensó que aquella mujer tenía algo especial y eso le producía un cierto malestar. Recordó las palabras que, pocos minutos antes, había escuchado de los labios de Castillo y comprendió que Zoé era demasiado misteriosa y sensual. Intentó captar su olor de forma compulsiva aunque rápidamente comprendió que lo que de verdad anhelaba era conocer su perfume de noche.

—Ya me iba. La estaba esperando. —Larios saludó y se despidió a la vez de Zoé—. Simplemente quería que supiese que, por motivos de la investigación, debo acercarme hasta Venecia. Hoy mismo intentaré salir hacia allí. Es el cuadro el que me conduce a Venecia...

El rostro de Zoé reflejó con toda claridad que no comprendía nada de lo que le estaban diciendo y, tan sólo, se limitó a pedir a Larios que esperase un momento, pero ya era demasiado tarde. Larios salía por la puerta y, antes de despedirse definitivamente, se dirigió a Castillo:

—Gracias por la lección. Por cierto, siempre pensé que el hecho de analizar la información la cambia. Sin embargo, hoy, por primera vez en mi vida, me voy con la sensación de que el mundo de los perfumes está fuera de esa máxima. ¿No piensa usted lo mismo?

Castillo, sorprendido por la pregunta, sólo pudo asentir moviendo infantilmente la cabeza.

Durante toda la mañana, el Duque siguió con sus intensos y bien calculados preparativos, una rutina que para él se había convertido, desde bastante tiempo atrás, en una verdadera religión. En Tortuga, al igual que en el resto del Caribe, todo el mundo sabía que los continuados éxitos que jalonaban la carrera del capitán Danko se debían, en su mayor parte, a la planeada estrategia que, de forma calculadamente fría y pacientemente trabajada, diseñaba el Duque. Todos los piratas solían atacar siempre sin ningún plan determinado, salían de puerto y buscaban su presa, iban a ciegas y la mayoría de las veces se encontraban con un adversario poderoso o, por el contrario, con un enemigo en cuyas bodegas las ratas se daban contra las paredes. Sin embargo, con el Duque, el pirata había dejado de ser un temerario salvaje; ahora, gracias a sus planeadas estrategias, el pirata seguía siendo temerario pero también astuto. La mejor de las combinaciones.

El Duque acababa de recibir otro mensaje del gobernador, justo una semana después de su último encuentro. Al parecer, según se desprendía del garrapatoso papel, Henri Doyle tenía noticias importantes que comunicarle.

Llevaba ya diez minutos con la mirada fija en la esponjosa peluca de Henri Doyle, clavando sus ojos en la repugnante jeta blanca de sapo del gobernador, aguantando sus chanzas y sus descubrimientos, simulando sonreír y expresar un interés de la forma más convincente posible, ante unas informaciones que él sabía que llegaban desde muy lejos, de más allá del mar, pero que el viejo gobernador intentaba hacer propias. Durante unos momentos el Duque pareció interesarse más de lo que en él era habitual. Comprendía que todos los astros empezaban a conjugarse de manera perfecta y tremendamente armónica para intentar el asalto a su sueño. Por una vez el decrépito esperpento del gobernador le servía para algo.

—¿Os dais cuenta, Duque? El *Espíritu Santo* zarpó desde Cádiz hace varias semanas con destino a Maracaibo y su única misión consiste en escoltar un barco de regreso a España. Os podéis imaginar que algo importante se está cociendo en Maracaibo.

La palabra mágica para el Duque: Maracaibo... El conocía el *Espíritu Santo* porque, en cierta ocasión, cerca del sur de África, había tenido un violento enfrentamiento con ese galeón español cuando, junto al capitán Danko, había acudido a aquella zona a comerciar con colmillos de elefante. Entonces, la única salida digna fue la huida. Aquel barco era demasiado poderoso, con 40 cañones y 27 ribadoquines, justo iguales a los que ahora, en honor a aquel enfrentamiento y en homenaje a su eficacia, había hecho montar en el *Roccobarocco*. Qué gran casualidad, pensar hace un mes en el *Espíritu Santo*, en aquel enfrentamiento ya pasado y casi en el otro extremo del mundo, y volverse a encontrar con el galeón español en mitad de una sala estúpidamente decorada con blancos, rosas, pasteles y estúpidas florecillas. La imaginación del Duque volaba a una velocidad asombrosa y sabía, desde siempre lo había sabido, que el *Roccobarocco* se volvería a enfrentar al *Espíritu Santo*. Sin embargo, estaba seguro de que esta vez las cosas serían muy distintas. Además, la situación, el regreso del pasado, sería totalmente diferente: el ataque por sorpresa lo daría el *Roccobarocco*.

—¿Por qué tiene tanto interés el rey en esta expedición? Con toda seguridad sabe lo que regresa a España —comentó, de manera ficticiamente despreocupada, el Duque.

La estupidez que generalmente coronaba el rostro del gobernador había llegado a su máximo esplendor. No podía entender cómo aquel taciturno hombre de negro podía haber adivinado que toda la información deslizada con alegría y embozadas esquinas desde sus labios venía directamente de París. De todas formas, no tenía mucho más que decir porque hasta él comprendía que sólo era una pieza, una pequeñísima pieza, de un entramado demasiado complejo para su gastado cerebro. Tomó su tabaquera de plata y sorbió unos polvos de rapé. Luego, intentando demostrar una inmutabilidad mal ensayada, continuó con su exposición.

—El rey siempre sabe recompensar a los que le sirven fielmente —dijo, mirando fijamente los ojos del Duque.

—Las tierras del conde Neully, a orillas del Loira, están sujetas a la actualización de su título. Quiero, si logro llevar a buen puerto la misión, sus tierras y castillos —dijo el Duque.

La sorpresa comenzó a bailar indecorosamente en los ojos del gobernador. Su arrastrado y servil espíritu no podía entender la desfachatez y osadía en las peticiones de aquel pirata pero sabía, tras convivir tantos años con ellos, que no se detendrían ante nadie, ni siquiera ante el rey. Sin embargo, esa petición no dejaba de asombrarle. Un pirata que no quería oro, ni alcohol, ni mujeres...

—Duque, muchas veces pienso que tenéis que estar rebosando sangre noble por los cuatro costados —comentó, dejando escapar una maliciosa sonrisa.

—Nunca hay que fiarse de las apariencias. Tampoco se puede juzgar el cerebro de un noble por la aparatosidad de su peluca —contestó, no menos maliciosamente, el Duque.

—Seguid, capitán, o tenéis menos valor que ingenio.

El Duque sonrió. Se levantó y abandonó los aposentos de aquel grumoso personajillo.

—Pronto tendréis noticias mías —dijo antes de salir del amplio y chabacano despacho.

El gobernador no estaba acostumbrado a aquellos altivos comportamientos pero conocía lo suficientemente bien a aquel hombre como para saber que lo mejor que podía hacer en Tortuga era mantener buenas relaciones con él. Mientras tanto, intentaba recordar, tras ver al Duque sonreír durante un instante fugaz, y haciendo memoria en su desvencijada y empelucada cabeza, la última vez que el Duque había sonreído abiertamente en su presencia.

—No puede ser, no quedamos en eso. Es un estúpido. No, no se preocupe, usted cobrará. Hizo su trabajo. Tengo palabra. Debe ser lo único que me queda ya... Sí, sí, no se preocupe, sé dónde encontrarle. Sabe, he recibido una visita que no me ha gustado nada. Dejé bien claro que quería que todo lo que me pudiese incriminar quedara fuera de circulación... Por Dios, no me valen las excusas. Podemos irnos a la mierda fácilmente los dos. Nos tenemos bien agarrados por la parte más débil. Es conveniente que todo siga así... No, no. No nos pueden ver juntos. Ya me encargaré de hacerle llegar lo que le pertenece... No. Confíe en mí... Vamos, no sea estúpido. Estoy a los pies de los caballos y sé que me pueden aplastar. No dudaría un momento. Lo sé... No se preocupe. De eso me encargo yo.

Hugo Soto, harto de tratar con fuleros y mentecatos, tanto en el trabajo como fuera de él, se dejó caer, derrotado y abatido, sobre el blanco teléfono. Tras él, un gran ventanal escupía toda una ciudad en llamas. Eran las doce del mediodía y los cientos de cristales que se reflejaban indefinidamente en el rascacielos de enfrente semejaban una colmena metálica, fría, angustiosamente vapuleada por un sol asesino. Soto escuchó el ruido de la puerta y el sonido inconfundible de las grandes cortinas cerrándose, apagando la vida y sumergiendo el despacho en una cálida penumbra, apastillada, hecha de sensualidad, y no tuvo ya fuerzas para levantar la cabeza. Sólo sintió unas cálidas manos acariciando su cuello, besándole la espalda, desanudando la corbata. Paula, como un viento huracanado, con ojos ligeramente vulpinos, devoró los labios de Soto. A empujones, llevados por una inercia salvaje y aprendida de memoria, se descolgaron sobre la espesa moqueta verde botella. Se buscaron, se acariciaron, se golpearon. Empezaba un mundo que, desesperadamente, intentaba desviar el cerebro de Soto hacia paraísos artificiales. Pero resultaba imposible. Tras varios minutos, el estirado político abandonó.

Paula acarició el rostro de Soto, y acercó sus labios hasta los oídos sin luz del angustiado dios, ciego de preocupaciones, gafas perdidas alrededor de la moqueta, tempestad desatada entre los amarillos del despacho, y le susurró cálidas palabras.

—Estoy acabado, Paula —es lo único que acertó a repetir Hugo Soto.

✦ ✧ ✦

Aquel día no pensaba visitar a Laura pero una llamada suya me convenció de lo contrario. Oí, al otro lado del teléfono, una voz apagada, triste. Laura no se encontraba bien e inmediatamente supe que debía estar con ella; es más, necesitaba de su debilidad para transformar la mía en fortaleza. Me agradaba estar junto a ella, abrazarla, acunarla.

Encontré a Laura diminuta, encogida, escondida bajo una manta en un sillón de su casa. La abracé, la acaricié, besé su prodigiosa boca, me metí dentro de sus ojos y volé por su cuerpo, buceando por el terciopelo de su mirada. Con un café y una suave música de *blues* nos dejamos devorar por la tarde, abrazados, unidos para siempre, oyendo el campanilleo salvaje de la lluvia que fustigaba los cristales de su casa.

Cuando la maldita oscuridad nos cubrió, supe que el amargo momento de separarnos llegaba otra vez, como un mazo pesado y ruin. Volví a besar a Laura, cerré la puerta, la angustiosa puerta que nos separaba y bajé las empinadas escaleras con el sentimiento de que ese amor de contrabando estaba a punto de matarme.

148

Batista entró en el Ginger dominando el terreno, como el que conoce perfectamente los sitios por donde pisa. Comenzó a mirar varias de las estanterías y se entretuvo, durante varios minutos, fisgando cajas, artículos y los extraños artilugios que inundaban el local. Cogió una caja pequeña, de color morado, donde sobresalía una rubia despampanante en actitud de derretimiento místico y leyó, en voz alta, casi a gritos: *Vagina Executive de bolsillo. Vagina ideal para sus viajes de negocio. Tacto suave como la piel. Con ella llegará al clímax total.* El Sietepolvos, harto de tener que soportar cada día a payasos y a gente que acudía, con demasiada asiduidad, a su local con ganas de risas baratas y reprimidas, se acercó a Batista:

—¿Desea algo en concreto el señor o nos va a seguir leyendo todas las cajas?

Batista no contestó. Siguió absorto en la contemplación de los artículos que abarrotaban las estanterías y sonriendo como un eficiente trastornado. Cuando notó la mano del Sietepolvos sobre su hombro, sacó mecánicamente de la americana la placa de policía, la enseñó de forma desdeñosa y la volvió a guardar.

El Sietepolvos cambió, en el acto, de actitud, abandonó su típica chulapería y se sumergió totalmente en el papel del tipo que nunca ha roto un plato:

—Les esperaba desde el otro día. Aquel fulano me destrozó el local...

Batista siguió mirando los artilugios que adornaban las estanterías y no prestó la menor atención al calvo tatuado. Poco tiempo después, cuando le habló de Lisa Conti, la jeta del chulo se transformó totalmente. Que si ya he dicho todo lo que tenía que decir, que si el otro policía lo sabía todo, que si Lisa era una de las chicas que trabajaba en su local pero nada más, que si el vídeo no era suyo, que si lo dejó allí Lisa, que si él era guapo, honrado y bueno, etcétera, etcétera.

Poco a poco la conversación entre los dos hombres, interrumpida por varios clientes y por algunas de las guapas chicas de ubérrimas y poderosas razones que trabajaban en el Ginger, se fue alargando, haciendo más densa e íntima. Batista, golfo indomable, amaba ese ambiente más que nadie. Y así, entre la afición y el deber inquisidor, comenzó a conocer poco a poco a Jorge Comas, toda su vida, obra y milagros, sus contactos, sus asombrosas facultades que le llevaron a ser conocido en la profesión como el Sietepolvos y todas sus últimas miserias. Batista acabó contando al Sietepolvos la historia de un famoso guionista de Hollywood con gran éxito entre las mujeres a causa de su portentosa actividad. En realidad su éxito radicaba, y eso se supo mucho después, en que el guionista no era uno sino dos, eran dos hermanos gemelos que se intercambiaban el papel durante la noche, de tal forma que la excitada y asombrada mujer enlazaba uno con otro sin apenas darse cuenta. El éxito del guionista fue tal que todas las mujeres se lo disputaron durante más de una década...

—Yo soy uno solo. Se lo puedo jurar, señor Batista —susurró, casi pidiendo perdón, pero reclamando sus medallas, el Sietepolvos.

El policía rio abiertamente. Luego miró hacia las cabinas y pensó que ya era hora de abandonar el Ginger. Entre unas cosas y otras había llegado a conocer al Sietepolvos mejor que Carmelo Miranda con todas sus entrevistas, horas y declaraciones oficiales. En el mostrador, Comas estaba envolviendo a dos chicos de pelo muy corto una caja de preservativos de fantasía. Batista, mientras tanto, cogió unas bolas chinas y leyó, esta vez para sí: «El mayor invento para el placer femenino. Unas bolas cuyo mecanismo interior, al introducirlas en la vagina y ayudadas por los movimientos del cuerpo, proporcionan un torrente de placer sin fin. Disfrute de un placer continuado mientras realiza las tareas del hogar o saliendo de compras. Se retira tirando de un hilo.»

Batista cogió las bolas chinas, dejó un billete de 2.000 pesetas sobre el mostrador y salió del Ginger. En su mente, no sabía por qué poderosa razón, estaba instalada, desde la noche anterior, Lesbia Aquino.

El Duque, con su botella de compañera fiel, acababa de levantarse de un catre incómodo que acogía, infructuosamente, su sueño rebelde. Se levantó y comenzó a pasear por la habitación. Era tarde, muy tarde, pero continuaba escuchando el inagotable aroma de fiesta que llegaba desde los rincones más extraviados de El Loro Azul. Tomó en una de sus manos la botella de ron y en la otra un pequeño vaso. Se asomó a la ventana y perdió su mirada en el agobiante y a la vez atractivo misterio de la noche, en el murmullo histérico de incansables animalillos que regaban aquella tierra como un cielo eternamente crepuscular. Sus ojos, fijos en la nada, recorrieron, como cada noche, una memoria repleta de cristales rotos. Por fin, se acercó a la estropeada mesa de roble que presidía su despacho y desplegó un mapa. Se sentó y comenzó a soñar sobre él.

La fama de aquel cartógrafo rebasaba todo tipo de fronteras. Era inglés pero trabajaba para casi todos los países. Su única nacionalidad era el dinero y el Duque lo sabía. Visitó el pequeño establecimiento que regentaba, «Steve Clapton-Charte Maker», un frío día de diciembre. Pronto congeniaron porque ambos hablaban un mismo idioma, el del silencio. Clapton prefería no saber el destino de sus mapas, él se consideraba un artista y los artistas se debían exclusivamente, repetía con asiduidad, a la belleza.

—No quiero que aparezca ningún nombre en el mapa —dijo el Duque—. Y, sobre todo, deben reflejarse de forma exacta todas las bahías y ensenadas preparadas para albergar un navío, con detalles precisos y sin olvidar un arrecife.

Mientras el Duque daba las consignas finales al cartógrafo, comenzó a examinar alguno de sus últimos trabajos. Steve Clapton, atento y deseoso de mostrar sus creaciones, se acercó al extraño tipo de negro y le invitó a seguir contemplando trozos de mar y de tierra.

—¿Preferís ver una carta de navegación o un mapa? —preguntó.

El Duque no contestó. Se limitó a acariciar una de aquellas maravillas y con su mirada expresó de forma suficientemente clara para el cartógrafo la admiración que sentía por su trabajo.

—Todas mis cartas están hechas en el mejor pergamino y montadas sobre la tela más fina. Los números a cada media pulgada en la línea costera indican la profundidad del océano en ese punto —comentó el cartógrafo, mientras desplegaba encima de la alargada mesa nuevos mapas.

El discurso resultaba diáfano. Aquel hombre era feliz con su trabajo, con sus resultados, con su fama y poder, y el Duque se dio cuenta en el acto. Después de analizar el perfeccionismo y la claridad de aquellas cartas, comprendió que era lo más razonable. La fama de Steve Clapton no era, ni mucho menos, injustificada.

—Mis cartas están hechas con tal minuciosidad que un marino puede navegar por aguas desconocidas con total y plena seguridad —comentó, orgulloso, Clapton.

—¿Qué significan las constelaciones que aparecen en la parte superior de los mapas? —preguntó el Duque.

—Escojo la constelación que se encuentra encima del territorio trazado. Todo hombre de mar la conoce. Es una especie de firma, para que se reconozca mi trabajo. Ésa que vos señaláis, como fácilmente habréis deducido, es la Cruz del Sur, justo encima del estrecho de Magallanes. Todo tiene su sentido, únicamente debemos ser capaces de descubrirlo.

Sin embargo en El Loro Azul, perdido entre las bahías dibujadas en el mapa, el Duque buscaba el sentido a su vida más allá de los trazos precisos encerrados en el pergamino. Buscaba y buscaba y siempre acababa encontrando lo mismo.

Se levantó, cogió la botella de ron con su mano derecha, llevando en la otra mano la bola de cristal con el perfume secreto de su amada, y se acercó a la pequeña ventana. Miró a la lejanía. Ya empezaba a amanecer.

Larios acababa de coger un taxi y se dirigía veloz, en medio de barahúndas estrepitosas y atascos impresionantes, al aeropuerto. Llegaba tarde, como siempre en su vida. La gente, a través de la ventanilla del cristal se le presentaba confusa, alcachofada, indigna. Los coches, unos tras otros, hacían sonar el claxon, se buscaban y se peleaban entre sí y, mientras tanto, el aeropuerto parecía alejarse definitivamente. El taxista, un hombre muy bajito y dicharachero, no paraba de hablar. Y cuando vio que la conversación con Larios era imposible, se dedicó, durante el resto del trayecto, al odioso arte de excitarse escuchándose a sí mismo, a lanzar improperios contra otros conductores y a tararear las canciones que escupía el viejo radiocasete. En ese preciso instante, como un recordatorio de su vida, sonaba por la radio la *Alegría de vivir*, de Ray Heredia. Larios escuchó, perplejo y asustado, tremendamente identificado, la voz rota, cascada y llena de melancolía, y se acordó, en medio de palmas de luz y guitarras españolas repletas de sombras, de toda su historia, con sus momentos y sus lamentos. Sintió, en el acto, que los recuerdos eran como la sombra de uno mismo: resultaba imposible escaparse de ella, y se dio cuenta de que había perdido el tren, como lo perdió Ray Heredia en su día.

Mientras miraba el reloj y removía sus recuerdos, Larios observó que también iba a perder el avión. Que, en realidad, ya había perdido todo. Y lo peor de todo era que le daba lo mismo. Se limitó, vencido por las circunstancias y los elementos que él mismo iba alimentando, a seguir mirando, impasible, por la ventanilla del taxi, recordando, una y otra vez, a Ray Heredia, sus historias, sus momentos y sus lamentos.

Me acerqué a ver a Laura. Ella, creo, me esperaba. Nada más llegar me abrazó y noté algo nuevo por dentro. Hasta

153

aquel momento el que abrazaba, el que se adelantaba a los corazones, era yo, algo que me empezaba a crear muchas dudas. Era lamentable, pero perfectamente normal porque cuando estaba delante de ella tan sólo deseaba atrapar el humo de su boca y bebérmelo entero. Cada vez me resultaba más claro que era de todo punto anormal el atravesar los sueños y los años que me quedaban lejos de Laura, tan anormal y penoso como tratar de meter una catedral dentro de una maleta.

✦ ✧ ✦

Delante de Antigüedades Gaudí, aparcado de forma irregular, el negro Peugeot 505 esperaba, como un perro fiel, a Duncan White. Mucha gente cruzaba por delante de la puerta cuando alguien, desde dentro, corrió las persianas, cerró la puerta con llave y puso un cartel donde se podía leer en letras de estilo modernista: CERRADO.

En el interior, con una luz tristona y esponjosa que llegaba desde un par de candelabros de plata, Duncan y Pacheco, sentados en el sofá chéster, parecían confesarse, cuchicheando, merodeando palabras, rompiendo el silencio con haches intercaladas. Sobre la baja mesa de madera, la carpeta granate que en su última visita dejó Duncan aparecía como único testigo de la conversación.

—He investigado la posible procedencia del grabado. Creemos que es de la escuela de Claudio de Lorena. Tuvo multitud de discípulos e imitadores. Siglo XVIII. Principios, probablemente. —Andrés Pacheco, charlatán profesional, parecía dominar la situación totalmente, engatusando, mintiendo, haciendo como que engatusaba, como que mentía.

—¿Tiene algún valor? —preguntó Duncan White, con expresión, desde su negritud, de estar en fuera de juego permanente.

—Un valor relativo, muy relativo. No es una fruslería, precisamente. Es bastante antiguo, y eso se cotiza; sin embargo, se encuentra en muy mal estado para colocarlo decentemente en los mercados de arte. Toda la parte superior está rota. Además, seguro que hay muchas copias iguales rondando por ahí...

—¿Cuánto podría conseguir por él? Me urge el dinero— Duncan White temía que Lesbia se fuese de la lengua y parecía comportarse como un memo, incapaz de desenredar la zangamanga, el juego sutil y delicado de un avezado y experto comprador de arte.

—Tengo algunos clientes que, probablemente, puedan interesarse por este grabado. No sé... Tal vez pueda llegar a 400.000...

Los ojos del grueso demonista comenzaron un particular y significativo bamboleo y, aunque intentó disimular el repentino azoramiento, no lo pudo lograr de forma convincente. Pacheco, en su interior, se rio del palurdo tipo de negro, tan rimbombante y exquisito, con su elegante traje, su cuidada perilla, su larga melena, y reconoció con acostumbrada familiaridad, esa situación que tantas veces había vivido y que tan bien sabía dominar, la del incauto que iba a vender una obra y se conformaba con cualquier caramelo y, encima, no podía disimular su entusiasmo. Duncan, sin embargo, una vez superada la primera sorpresa, se dio cuenta de que, muy probablemente iba a ser víctima de un hábil gatazo, que, con toda seguridad, si le habían ofrecido 400.000 es que aquel pedazo de papel valía mucho más, e intentó echar un pulso al habilidoso gitano de reloj de oro y traje gris:

—Por 700.000, el grabado es suyo.

Andrés Pacheco se rio de forma estruendosa. Comprendió en el acto que el extraño tipo de acento extranjero no era tonto, pero sabía que tenía la sartén por el mango y que el señor de los grandes ojos estaba loco por deshacerse, cuanto antes, del grabado. Se levantó del sofá, acarició unas tazas de café de porcelana y un velador indonesio, y se sentó en la butaca de lectura tapizada como una acuarela:

—Medio millón es mi última oferta.

—Nunca pensé que esta mierda valiese tanto. —Duncan White estrechó la mano de Pacheco.

—¿Cómo llegó hasta usted? —preguntó el gitano.

—Me lo regaló una furcia... —Duncan sonrió—. No quiero cheques. No me fío de los bancos.

—Mañana tendrá su dinero.

Los dos hombres se levantaron, se volvieron a estrechar la mano y se despidieron. Había una expresión extraña en los dos y ninguno, pasados los primeros minutos tras el cierre del trato, parecía estar muy contento con su actuación. En hombres de su calaña siempre quedaba la duda de haber intentado exprimir más a su contrincante. Sin embargo, tal vez nunca supiesen ya el resultado del combate final. Cuando se separasen definitivamente ambos pensarían que habían ganado, aunque fuese a los puntos.

Duncan abrió la puerta de su Peugeot 505 y arrancó el coche a gran velocidad, haciendo patinar estruendosamente sus ruedas traseras. Inmediatamente, tras él, como una sombra amenazante, llena de pliegues y paciencia, se lanzó un Ibiza rojo.

Padovani, con su extraña sotana negra, incómoda y asfixiante vestimenta para aquellos lugares, que aparecía ante los ojos de todos como una extravagancia más de un chiflado sin juicio, avanzó entre vistosos matorrales. En Tortuga su figura llamó rápidamente la atención, y no sólo por la sotana. Padovani era alto, muy alto, algo que daba mayor prestancia todavía a los interminables faldones de su vestido, así como su figura escuálida, de esqueleto viviente que no se correspondía, en absoluto, con su frenética actividad deglutoria. Sus blancos cabellos y sus afilados ojos hacían de Padovani, único amigo del Duque en Tortuga, un ser que provocaba el rechazo, o mejor, un indisimulado y extraño respeto entre todos los piratas. Su pasado como sacerdote, aún no olvidado en su espíritu conciliador y extrañamente pendenciero, junto con su hábito de reliquia pastoril, hacían el resto.

Llevaba media jornada caminando y, cuando el cansancio empezó a apoderarse de su enjuta figura, supo que había llegado a su destino. No acertaba a recordar la cantidad de veces que su cuerpo le había llevado hasta aquel lugar. Sólo sabía que aquella india, Yaguajay, era el ser más hermoso que había pisado jamás Tortuga. Cuando dos años atrás conoció a Yaguajay comprendió que su espíritu licencioso comenzaba a huir de su cuerpo y que, posiblemente, su verdadera vocación no era muy lejana a la que le había empujado, hacía ya tantos años, a tomar los hábitos. Pero todo era tan fácil de expresar en aquel momento. Padovani sabía que habían sido dos años eternos y que su cuerpo era falso, voraz... En Tortuga no había muy buenas compañías y la vida era tan corta, tan triste. Sin embargo, una cosa sí tenía clara: jamás su mente se había visto amueblada por el rostro de ninguna mujer de esa manera tan brutal e inocente a la vez. Ahora, tras esperar dos interminables años, sabía que podía compartir con aquella india la angustia de su corazón.

Llegó a su apartada cabaña, regada por un pequeño riachuelo y encajonada en medio de un extraño y precioso túnel de árboles y rocas, se acercó hasta la puerta y allí, en la entrada, vio colgada la calabaza que, sin duda, le iba a abrir la puerta de su particular y anhelado paraíso.

Cuánto tiempo había esperado ver esa calabaza en el marco de la puerta de la casa de Yaguajay, cuántas veces se había acercado hasta allí, en medio de la intempestiva soledad de la noche, cruzando el asfixiante horno del verano, luchando contra tormentas y lluvias salvajes, esperando encontrar el rastro de esa calabaza. Ahora ya se podía sentir libre y pleno. La tradición india, que como calvario indigno le había golpeado el rostro, se había llevado hasta sus extraños confines la gloria de su cumplimiento. El marido de Yaguajay, un indio respetado, anciano, que había acompañado en varias ocasiones las andanzas del *Roccobarocco* a petición del Duque, había muerto dos años atrás. En aquel preciso momento comenzó el infierno para Yaguajay y, también, para Boris Padovani, el sacerdote arrepentido, el hombre ahora humillado por su pasado. Yaguajay, como marca la ancestral tradición de su tribu, tuvo que enterrar, ella sola, con sus delicadas manos, a su marido junto a todas las joyas, azagayas y cinturas que llevaba pendientes de las orejas su esposo. A partir de ese momento, su única obligación consistió en ir todos los días a su sepultura y llevarle de comer y beber durante un año entero. A la finalización de aquel áspero y agotador año, Yaguajay, sola en su mundo, arrojada a una tradición extraña e injusta, tuvo que abrir su sepultura, sacar todos los huesos de su marido, lavarlos y hacerlos secar por los rayos del sol. Después los ató todos juntos, los metió en una calabaza a modo de zurrón y los llevó consigo noche y día durante un año entero, durmiendo sobre ellos y cargando con la conciencia entera de cientos de siglos. Al cabo de dos años, la tradición india, satisfecha con la injusticia imperturbable de los dioses satánicos, permitía a Yaguajay abandonar a su marido colocando la calabaza de su espíritu sobre el marco de su puerta. Yaguajay era ya libre para conocer a otro hombre.

La puerta se había abierto y los ojos de Yagaujay y Padovani se cruzaron en su nueva vida. Boris Padovani ya sólo deseaba navegar por el cuerpo fascinante de aquella mujer, arrodillarse ante ella y llorar de alegría, agarrado a sus piernas de forma frenética y brutal. El tiempo era asesino pero el tiempo, casi siempre, hacía justicia.

Estar dentro de la ciudad arrebatadora era una pesadilla más que un sueño aunque, para Larios, sólo existiese una Venecia y ya quedaba muy lejos en el tiempo. Y es que la ciudad más enigmática, hipnótica, melancólica y hermosa del mundo, la serena belleza de sus edificios, las plateadas aguas de sus canales al atardecer, las espectaculares callejuelas que surcaban toda la ciudad con sus balcones engalanados de geranios y los pequeños jardines que desembocaban en los canales, tenían un único y triste punto de referencia, el de viejas caricias sobre una góndola, caricias que nunca iban ya a regresar.

Tal vez por todo ello, drogado de recuerdos y belleza bajo la luz dorada de Venecia, se siguió sorprendiendo y destrozándose con la eterna obsesión de saber cuánto pensaría ella en él. Todavía Larios parecía no darse cuenta de que ella no pensaba para nada en él, aunque siempre se engañó imaginando lo contrario... El mayor problema para Larios residía, como siempre ocurrió a lo largo de su vida, en pensar demasiado, en estar continuamente recordando y visitando callejones sin salida de doloroso recorrido y complicado retorno. Decía Confucio que el primer deber era sobrevivir, pero inmediatamente después estaba el deber de pensar. Y eso era algo que a él no le servía, porque entonces pensaba, recordaba momentos pasados, imaginaba reencuentros imposibles y ya no tenía fuerzas para sobrevivir.

Ahora Larios sólo reconocía como propio la hedentina que desprendían las sucias aguas, el garbullo indecente de miles de turistas revoloteando, incordiando, hundiendo la ciudad, el chacarrachaca continuo de máquinas fotográficas, de idiomas confusos y estúpidos, el recuerdo lleno de suspiros, como el del Restaurante Quatro Fontane que acababa de dejar atrás y que le llevó, en un carrusel de recuerdos obsesivos, hasta una cena romántica en su idílico jardín, bajo el inmenso árbol que todo lo llenaba de un aire especial y fascinante, y el *teamoeternamenteteamo* que no había dejado de repetir desde entonces.

Sabía que en Venecia todo era distinto y que hubo una época en que pudo admirar la belleza acariciada, moldeada por el tiempo. Y las ruinas de la belleza, a pesar de Rodin, realmente no eran tan bellas. Sin embargo, escapándose de recuerdos y ruinas, Larios comprendió que estaba en la ciudad de inveterada belleza para algo muy concreto y no para dejarse llevar por puentes, callejones, riberas y recuerdos. Por eso, acabó acercándose a un gondolero con aspecto de farfantón y le enseñó varias fotografías del palacio pintado por Claudio de Lorena. El gondolero parecía conocer el palacio pero no acertaba a ubicarlo. Comenzó a hablar como impulsado por un extraño mecanismo, gesticulando, dando voces y montando un pequeño espectáculo que, seguramente, tenía muy bien aprendido. De repente, el charlatán italiano se acercó a un grupo de gondoleros y les enseñó las fotografías. Al cabo de unos minutos regresó con una sonrisa de oreja a oreja. Hizo un gesto significativo a Larios y, juntos, se subieron a la góndola. Venecia comenzó a tragarse por completo a Larios. Los palacios envueltos en una luz increíble y muy especial, la que procedía del reflejo del cielo sobre el espejo del agua de los canales, fueron sucediéndose como en una asombrosa cascada, y el enorme y fascinante laberinto en el agua empezó a descubrir tranquilos remansos en los recodos. En uno de ellos, unos diez minutos después de haberse montado en la góndola y tras haber soportado un monólogo asfixiante, apareció, increíble, bello, derrotado por el tiempo pero enigmático y soberbio, un palacio que, sin duda, era el mismo del cuadro. Cuando Larios dejó al gondolero y se acercó a la puerta pudo comprobar, lleno de excitación, que el escudo, perfectamente conservado, era el mismo que siglos atrás pintó Claudio de Lorena. Estaba en el palacio elegido, en el principio de la verdad: el palacio Morelli.

Pasaba la vida como un suspiro y éramos conscientes de que nuestra felicidad no podía ser total, que existía algo que, ineludiblemente, nos separaba, algo con lo que Laura no podía ni, lo que era peor, deseaba romper. Sin embargo, vuelvo a recordar su perfume, lo tengo siempre conmigo y no puedo, no quiero desprenderme de él, sé que me acompañará siempre. Ese olor es el olor de su cuerpo, de sus besos, de nuestra felicidad. Qué me haces, qué me haces, la oigo susurrar... Deseaba ver a Laura siempre así, rendida en mis brazos, respirando entrecortadamente, abandonándose a la locura de mis manos, perpetuando esa tontería que era la sublimación de lo imposible. Sabía que un beso de Laura era un obús y yo, encerrado de por vida en la cárcel de su cuerpo, no tenía ya armas para defenderme.

161

El Ibiza rojo se incrustó literalmente tras el Peugeot negro de donde, unos segundos antes, había descendido, rebosante de orgullo y negritud, Duncan White. Abrió la puerta de su santuario y, al intentar cerrarla, se topó con los sucios zapatos de Camilo Batista. Al primer sentimiento de sorpresa se unió una descorazonadora sensación de peligro: aquel hombre que no le dejaba cerrar la puerta le acababa de enseñar una placa de policía.

—¿Puedo hacerle unas preguntas? Sólo será un momento. —Batista, con la lección bien aprendida, se quitó las gafas de sol y miró fijamente al satanista.

Duncan White abrió la puerta y condujo al policía hasta un pequeño despacho, especie de sacristía blasfema, repleta de imágenes satánicas y largas túnicas negras:

—No sabía que la policía estuviese interesada en el satanismo...

—¿Conocía a Iris Latorre? —Batista, de la forma más digna y tranquila posible, acarició una especie de cerdo santificado, lleno de sangre y simbología blasfemamente cristiana.

—Sí. Colabora conmigo. Hace varios días que no la veo.

—¿Dónde estaba el día nueve a las ocho de la tarde? —preguntó Batista.

—¿Ha ocurrido algo? —Duncan, chisgarabís de lujo, enalmagrado sacerdote de la mierda, mamarracho de especial catadura, jacarandoso orate y tropelista indigno, parecía sentirse confundido, aunque no podía reprimir una sonrisa especialmente asquerosa.

—Algún hijo de puta, alguien como usted, por ejemplo, asesinó a Iris el pasado día nueve. En su habitación aparecieron diversos símbolos que usted conoce muy bien... —Batista elevó la voz y, con su grueso dedo, señaló una cruz invertida que presidía la única mesa de la habitación.

—Todo el mundo acusa a los compañeros del diablo. Siempre ha sido así a lo largo de los siglos... —Duncan sonrió y pareció no inmutarse al conocer la muerte de Iris, entre otras cosas, y eso lo comprendió muy bien Batista, porque estaba claro que la noticia no le había pillado de sorpresa.

—No me ha contestado a la pregunta.

—Ese día no estaba en la ciudad. Asistí a un acto satánico en Madrid. Lo puedo demostrar. Lo siento. —Duncan White se había despojado de la camisa negra, de los pantalones negros y se había colocado una siniestra túnica, también negra, decorada con una cruz invertida de color rojo intenso.

—Creo que el día antes de su muerte, Iris le dejó un extraño dibujo...

—Esa puta ya ha acudido a la policía. Lo sabía.

Batista explotó, agarró del cuello al satanista y levantó su brazo derecho, pero antes de golpear al siniestro personaje se detuvo. Luego le apartó de un empujón. Duncan recompuso su túnica negra y siguió sonriendo de manera cínica e imperturbable:

—Iris me regaló ese grabado. Es mío —se limitó a contestar.

—¿Dónde está? —preguntó Batista.

—Eso no le importa a la policía...

Batista se volvió a abalanzar sobre Duncan; sin embargo, éste reaccionó rápidamente y contestó con celeridad pero, también, con asombroso aplomo:

—Acabo de vender el grabado a un anticuario.

—¿Por qué ha tratado con Pacheco? ¿Es la primera vez?

Duncan White pareció, por un momento, desconcertado y la expresión de su cara así lo confirmó. Sin embargo, regresó con rapidez a su primitiva actitud, llena de soberbia y autocontrol:

—Me hablaron de ese tipo hace unos días. No le conocía de antes.

Camilo Batista comenzó a sonreír. Paseó durante unos segundos por la habitación, observó unas blasfemas láminas colgadas de una de las paredes, se dio media vuelta y desapareció. Desde la puerta, el sacerdote negro escuchó al policía:

—Nos volveremos a ver. No salga de la ciudad.

163

✦ ✧ ✦

La floreciente ciudad de Maracaibo llevaba meses y meses paseándose desnuda por la mente del Duque. El vértigo de aquella atracción no resultaba comprensible a los ojos del capitán español pero instintivamente comprendía que debía de haber algo turbio y especial detrás de aquella obsesión. Sabía que resultaba una temeridad intentar invadir Maracaibo, abandonar el propicio feudo de las aguas donde todo estaba a favor del *Roccobarocco*, desde el elemento sorpresa al autoconvencimiento de todos y cada uno de los piratas de ser los invencibles gladiadores del océano, pero el Duque llevaba la ciudad de Maracaibo metida en la sangre. Sopesaba la idoneidad de arrojar a sus compañeros piratas tierra adentro y no terminaba de convencerse. Sin embargo sabía, hacía tiempo que lo sabía, que Maracaibo se iba a cruzar en su camino de la misma forma que lo había hecho en sus sueños. Cuando el día anterior el gobernador de Tortuga comentó de forma estúpida que algo se estaba cociendo en Maracaibo, el Duque lo asumió como una señal del destino. El sueño de Maracaibo empezaba a acercarse pero le desconcertaba profundamente el no saber qué camino tomar. Él, que planificaba todas las expediciones al detalle, comprendía que resultaba imposible para su mente amarrar un sueño. Maracaibo entraba en su vida, subiendo por sus venas hasta estallar en su mente. Y eso era algo que, en aquellas circunstancias, y sin entender a ciencia cierta la mano que guiaba su mente, sabía que no podía parar.

Recordó su última visita a la ciudad mágica, acompañado por Boris Padovani, adonde habían acudido con el único objetivo de aprendérsela de memoria. «Las doce en punto y todo está bien. El viento ha cesado. La ciudad de Maracaibo agradece una noche en paz.» El pequeño y anciano sereno, con un candil en la mano, se perdía por una oscura ciudad de Maracaibo, por un apagado recodo de la mente del Duque. Acarició un mapa y posó sus cansadas y desocupadas manos sobre el delicado pergamino. Paseó con sus dedos por el cabo de San Román, en el lado oriental, por el cabo de Coquibacoa, en el lado occidental. El dedo corazón, que era el *Roccobarocco*, entró en el golfo de Maracaibo, entre la isla de la Vigilia y la de las Palomas. Allí el inmenso lago que tenía salida al mar estaba a tiro de artillería del castillo que se elevaba sobre la isla de las Palomas. La entrada por allí, al *Roccobarocco*, le resultaría imposible. Comprendió que deberían desembarcar lejos de la ciudad y hacer muchas leguas a pie hasta llegar a la parte occidental de la bahía donde la ciudad se alzaba majestuosa; una ciudad próspera, floreciente, habitada por más de cuatro mil personas y por ochocientos hombres de guarnición, con una iglesia, cuatro conventos y un hospital, ciudad rica en oro y joyas, en pieles, ganado y pudientes plantaciones, ciudad famosa por su tabaco, tan bueno que en Europa era conocido como tabaco de sacerdotes.

Con sus dedos y su imaginación siguió acariciando la silueta de la ciudad y llegó hasta una pequeña ensenada, más al occidente, donde desembarcó la última vez y donde, únicamente, vivían desperdigados algunos indios en casas pequeñas fabricadas sobre los árboles que crecían dentro del agua para así librarse de los mosquitos, ejército pesado, molesto y más fuerte que todo un batallón de soldados españoles. Allí el Duque tenía pensado desembarcar, ya estaba todo planeado. Serían unos doscientos hombres provistos cada uno con un alfanje, con una o dos pistolas, suficiente pólvora y balas para tirar treinta veces. Todo estaba en su mente y, sin embargo, algo le decía que no sería así; con las últimas noticias, sus perspectivas habían cambiado. Se volvió a ver en el mar, subido en lo alto del *Roccobarocco* y lanzándose

165

contra el *Espíritu Santo*. Todo bailaba en su mente y lo único que permanecía fijo, inmutable, era Maracaibo. Su corazón le decía que allí estaba escondido su sueño, y eso, para él, engarrafado brutalmente al perfume de la bola de cristal, era lo más importante.

✦ ✧ ✦

Cuando Zanussi, llevado por una extraña excitación, irrumpió en el despacho donde Zoé Latorre y Castillo preparaban el catálogo de una próxima exposición, todos imaginaron que el distinguido polaco cargaba sobre sí alguna importante noticia. No era normal en alguien tan refinado y sofisticado como Zanussi ese rostro asfixiado, esa corbata fuera de lugar, esa aparición tan llamativa y extemporánea.

No había tiempo ni para preguntas ni para respuestas. Igor Zanussi abrió una carpeta granate y dejó sobre la mesa del despacho el grabado de Claudio de Lorena. Zoé y Castillo, llevados por la sorpresa, abrieron los ojos de forma desmedida mientras intentaban encontrar explicación y sentido a lo que tenían delante. Zoé miró el cuadro de Claudio de Lorena y el grabado, hizo girar su cabeza como un carrusel vienés y pareció querer gritar y no poder. A su lado, Castillo miró fijamente a Zanussi esperando una explicación pero se sintió incapaz de preguntar nada. Y tampoco resultaba necesario. El polaco, recuperado el dominio de la situación y la frecuencia cardíaca, recompuso su espigada figura y comenzó a dar sentido a su particular hazaña.

—Sabía que existía este grabado. Tu padre tenía razón, siempre la tuvo. Es el grabado original del cuadro de Claudio de Lorena. Lo he comprobado. He estudiado tanto el *Liber Veritatis* que ya me parecía casi imposible. Pero, no. Aquí lo tenéis. Lo acabo de comprar en la tienda de antigüedades de un amigo. Es la pieza que nos faltaba para completar el puzle y para demostrar convenientemente que el Lorena es original. Mirad la parte posterior. Aparece escrito: *quadro fecit per Duque, spagnolo*. Y al lado: *Claudio Romae* y una fecha que parece 1639. Tal vez, sin embargo, dada la peculiar grafía de Claudio Lorena, en la que muchas veces se confunden el 9 y el 5, y por el tema y el estilo de la obra, la fecha verdadera sea 1635. Claudio de Lorena, para garantizarse a sí mismo y a sus comitentes contra las obras falsificadas, comenzó el *Liber Veritatis* a partir de 1636. Sin embargo, hay un número en el reverso, 198, que indica que tal vez fue añadido el grabado en fechas posteriores. El *Liber Veritatis* tenía 180 páginas que registraron otras tantas pinturas. Al comienzo, el mismo pintor añadió cinco hojas, originariamente sueltas, con lo que la numeración llegó hasta el 185. En 1675 se acabaron las páginas del cuaderno donde el pintor registraba sus obras y Claudio volvió a añadir unas nuevas, alcanzando un total de 196. Pero, y esto es lo importante, sabemos que posteriormente sus herederos añadieron otras cinco láminas, de lo que siempre se pensó eran estudios, no pinturas. Se siguieron durante los años diversas numeraciones. Una a la derecha en la parte inferior, otra en la izquierda en la parte superior y una final, la misma que registra este grabado, en el mismo centro. Sé que os parece imposible pero éste es el grabado original que certifica la autenticidad del cuadro. Es como si el mismo Claudio de Lorena, desde el cielo, arrojase luz al enigma y nos aclarase definitivamente las dudas que pudieran todavía existir. No es nada extraña esta confusión de números porque el *Liber Veritatis* viajó, tras la muerte del pintor, por demasiadas manos y países, perdiéndose el rastro de algunas de sus láminas, precisamente las que correspondían a las hojas sueltas. El cuaderno pasó de las manos de su hija Inés, a las de una sobrina del maestro, después a las de Joseph Gellée, otro familiar, que vendió el cuaderno a un francés, quien lo llevó hasta Flandes. Sabemos que, en ese momento, fue ofrecido en venta al rey francés, que no lo compró. Sin embargo, el duque de Devonshire, con mayor visión artística, compró el *Liber Veritatis*. En esa misma época el cuaderno fue desmembrado y cada hoja montada sobre láminas más grandes. Las hojas se cortaron y se perdieron, en algunos casos, parte de sus inscripciones. El nuevo tamaño de 18,5 × 26 es idéntico al de nuestro grabado, otra prueba más que certifica su autenticidad. Todo coincide. Pensaréis que en el grabado las figuras son más grandes, que falta toda la parte superior, la que corresponde al cielo crepuscular, a los motivos de luz y color, verdaderos protagonistas de éste y de todos los cuadros de Claudio de Lorena. Y es verdad, pero eso sucede en todos los grabados que conforman el *Liber Veritatis*. Claudio de Lorena buscaba identificar los cuadros a través de los motivos por eso las proporciones internas de los diversos elementos son alteradas en los dibujos con respecto a las pinturas: los pormenores tienden a agrandarse y la profundidad espacial queda reducida. Y precisamente, con la amputación de la parte superior de los grabados, se pierde todo el horizonte crepuscular, algo típico en muchos de los grabados. En determinados casos, la existencia del registro en el *Liber Veritatis* es el único documento conocido de la existencia de un cuadro de Claudio de Lorena. Nosotros tenemos el grabado y el cuadro.

Zoé Latorre y Castillo se miraron y no acertaron a dar crédito a lo que acababan de escuchar aunque en su memoria siempre estuvo anidando, revoloteando, haciéndose fuerte con el paso de los años, el fantasma de la existencia del grabado. Zoé sólo pudo murmurar, como una autómata, tan llena de felicidad como de melancolía:

—Mi padre siempre dijo que existía...

Paseábamos por nuestro parque preferido, al lado del río, después de cruzar la plaza Poggi, imaginar fantasías medievales delante de la Torre de San Nicolás y perdernos en locuras innombrables. Habíamos descubierto juntos el bosque de San Miniato y, desde el primer momento, se había convertido en el refugio paradisíaco de nuestros sueños. En un momento dado, como un juego de prestidigitación, Laura sacó su carpeta de dibujo y empezó a hacer bocetos de una diminuta fuente. Y allí estaba yo, con el sol sobre la blusa de Laura, viendo cómo dibujaba y cómo se derretía toda Florencia bajo mis manos. En ese momento comprendía que siempre y para siempre significaba lo mismo que Laura. «¿Te he dicho alguna vez que eres preciosa?»

Larios acababa de entrar en el palacio Morelli y permaneció quieto, postrado, casi de rodillas, delante de la inmensidad de unas salas que reflejaban, desde su actual miseria, la fastuosidad que, sin duda, habitó durante largo tiempo. Había pocos muebles y mucha oscuridad, todas las ventanas estaban cerradas y se respiraba un olor a memoria ajada, a flecos de días lluviosos y gastados.

—¿Buscaba algo, señor? —Delante de Larios, como en una aparición fantasmal, había surgido una señora mayor y maltratada por el tiempo, igual que el palacio, pequeñita, frágil y de ojos húmedos como cristales.

—Estoy realizando un trabajo sobre palacios venecianos y de éste apenas tengo información. Sólo quería algunos datos...

—Los martes y viernes tres cuartas partes del palacio están abiertas al público. Puede volver cuando quiera. —La viejecilla se dio media vuelta y se dirigió hasta unas escaleras que subían al primer piso. Larios comprendió que, de esa forma, no llegaría a conseguir nada y decidió cambiar de táctica, intentando ganarse la confianza de la anciana mujer. Y, por supuesto, ofreciendo dinero, algo que, estaba claro, hacía demasiada falta en aquel lugar. El nuevo planteamiento no tardó en dar sus frutos y, poco a poco, Larios fue conociendo la vida de María Morelli, la última superviviente de una gran familia que, desde el siglo XVII, había protagonizado la vida política y artística de Venecia.

—¿Quién es esa mujer? —Larios acababa de interrumpir el monólogo llorón de la pobre anciana y señaló hacia un cuadro que colgaba sobre una de las paredes del gran salón del piso superior. Era una mujer joven, pequeña, morena, de pelo corto y extremadamente bella, con unos ojos oscuros que acababan de penetrar siglos dentro del corazón de Larios. Durante unos segundos creyó comprender que conocía a esa mujer y vio vida en sus ojos, reconoció recuerdos y besos, sintió cómo las piernas sucumbían a tanta magia, a tanta vida pasada. Sin embargo, lo que hizo zozobrar la mirada de Larios fue un detalle que le resultó milagroso: en el dedo índice de la mano derecha de la hermosa mujer retratada se distinguía, de forma meridianamente clara, un plateado anillo idéntico al que aparecía en el cuadro de Claudio de Lorena, por partida doble, junto al pirata negro y también al lado de la dama que esperaba en la puerta del palacio. Larios sintió que su corazón empezaba a cabalgar de forma desaforada y ya no tuvo fuerzas para preguntar nada más.

—Es Bianca Mattei, esposa de Carlo Morelli, antepasados míos, la primera habitante de este palacio, el principio de un tiempo glorioso para los Morelli, un tiempo que ya terminó, sin duda —comentó María Morelli, inundada de vida y luz al verse después de tanto tiempo escuchada, adelantándose a preguntas y descifrando misterios.

Larios comprendió que se podía acercar al enigma, que estaba, de hecho, acercándose peligrosamente. Sin dudarlo, sacó de su cartera un fajo de billetes, porque sabía que ése era el mejor pasaporte para la investigación, y los dobló cuidadosamente dentro de la aspera mano de la anciana:

—Esta maravilla de palacio necesita una pequeña ayuda —murmuró.

—Jamás imaginará lo que cuesta mantener este monstruo de mármol —exclamó María Morelli, mientras conducía a Larios hasta la coqueta biblioteca, tan tristemente abandonada como el resto del palacio—. Recuerdo que hace muchos años vino otro hombre preguntando por lo mismo e interesándose, especialmente, por el cuadro de Bianca Mattei. Se llamaba Rosso o Rojas, o algo parecido...

Con la llegada del brutal y salvaje sol del Caribe el Duque parecía revivir, olvidaba la oscuridad de toda una noche sin sueño, de una noche atestada de espinas, y encaminaba el trote juguetón de *Black* hacia la pequeña casa, algo alejada de la ciudad, donde vivía Overmars, antiguo pirata, uno de los más bravos que jamás tuvo a sus órdenes, y que llevaba varios años apartado de aventuras y peligros, dedicado de forma exclusiva a proveer de armas a su antiguo capitán.

Black era un caballo de pequeña estatura, cuerpo corto, cabeza grande, largo cuello y piernas gruesas, uno más de los muchos que abundaban por aquella zona y que, habitualmente, debido a su carácter salvaje e indómito, eran cazados para aprovechar sus pieles y, a veces, para utilizar su carne que, endurecida al humo, servía de provisión cuando los piratas se lanzaban a la mar. *Black* era un caballo salvaje como los otros; sin embargo, sin motivo aparente, desde el primer día obedeció las órdenes del Duque como el más humilde y fiel de los perros.

Mientras cabalgaba hacia la cabaña del maestro armero, atravesando varias plantaciones de algunos piratas con un poco más de juicio, que habían sabido invertir parte de sus ganancias en hacerse con algunas tierras donde cultivar habas, patatas o mandioca, el Duque recordó sus primeros tratos con los piratas, sus primeras experiencias en Tortuga y sus primeros contactos con Overmars quien se convirtió en su camarada, en su benefactor, en la persona que le ayudó definitivamente a iniciarse en la religión filibustera, compartiendo con él, a través de los contratos tan típicos y peculiares entre los piratas, botines y beneficios, vida y muerte.

Cuando el Duque cruzó el pequeño bosque, justo antes de entrar en las tierras de Overmars, se encontró con un hombre, amarrado a un árbol, que recordó como sirviente del viejo maestro armador. Pasó de largo y prefirió no ver lo que seguramente le revolvería las tripas. Cuando llegó a la pequeña casa de Overmars le recibieron otros criados que le comentaron cómo aquel pobre hombre, después de robar sistemáticamente durante los últimos años algunas joyas propiedad de la india que compartía su vida con el maestro armador y ser descubierto, fue azotado, la noche anterior, con cientos de palos sobre sus espaldas, cómo ellos mismos, conscientes del delito cometido por su compañero, refrescaron las llagas del ladrón con zumo de limones agrios mezclados con sal y pimientos molidos. El cuerpo sangrante de aquel estúpido ladronzuelo empezaba o terminaba de pagar su culpa amarrado al árbol, sitio donde permanecería durante varios días, sirviendo de ejemplo para todos aquellos que intentasen, en algún momento, cometer alguna fechoría contra el hombre que les había librado de la esclavitud y al que debían mucho más que la vida.

Unos minutos después Overmars recibía a su antiguo capitán. Pasaron al despacho particular del viejo maestro armero donde el Duque no perdió un solo segundo en solicitar nuevas armas a Overmars, proveedor habitual y de confianza del Duque a quien siempre pedía consejo antes de iniciar alguna aventura.

El maestro armero, vestido con una camisola blanca que llevaba por fuera de los pantalones y le llegaba hasta la altura de las rodillas, lleno de canas y cicatrices, ojos negros como la noche y barba blanca descuidada, alcanzó una de las armas y se la ofreció al Duque.

—Es ligera como una pluma. Te gustará.

El Duque la tomó entre sus manos y desplegó una mueca de desagrado bastante significativa.

—No es fácil de manejar. Es un poco larga —comentó.

—Eso tiene fácil arreglo —dijo Overmars—. Conseguiré recortarla. Te aseguro que es de primera calidad.

—¿Cuántas puedes conseguirme? —preguntó el Duque.

—En una semana tendrás trescientas —contestó el maestro armero.

—¿Todas más cortas? —insistió el Duque.

—Las conseguiré como tú quieras —concluyó Overmars.

El Duque sabía que sería así. Se acercó hasta una mesa colocada en una esquina del despacho y comenzó a mirar unos mapas. Sabía que Overmars poseía toda una colección de cartas y mapas que siempre le había resultado muy útil.

—¿Te interesa ver algún mapa en concreto? —preguntó el maestro armero.

—Creo que, en cierta ocasión, me mostraste un mapa con la fortificación de la bahía de Maracaibo —contestó el Duque.

Overmars se acercó hasta un viejo arcón, comenzó a rebuscar y, por fin, con el rostro iluminado, extendió sobre la mesa un mapa.

—Los cañones están ocultos y colocados de tal forma que lanzan un fuego cruzado que hace que resulte casi imposible entrar por esa bahía. Tendrás que buscar un lugar de acercamiento más apropiado —comentó, mientras señalaba con sus angulosos dedos diversas zonas de Maracaibo.

—¿Cómo has conseguido los planos originales de las fortificaciones? —preguntó el Duque.

—Tengo buenos amigos en Maracaibo. Además siempre hay algún soldado al que se puede comprar fácilmente... —sonrió Overmars.

—Sí, te entiendo... Y, seguramente con la excusa de que eres un gran aficionado a la artillería, habrás inspeccionado todos esos cañones —preguntó, malicioso, el Duque.

—Te asombrarías de todos los cañones que han podido ver estos ojos.

—Sí, es lo que tú dices, buenos amigos... Me tienes que presentar a ese amigo de Maracaibo.

—No creo que sea posible. Hace un par de años una mujer le disparó un tiro en la cabeza.

—No es la primera vez que un hombre pierde la cabeza por una mujer...

El Duque acarició el mapa y miró hasta la profundidad más oscura los ojos negros de Overmars. En su mente, en sus ojos, en sus venas se agitaba, provocador, salvaje, el eco de las últimas palabras que habían brotado de sus labios.

Una cama ancha, grande, emperifollada, llena de encajes y angustias. Un cuadro naíf de flores sobre el cabecero de hierro forjado, imitando una media luna extraña e irreal. Un armario, que cubría casi toda la pared, con dos grandes lunas biseladas. Una mesilla, una lámpara, un *Cristo* de Dalí, dos figuras de porcelana. Tres alfombras pequeñas de cuadros rojos y negros. Una cómoda clásica, con un espejo pequeño y un marco de plata. Paula, con un traje de lunares, sonriendo. Al fondo, el pabellón de Japón de la Exposición Universal de Sevilla.

La ropa por el suelo, apresurada, indecente, salvaje. Unos zapatos negros de tacón alto, una combinación blanca, un vestido verde turquesa. Traje de Armani, corbata de seda y gemelos de oro. Los ojos de Hugo Soto se escondían tras sus gafas de fina montura metálica mostrando una mirada valetudinaria, cansada, enferma. Sus tristes oídos, después de millones de trabajos absurdos y de indignos acosos, desayunaban con un manojo de necedades para alguien tan sutil y delicado como él. Paula, experta en traficar con su desbordante cuerpo, se sentía despreciada. Ahora escuchaba del hombre que compartía su lecho, promesas de futuro, viajes caribeños, mundos de ensueño y sabía, sin embargo, que se trataba de la vieja historia de siempre.

Las gotas de lluvia empezaban a golpear el cristal de cebolla de la ventana.

Era sábado, de eso me acuerdo perfectamente. Un sábado impregnado de transparencia y de deseos subversivos. No sé cómo, en un momento dado, cayeron sobre mi cabeza unas viejas y sucias cajas vacías situadas encima de un armario. Momentos después estaba en su baño, agachado, dejándome acariciar por sus manos y por un champú de fragancia exquisita. Más tarde, en su comedor, nos sentamos en un sofá. Acerqué mi boca a su boca y todo empezó a girar. «¿Quién te ha enseñado a besar?» Jamás me contestó. «¿Sabes?, quiero navegarte, navegar indefinidamente por todo tu cuerpo». Empecé a besar sus ojos, sus orejas, su boca, todo su rostro, empecé a bajar, a bajar, a bajar... Todo eran chispas en torno a su cuerpo y mi hambrienta boca ya no deseaba ningún descanso... No deseaba terminar. ¿Por qué todo tiene un fin? Exhausto me tumbé sobre su cuerpo, había muerto y estaba sobre su pecho, sobre su sexo húmedo, sobre su boca de fuego. «Quiero estar contigo». ¿Había escuchado bien? «Eres tan, tan, tan...».

—Un perfume es una presencia abstracta, la presencia que anuncia a la mujer antes de su llegada y lo que queda de ella una vez que se aleja. Es lo que hace que la imagine antes de conocerla y seguir sintiéndola a mi lado cuando la luz se apaga. —Jorge Castillo, elegante traje negro, corbata de seda de mil colores, recién afeitado y con mirada de fragancia en llamas, hablaba atropelladamente con *Otelo*, el siamés que rondaba perpetuamente entre frascos de cristal, esencias y colonias, como un duende felino, como un trasgo de cristal—. Este nuevo perfume va a ser definitivo, vamos a hacernos famosos, *Otelo*, hemos logrado la combinación perfecta de notas y acordes, los verdes prados en la introducción y el Oriente en las notas de fondo. Y, en el medio, unas breves notas discordantes que acentúan los contrastes... Vamos a triunfar, *Otelo*, vas a ser famoso. —Castillo acababa de meter toda la ropa en una gran maleta roja y, tras cerrarla, cogió un billete de avión, lo introdujo en el bolsillo interior de su chaqueta, acarició al siamés y cerró la puerta de su paraíso perfumado.

El Loro Azul se despertó en medio de una monumental vorágine de expectación. Desde que el día anterior el gobernador hizo correr la noticia de que se preparaba una expedición oficial y de que se iba a proceder a una selección, todos los hombres de Tortuga se habían lanzado a un sueño después de haber agotado totalmente el último, tras haber derrochado en alcohol y rameras sus últimos tesoros, tras haber malgastado una locura en un infierno de placer que había durado, únicamente, un par de semanas. Todos los piratas sabían que iba a tratarse de una expedición muy especial porque rara vez se convocaba a la totalidad de los hombres en edad adulta y nunca, hasta entonces, el gobernador había participado en esos actos.

En un lugar preferente de El Loro Azul, junto a un viejo mostrador de madera, el Duque manejaba la situación con profesionalidad y experiencia. A su lado, Padovani iba escribiendo en el grueso libro negro nombres, profesiones y todo aquello que le dictaba el Duque. Un poco apartado, autoexiliado de la vida y del jolgorio, como un pez fuera de su pecera, el gobernador contemplaba la escena, paralizado de pies a cabeza ante la procesión de hombres marcados, muchos de ellos buscados por distintos motivos en la misma Tortuga, que se agolpaban delante de la mesa.

—Algunos de estos piratas están condenados a muerte y se les conoce en todos los puertos. No me fío. Ésta es una empresa patrocinada por el rey. Deberíais mostraros más riguroso a la hora de escoger tripulación. Tal vez el navío que debéis atrapar esté repleto de tesoros... —El gobernador se había acercado por detrás y manifestaba su preocupación al Duque, mientras observaba, con desolador miedo, las turbias y recelosas miradas de todos los piratas que veían en aquel hombre de peluca blanca un espantapájaros estúpido que había caído de un palacio hasta las puertas del infierno y era incapaz de regresar a su particular paraíso.

—Deseo reclutar a los miembros de la tripulación entre esta gente. A la mayoría los conozco y si están condenados a muerte o buscados por todos los mares, mucho mejor.

177

Son los más fieles y bravos. Buscan su vida y libertad
—dijo el Duque, mientras miraba fijamente los ojos del
gobernador.

—Os hago responsable de su conducta —concluyó Doyle.

—Entre su conducta y la mía no habrá diferencias —fue
la contestación, llena de seguridad y confianza, del Duque.

Y así, durante toda la mañana, cubiertos de ilusiones y de
miradas cómplices, fue pasando delante de aquella mesa
todo un ejército de desheredados que buscaba un poco de
gloria de las manos del afamado capitán Danko. A última
hora, como curioso colofón de la particular selección de buscadores de sueños y gloria, un par de pequeños incidentes
enturbiaron el buen ambiente que, en todo momento, había
reinado en El Loro Azul:

—Preferiría comer las entrañas de un soldado español
antes que formar parte de esta estúpida expedición. —Un
hombre de un solo ojo, espíritu pendenciero y modales in-
deseables, provocados por una lamentable borrachera, al que
conocía sobradamente el Duque, acababa de ser rechazado
para formar parte del *Roccobarocco*. Imperturbable, el Duque hizo pasar al siguiente.

—Quiero gente con las tripas limpias. Y todos los que
deseen formar parte de mi tripulación deberán acatar todas
mis indicaciones. ¿Cúal es tu nombre?

—Bogarde. Necesito un puesto en el *Roccobarocco*. He
huido de la armada holandesa y quieren mi cabeza. Era artillero mayor. Soy el mejor.

—Te podría colgar de los pulgares y hacerte aullar hasta
el amanecer. También podría quitarte las cadenas y hacerte
un hombre libre junto a nosotros... —le recordó el Duque,
cansado de escuchar frases parecidas, harto, después de tantas horas, de fanfarrones y borrachos.

—Soy el mejor. Llegué hace dos días a Tortuga y necesito este trabajo —contestó Bogarde.

—Quiero hombres con fuego en la sangre y acero en los músculos.

—Soy el mejor —repitió Bogarde.

—Bien, me gusta tu decisión. De ahora en adelante me llamarás señor. El puesto es tuyo si te sientes capaz. Pon tu marca —concluyó el Duque.

Bogarde se acercó al libro negro que le alargaba Padovani y firmó, ante el asombro de casi todos, con cada una de sus letras y adornando la firma con una ampulosa rúbrica.

—Veo que sabes escribir. Eso está bien. Preséntate mañana a Davids, el artillero mayor del *Roccobarocco*. Él te pondrá a prueba. El siguiente.

Uno tras otro, todos aquellos hombres acabaron por configurar una tripulación muy especial. El *Roccobarocco* tenía, de nuevo, un ejército de valientes y osados piratas que se iban a poner bajo el mando del temible capitán Danko, haciendo de ese palacio flotante una máquina de guerra de incalculable poderío. Todo parecía ya preparado en aquel majestuoso barco y los últimos detalles estaban siendo perfilados. Las gloriosas velas, repartidas en tres mástiles, esperaban el viento propicio y las manos expertas de aquellos hombres. Los castilletes de proa y popa, que daban un perfil airoso y espectacular al *Roccobarocco* y lo protegían contra los golpes de agua, se iban llenando de hombres dispuestos a proteger el imperturbable donaire de aquel barco. Muchos de aquellos hombres, expertos técnicos de navegación, algunos de ellos forjados en las mejores armadas del continente europeo, se disponían a convertir al *Roccobarocco* en una máquina perfecta, cuya velocidad y manejabilidad se incrementaban día a día con la adición, por parte de carpinteros expertos, de foques y cangrejas que otorgaban al *Roccobarocco* un aspecto tan fúnebre como glorioso. El resto estaba en las manos de la tripulación habitual del navío, acostumbrada a salir a mar abierto con la única referencia de cabo a cabo que resultaba suficiente para aquellos hombres cuyo sentido marinero extraía el máximo partido a las brújulas, compases, astrolabios y cartas de navegación que convertían las travesías del *Roccobarocco*, en lucha salvaje contra vientos, corrientes y mareas imprevistas, en un mero juego de niños. El Duque sabía que poseía un barco inmejorable y estaba convencido de que su tripulación no le andaba a la zaga. Comprendía que el *Roccobarocco* era capaz de conseguir todo lo que se propusiese. Y eso era algo que, en los siguientes días, iba a demostrar.

Lo que descubrió Larios en la abandonada biblioteca del palacio Morelli, desentrañando jerigonzas turbias, arrevesados libros y archivos desnudos, resultó ser todo un nuevo mundo que le acercaba y le alejaba a la vez de Claudio de Lorena, del cuadro maldito y secreto, de lo que el sentido común alcanzaba a comprender en un primer estudio. Durante un par de días Larios leyó y analizó, como pudo, los descuidados archivos y no tardó en descubrir que el palacio Morelli fue mandado construir, en 1634, por un caballero español del que únicamente se mencionaba su nombre, Duque, y nada más. No existía constancia de que viviera en el palacio un solo día. Incluso, en muchas ocasiones, por la ambigüedad de los textos, la dificultad en la traducción y el mal estado de conservación de muchos de los legajos, no se acertaba a distinguir la palabra Duque, pareciendo en muchos momentos la mera descripción de una categoría nobiliaria. Larios tomó notas infatigablemente, se dejó los ojos en los oscuros papeles, diseñó historias, vidas y muertes y, al finalizar la jornada, con la noche sobrevolando los canales de Venecia, mientras paseaba alrededor del palacio Morelli, degustando aromas y recuerdos, malviviendo en mitad del paraíso, soñó con un caballero español, tal vez un duque, que se gastó una verdadera fortuna en construir un palacio impresionante, lleno de luces y sombras, de guirnaldas de lágrimas frescas, de fragmentos arrancados del anochecer, de escarchas y lirios, y nada más. No existía nada más. El caballero español no estaba en la memoria del palacio, había desaparecido como un fantasma del pasado, como un relámpago de oscuridad. Antes de desaparecer definitivamente de Venecia, mandó amueblar el palacio, contratando para ello a los mejores artesanos de la ciudad, decorando todas sus habitaciones con los objetos más preciosos e increíbles traídos de los sitios más dispares, del lejano Oriente, de Flandes, tapices holandeses, mosaicos romanos, cerámicas españolas y cientos de figuras precolombinas. En los papeles, sin embargo, apareció, desde el primer momento, el nombre de la dama del cuadro, la dama del anillo plateado, el mismo que aparecía en el cuadro de Claudio de Lorena, la primera dama que habitó el palacio: Bianca Mattei.

A Larios, no le resultó muy difícil recomponer la historia. El primer Morelli del que encontró noticias era Carlo Morelli, un modesto y hábil artesano, uno de los principales creadores de los famosos espejos venecianos, que, en torno a 1630, poniendo en peligro su vida, huyó de Venecia y marchó a Madrid para trabajar a las órdenes de Felipe IV. El Dux, ante la marcha de uno de sus artesanos y temiendo que desvelase los secretos de la construcción de los admirados espejos venecianos, puso precio a la cabeza de Carlo Morelli. La siguiente noticia encontrada era que la mujer de Morelli, Bianca Mattei, junto con sus dos hijos, regresó a Venecia en 1639. Su marido había muerto en Madrid y, por primera vez, el palacio Morelli recibía a la mujer para la que el caballero español mandó construir tamaña maravilla. Ese mismo año de 1639, así como el año siguiente, llegaron a Venecia varios barcos procedentes de España cargados hasta arriba de tesoros, presumiblemente, al menos eso se pensó en su momento, remitidos por el rey español en pago por los servicios prestados por el artesano veneciano. Sin embargo, el fascinante e interminable catálogo de todas las riquezas que llegaron esos años al nuevo e impresionante palacio deja un amplísimo lugar a la duda. A partir de esa fecha, con Bianca Mattei al frente de la dinastía Morelli, el poder de la familia no dejó de crecer hasta principios del siglo XX. Dentro de los Morelli hubo ministros, artistas, cardenales, poetas, navegantes, papas, banqueros... Toda la biblioteca estaba llena de las hazañas de la familia durante los siglos XVII, XVIII y XIX. Pero esa era otra historia que, a Larios, no le interesaba en absoluto. Para él sólo existía una mujer, Bianca Mattei, y un enigmático caballero español.

Ahora, sentado en un puente que cruzaba uno de los cientos de canales de la ciudad soñada, Larios contemplaba la salida del sol, los fulgores centelleantes del nuevo día, los reflejos dorados sobre las aguas, y comprendía que él no era el único que había dado todo por una mujer. Ni mucho menos.

La noche traía consigo una aspereza que provocaba cientos de nuevas heridas en todas las esquinas de un cuerpo ya anestesiado y vencido por la angustia. Deseaba olvidar el dolor, aceptar la dictadura de su ausencia, pero no podía, era incapaz de aceptar eso tan evidente, que Laura quería a otro y deseaba pasar el resto de su vida junto a él. Y cuando las horas no querían avanzar anunciaban locura, susurrando al oído que Laura no necesitaba de unos besos infantiles, de un cuerpo inexperto, de unos dedos ingenuos, Laura deseaba otras caricias y por eso no estaba allí sino detrás de los cristales. Y delante del espejo ya sólo veía la soledad de la luna. Gritaba que, a pesar de todo, reinaba en el infierno y que alguien había dicho que reinar en el infierno era preferible a no reinar, así que debía aceptar el hecho de no ser el único que besase su boca. Había llegado la hora de disparar con balas de hielo, pero no tenía balas ni tenía hielo, sólo la convicción, ya entonces, de que nunca sería feliz.

—Ya tienes un nuevo sospechoso... El que buscabas. Estoy seguro. Se llama Duncan White y es un hijo de puta integral.

—¿Qué me quieres decir?

—Parece que nuestros trabajos se mezclan y confunden. Es nuestro sino. En el fondo, como te he dicho tantas y tantas veces, es la historia de siempre: todos los asesinatos son el mismo. ¿Te acuerdas que te comenté que el marido de Zoé Latorre era el mismísimo Hugo Soto?

Miranda asintió.

183

—Y tú me hablabas de tres sospechosos del cruel asesinato de la puta italiana: Hugo Soto, el dueño del *peep show* y el gitano anticuario, ¿no es cierto?

—Sí, joder, explícate.

—¿Recuerdas que junto al cadáver de Lisa Conti aparecieron extrañas marcas satánicas? Y, casualmente, una cruz invertida pintada con sangre de Iris Latorre apareció en su habitación... ¿No has pensado que, tal vez, pueda existir otro sospechoso, alguien emparentado con el diablo, alguien que conociese esa simbología satánica?

—Hugo Soto, y Comas, y Pacheco, la pueden conocer... Además, supongo que en esta mierda de ciudad habrá decenas de satanistas, hay mucha gente envuelta en esas tenebrosas historias.

—Sí, es verdad, pero escucha, hay demasiadas coincidencias, y eso es algo que nunca me ha gustado porque siempre nos quieren revelar algo, aunque casi nunca lo sepamos descifrar... —Batista, en la ducha, parecía estar lleno de niebla mágica y espontánea—. El otro día, alguien, un gitano cuya descripción coincide milagrosamente con Pacheco, primera coincidencia, fue denunciado por Jorge Comas, *el Sietepolvos*. Había provocado serios altercados en su digno y encomiable establecimiento. Segunda coincidencia: la difunta Iris Latorre, junto con una amiga, Lesbia Aquino, se había introducido en una secta satánica dirigida por un execrable tipo llamado Duncan White. Tercera coincidencia: sigo a Duncan White y, ¿a que no sabes adónde se dirige el grandísimo cabrón? Sí, a la tienda de antigüedades de Pacheco, donde vende un grabado presuntamente robado a Iris Latorre y que, tal vez, sea parte fundamental en el esclarecimiento del asesinato de la caprichosa Iris. Cuarta coincidencia: Castillo, un amigo de la familia Latorre, declaró haberse cruzado con un coche negro, conducido por alguien cuyos rasgos coinciden con los del satanista, justo momentos después del asesinato de Iris Latorre. No necesito decirte que el coche de Duncan White es un Peugeot negro como el carbón. Demasiadas coincidencias. Y a todas éstas hay que sumar que Hugo Soto, uno de los principales sospechosos de la muerte de Lisa Conti, era el cuñado de Iris Latorre y vivían en la misma casa. Esto no me gusta. Deberías investigar a Duncan White...

El vapor se mezclaba, alegremente, con los cuerpos desnudos de Batista y Miranda. Las duchas iban recibiendo procesiones paganas y surrealistas formadas por decenas de policías que terminaban su jornada y Batista seguía dando vueltas al mundo de coincidencias que, bajo su lógica implacable y experta, no era posible que conviviesen pacíficamente. Carmelo Miranda, mientras se ajustaba unos pantalones grises y renegaba de su cada vez más impresionante barriga, comprendía que Batista tenía razón. Eran demasiadas casualidades. Se colocó el reloj, se puso las gafas y se peinó. Cerró su taquilla y salió del vestuario.

—Investigaré a ese tipo —murmuró cuando cruzaba la puerta.

Batista, todavía desnudo, sonrió. Abrió su taquilla, llena de fotos de sharonstones y madonnas, y sacó unos pantalones y una camisa que tiró, despreocupadamente, sobre el banco de madera. El vapor, poco a poco, iba entrando en su cabeza, desfilando como aguijones de plata por su cada vez más enmarañado cerebro.

El día más esperado había llegado por fin a Tortuga. Todos los habitantes de la isla se lanzaron a la calle desde el preciso instante en que los primeros rayos del alba asomaron por el horizonte, preparándose para despedir al *Roccobarocco*, para asistir a todas las maniobras del majestuoso navío, para lanzarse a una nueva aventura que todos sabían ya que iba a resultar la más grande y la más provechosa. Las noticias en Tortuga volaban más rápidas y veloces que las gaviotas y todos y cada uno de los habitantes de Tortuga llevaban días hablando, única y exclusivamente, de la ambiciosa expedición que preparaba el Duque. Cuando el hombre de negro se encargó de reclutar la tripulación, ante la mirada cuajada y anquilosada del gobernador de Tortuga, cuando todos comprobaron que incluso el Duque iba a formar parte de la tripulación, algo que llevaba un total de siete expediciones sin hacer, toda Tortuga comprendió que algo grande se estaba gestando, que la expedición que iba a partir esa fría mañana de primavera, llena de nubarrones y nerviosas olas, de silencios y esperanzas, de violetas y orquídeas, se encaminaba a la gloria o a la perdición, algo que muchas veces, para aquellos hombres, constituía la misma cosa.

Un día antes, en reunión preparada al efecto por el mismísimo Duque, los 200 hombres escogidos recibieron la notificación exacta de la fecha y hora en que debían estar sobre la cubierta del *Roccobarocco*, las libras de pólvora y balas que deberían aportar y el recordatorio de que se embarcaban en esa aventura con la condición expresa de no recibir salario alguno y, tan sólo, en el supuesto y previsible caso de que hubiese botín, con la seguridad de recibir su parte en los términos que se darían a conocer una vez a bordo y que no diferirían sustancialmente de lo pactado en anteriores expediciones.

Todos confiaban en el Duque a ciegas, sabían que las cláusulas de reparto de botín, así como las indemnizaciones, eran justas y se inspiraban en los códigos de justicia y hermanamiento de los Hermanos de la Costa, de los filibusteros y de los más añejos y respetados bucaneros. El capitán Danko firmaba el contrato, pero él se limitaba a acatar servilmente lo decidido con anterioridad por el Duque. Únicamente, para respetar el espíritu sádico y verbenero de Danko, le reservaba el derecho de, como capitán del *Roccobarocco*, imponer castigos y establecer penas por las presuntas faltas al código filibustero cometidas por alguno de los miembros de la tripulación.

La noche anterior los piratas elegidos decidieron hacer descansar sus maltratados huesos en sus poco visitados catres que, hasta entonces, hasta el fin de los dineros robados, únicamente habían servido para sus interminables correrías libidinosas. Todos durmieron plácidamente y decidieron no visitar, por primera vez en mucho tiempo, El Loro Azul. Sabían que el Duque imponía un férreo control de sobriedad en el día de embarque y no deseaban perder, por ningún motivo, la oportunidad de la nueva aventura.

El *Roccobarocco* empezaba a alejarse de Tortuga y en su estela iba dejando todo un reguero de esperanzas y envidias.

La mar comenzaba a desprender un color fuertemente metalizado y los vaivenes de distintos vientos se iban impregnando, de forma natural, en el airoso navegar del *Roccobarocco*. Todos conocían sus deberes y los ejecutaban a la perfección. La mar era su vida y su oficio, su locura y su paraíso, y no deseaban perderse ni un solo momento de gloria. Sembraban duro porque sabían que recogerían cosechas gloriosas.

En el camarote del capitán se había reunido el consejo del *Roccobarocco*. Danko, el Duque, el artillero mayor, el cirujano, el carpintero y otros ocho técnicos de la nave comenzaron a discutir las vicisitudes de la empresa, los primeros detalles de una aventura sólo existente en el cerebro del caballero negro. El Duque tomó la palabra y aleccionó a sus compañeros sobre la importancia de la misión, extendiéndose en detalles que nadie, ni siquiera Danko, conocía. Todos y cada uno de los piratas comenzaron a comprender la importancia de la misión y terminaron jaleando la audacia e iniciativa del Duque. Estaban todos, sin excepción, satisfechos y emocionados ante la nueva empresa urdida por el Duque porque sabían que se encaminaban directamente al cielo.

El capitán Danko tomó la palabra. Tras una arenga fantasmal, típica de su cochambroso cerebro, cogió una copa, se levantó y comenzó un brindis muy peculiar. Todos le imitaron, se levantaron y extendieron sus brazos con las copas de vino, bailando y riendo estruendosamente. Tan sólo el artillero Bogarde permaneció sentado.

—En el *Roccobarocco* es costumbre levantarse cuando lo hace el capitán. —El Duque miró de forma airada a Bogarde y con ojos de hierro obligó a levantarse al rebelde holandés. Nunca le habían gustado los hombres conflictivos y sospechaba que en aquel extraño hombre se escondía algo peligroso, algo que prefería atajar cuanto antes y de la forma más diplomática posible.

187

—A alguien se le va a atragantar la cena... —El gesto de Bogarde no había pasado desapercibido para el capitán Danko y, enfurecido, colérico, con los ojos inyectados en sangre, miró durante unos segundos eternos a Bogarde.

Experto, conciliador e inteligente, el Duque volvió a tomar las riendas de la situación y alzó su copa para iniciar un brindis por la bonanza de las próximas aventuras, aunque no dejó pasar la ocasión de poner a prueba el espíritu guerrero del joven artillero.

—...Y ahora, después de pedir suerte y buenas presas, por el marcado y especial carácter de este viaje, deseo levantar nuestras copas por el rey francés. Brindemos por él. El honor de brindar, en estos casos, lo tiene el más joven de esta mesa.

Todas las miradas se volvieron hacia Bogarde. Sabían que el Duque estaba echando un pulso al airado artillero, pero éste entró al trapo de forma decidida.

—Siento poco afecto por ese rey y por todos los demás. No les debo nada —exclamó, de forma altiva, Bogarde.

—Yo tampoco. Ese rey no es mi rey, yo no tengo ningún rey, pero nuestro código de honor marca el brindar por los que hacen posible una empresa y, por encima de todo, nuestras normas son acatar lo establecido por los capitanes. Además, tal vez, debéis al rey más de lo que pensáis. Quizá vuestro cuello. —El Duque alargó la mano con su copa y la colocó casi a la altura del rostro de Bogarde.

—Mi libertad os la debo a vos. Con mucho gusto brindaré por el Duque. —Bogarde alzó su copa, bebió todo su contenido de un trago y desapareció del camarote de Danko con la velocidad de una gacela.

El capitán Danko echó mano de una de sus pistolas pero, automáticamente, fue frenado por un gesto rápido del Duque. La situación se enturbió aunque, hábilmente, el Duque desvió el problema haciendo llamar al cocinero. Y es que la vida le había enseñado que con los estómagos llenos las cosas se veían de distinta forma, y más entre aquellos hombres.

La góndola que llevaba a Larios iba dejando atrás palacios de albura increíble e inexplicable, deslizándose por la luz plateada reflejada sobre las sucias aguas y que salpicaba de muerte a Larios, de malos recuerdos, de memorias llenas de claveles rotos. Venecia era una ciudad tan bella como incómoda, tan mágica como dolorosa. Larios miró, con los ojos apagados, el murmullo de las gentes sobre las aguas, sobre los puentes que iba dejando atrás y en un momento, como un grito seco, como un chispazo sin sentido, una gruesa piedra se desprendió de uno de los pequeños puentes que acababan de cruzar y golpeó un lateral de la góndola. La sucia agua del canal se metió en el cuerpo de Larios y el gondolero, en una hábil maniobra, recompuso el equilibrio, la armonía y, por escasos metros, la vida, mientras comenzaba a lanzar alaridos y despotricaba contra una ciudad que se caía, poco a poco, a trozos. Larios sonrió y observó, sobre el puente, a varios turistas que iban y venían, que corrían y hacían fotos.

189

Vi cómo Laura se ceñía falda, medias y blusa sobre su maravilloso cuerpo; se maquillaba y abría la puerta de la calle. Bajé las escaleras todo lo rápido que pude y me perdí tras ella. Recorrimos la ciudad de extremo a extremo y la oscuridad se volvió más turbia. Atravesó el río y se alejó algo de la ciudad. Dejó al lado la Torre de la plaza de Giuseppe Poggi y se dirigió a las escaleras. Subió por ellas y puso sus pies sobre el bosque. La oscuridad era total. El bosque parecía estar vivo. Parecía que se tragaba a Laura. Seguí sus pasos como pude porque quería evitar que me descubriese. Pasó mucho tiempo y cada vez el miedo me hacía más daño, era el miedo del absurdo, como el de la profecía, el pavor a algo que sabía iba a ocurrir. Y es que todo estaba oscuro y el bosque respiraba por los cuatro costados...

Barcelona siempre había resultado una ciudad muy especial para Castillo. Tenía ya 52 años y había estado en ella más de un millón de veces pero, aun así, seguía viendo la cosmopolita ciudad catalana como algo nuevo, e insólito. Al pisar el suelo de las soñadas y nocherniegas Ramblas, siempre se acordaba de la emperifollada y cascabelera señorona que se quejaba amargamente de que en la casa que acababa de reformar para ella el gran Gaudí no cabía el piano. «Señora, toque el violín», le contestó despectivamente el genial arquitecto. Y eso mismo había pensado siempre Castillo de la prodigiosa ciudad. Ella era lo importante y había que amoldarse a la ciudad. Por eso repetía, con asiduidad, a todos los que le desearan escuchar: si no podemos tocar el piano, toquemos el violín.

A tocar el violín se había desplazado Castillo hasta Barcelona. Se hospedó, como siempre, en el hotel Oriente, situado en plena Rambla —hotel lleno de historias y secretos que durante el siglo XVII fue un monasterio—, y desde allí comenzó a telefonear frenéticamente, un auténtico vicio del que nunca se había despegado y nunca lo haría.

Por la noche, todo era lujo y esplendor carnavalesco en un gran salón del Ritz. Últimamente el perfume parecía haber perdido, casi en su totalidad, sus primitivos significados rituales y religiosos, pero cuando se trataba de la presentación de un nuevo perfume, apadrinado además por un peso pesado como Saint Laurent, todo volvía a su cauce original, las mujeres desnudaban sus cuerpos a la luna y a los focos de las televisiones, los hombres subían de su particular y diario infierno, el ejército de los medios de comunicación tomaba posiciones para crear una nueva religión y todo un mundo de gente guapa y famosa, bohemia y extravagante, comenzaba a partirse la cara por chupar protagonismo, por revolcarse estúpidamente en el nuevo perfume, perfume de acorde aldehidado, máxima expresión de la elegancia dentro de la perfumería clásica, algo típico y a la vez elogiable de la casa parisina.

Decenas de lujuriantes mujeres, hábilmente reclutadas para la causa, maestras en halconear y en elevar poderosas ofrendas hasta su transitado altar, desfilaron ante los cansados ojos de Castillo, contoneándose dentro de un delirio musical perfectamente ensayado, luciendo sus mejores galas, vestidos amplios y estrechos, blancos y negros, largos y cortos, pero siempre tremendamente sensuales, mientras el mítico diseñador, con una aparatosa y permanente claque detrás, compuesta por mujeres de agalgados cuerpos, extremadamente esbeltos, vendía su perfume como mejor podía y sabía.

Castillo comprendió, como experto invitado en ágapes y celebraciones similares, que la escuela de insidias se iba a convertir, en breves momentos, en una catedral consagrada únicamente al delirio de una comilitona largamente esperada donde habría tostada de salmón ahumado, vegetales a la parrilla, caviar, alcachofas con vinagreta de trufa blanca, espárragos con mostaza de naranja, salmón de Alaska a la plancha con puré de patatas, *fondue* de pimienta dulce y bistec con jengibre. Para todos los gustos y paladares. Sin embargo, Castillo no deseaba permanecer más tiempo en casa del enemigo. Lo que tenía que hacer, en realidad, ya estaba hecho. Habló con un diseñador de rostro abellotado, le dejó una muestra de su nuevo perfume, Otelo, y se perdió por una sala lateral donde varias mujeres desnudaban sus cuerpos, preparaban los vestidos de la nueva colección que acompañarían la presentación del perfume y escondían sus pequeños pechos puntiagudos detrás de una bandeja llena de cocaína y de pequeñas pastillas de éxtasis natural a base de ginseng y guaraná. La noche, al fin y al cabo, estaba empezando.

La cena, en el camarote del capitán, tras la marcha del artillero, se desarrolló de forma cordial y especialmente alegre. Todos rieron al unísono las chanzas y majaderías escupidas por la vulpina boca de Danko y todos comieron y bebieron hasta reventar, para finalizar brindando por los éxitos del *Roccobarocco*. Tan sólo el recuerdo del artillero Bogarde, cuando se cruzaba de puntillas por el destartalado cerebro del capitán, empujaba a Marco Danko a soltar juramentos y hacer promesas de venideras venganzas, de sangre fresca y juerga salvaje.

—Juro que todos veréis a ese traidor pasar el tablón con los ojos vendados. Duque, no me gusta ese tipo, es como la serpiente que toma el color de lo que le rodea para después atacar mejor. No me fío.

El lazo rojo en el extremo de la espesa barba negra de Danko comenzó a balancearse y todos los reunidos, que conocían suficientemente bien a su capitán y sus repentinos ataques de locura, comprendieron que empezaba a entrar en una de sus extrañas y desmadradas crisis que terminaban habitualmente con sangre o con una borrachera colosal. O con ambas cosas a la vez. Afortunadamente para todos los allí presentes, el capitán Danko se embarcó en una de las tareas que más le agradaba cuando zarpaba el *Roccobarocco* de Tortuga y así comenzó a exponer a todos, para su posterior aprobación, las penas que su atormentada mente había maquinado para castigar a los responsables de algún delito. Ante los sorprendidos comensales empezó a describir, de forma detalladamente enfermiza, todas las pesadillas y perversiones que poblaban su indigno cerebro.

—Para los delitos más leves, algo que como capitán juzgaré de forma justa, elijo, a la manera de tantas y tantas marinas reales, y en deferencia a nuestro poderoso protector, los azotes con el gato de las siete colas, dictaminando el número de azotes mi humor o mi benevolencia. Eso sí los torsos de los castigados deberán untarse convenientemente con salmuera. Para los delitos por ocultación de armas o intento de motín, me inclino por la amputación de la mano derecha, pena que me reservo el honor de ejecutar. Y para faltas más graves, se pasará al castigado, amarrado a una cuerda, de costado a costado del barco, bajo la quilla. En zonas atestadas de tiburones se le hará cruzar el tablón. Y en tierra selvática, que probablemente crucemos, recibirá cien azotes, será embadurnado con miel y abandonado para que los insectos gigantes hagan el resto. No quiero olvidarme, además, de algo sagrado para todos nosotros y es el respeto por la integridad del botín que, con toda seguridad, conquistaremos, y que los piratas debemos defender de forma más ardorosa que la honra de cualquier mujer decente. A todo hombre del *Roccobarocco* que caiga en la tentación de apropiarse, indebidamente, de alguna porción del botín, por pequeña que fuere, le mandaré colgar de una verga de la almiranta. Éstos son mis deseos. A los que acaten mis órdenes los recompensaré con riqueza, alcohol y mujeres; a los que osen desobececerlas ya saben lo que les espera. ¿Alguna objeción? Si no es así, firmemos todos y hagamos saber, cuanto antes, a la tripulación a lo que se exponen.

193

Sin esperar ninguna contestación, Danko estampó una desequilibrada cruz sobre el rústico y garrapatoso papel y se lo pasó a todo el mundo, empezando por el Duque.

—Cada vez me sorprende más tu perverso ingenio. Me parece justo. —El Duque firmó y esperó la firma de todos los demás para levantarse, coger el contrato y abandonar el camarote.

En la cubierta, el frescor de la noche empezaba a meterse por todos los huesos de los piratas de manera cruel. El Duque miró la oscuridad del horizonte y, durante unos minutos, perdió su mirada en la infinitud de unos ojos, de unos recuerdos, de unos besos tan lejanos ya...

—Ya les dije todo lo que sabía. —Andrés Pacheco, vestido elegantemente con un traje negro que hacía destacar una pomposa y hortera cadena de oro, se dirigió, nervioso, hasta Batista, que acababa de cruzar la puerta de Antigüedades Gaudí.

—No se preocupe, no vengo a preguntarle nada sobre Lisa Conti. —Batista, abriéndose camino como un avezado jugador de ajedrez, se dirigió hasta el despacho mientras cogía entre sus manos un valioso pisapapeles de plata que adornaba un aparatoso mueble antiguo.

—Entonces, ¿qué es lo que quiere de mí? —Pacheco cerró la puerta de su despacho y, tras comprobar que Batista había tomado asiento por su cuenta, acomodó sus grasientas posaderas en la acogedora silla que presidía la mesa de roble de su despacho.

—Pasaba por aquí y se me ocurrió que, tal vez, nuestro buen amigo Pacheco, uno de los dioses del mundo del arte de esta ciudad, conociese un grabado antiguo... —Batista no dejaba de jugar con el pisapapeles de plata mientras preguntaba sin parecer que lo hacía, como calculadamente ausente.

—No sé, veo muchos grabados, muchos cuadros al día...

—Este grabado del que le hablo es muy peculiar. Hay un barco, unos hombres que descargan unos cofres, unos piratas. Es inconfundible...

Pacheco, durante unos segundos, pareció dudar, echó los ojos al cielo, los llenó de una blancura extraña y muy bien estudiada, giró la cabeza, con estilo, a ambos lados y respondió:

—No, no me suena. Me acordaría... De todas formas, si tengo noticia de él le avisaré. No se preocupe.

Batista, con el pisapapeles todavía entre sus manos, se levantó. Su rostro tenía una expresión cínica, de medias lunas y sonrisas. Acarició el pisapapeles. Luego se dio media vuelta, abrió la puerta y salió del despacho. Antes, sin embargo, giró la cabeza y se volvió a dirigir a Pacheco:

—¿Ha oído alguna vez el nombre de Iris Latorre?

—No, nunca. Lo siento. —Pacheco miró fijamente los ojos de Batista.

—Bien, no le molesto más. —Batista pareció despedirse definitivamente pero, antes de abandonar la tienda, mientras dejaba el pisapapeles sobre una de las muchas mesas que inundaban el local, se volvió a dirigir al anticuario—. Por cierto, me parece que trabaja con un hombre que se llama Duncan White...

—Creo que se confunde. Nunca he oído ese nombre. Lo siento.

—¿Ha pensado alguna vez que tal vez tenga un problema de audición? Nunca oye nada y, sin embargo, el pájaro está muy cerca de usted. Intente recordar, este del que le hablo es inconfundible: fuerte, alto, con perilla y el pelo muy largo, ojos grandes y siempre vestido de negro...

—Lo siento —Pacheco pareció encerrarse definitivamente dentro de su especial y turbio silencio aunque com-

195

prendió, al instante, que aquel asqueroso policía sabía que estaba mintiendo, pero eso era algo que le daba lo mismo. A él, desde que empezó a frecuentar oscuros lugares y a turbios personajes, siempre le habían enseñado a negar todo, hasta lo más evidente, y sabía que era la mejor táctica para gente como él. En sus negocios había que olvidar todos los rostros porque la gente con la que él trabajaba llevaba la marca de la muerte grabada en los ojos. Pacheco, por supuesto, no olvidaba ningún rostro, pero nadie le podía demostrar ni echar en cara su incapacidad para recordar.

—Está bien, Pacheco, seguramente nos volveremos a ver.

—Batista abandonó definitivamente la tienda. En realidad, ya había encontrado lo que sabía desde el principio, es decir, nada. Pero también la convicción de que trataba con alguien muy especial y, posiblemente, peligroso.

✦ ✧ ✦

Todavía tiemblo cuando intento recordar aquella noche. Me sigue pareciendo mentira que en el bosque de San Miniato, nuestro particular paraíso, pudiese ocurrir todo aquello. Sigo sintiendo escalofríos de terror cuando activo el mecanismo del recuerdo y se presentan, agolpándose en mi abellotado cerebro, las mismas imágenes de terror y delirio. La noche era cada vez más noche, el frío mayor y el miedo se había transformado en angustia cuando, de improviso, un grito espeluznante, aterrador, casi inhumano, cruzó el aire. Eché a correr como un loco, revolviendo en la oscuridad como si fuese un baúl inmenso agotado por los siglos, buscando a Laura. Habían transcurrido unos pocos minutos desde que el grito desgarrase la noche, cuando un tipo se cruzó conmigo. ¿Qué hacía aquel hombre dentro de nuestra noche? Sin embargo, en un abrir y cerrar de ojos, aquel tipo desapareció. Todavía siento escalofríos cuando recuerdo su espantosa cara, su aire turbio y acechante que electrocuta mi recuerdo dejándolo sumido en un achicharrado colgajo sin sentido. Seguí buscando a Laura pero no la encontré, había desaparecido por completo en las tripas del bosque de San Miniato y tan sólo el santo y, seguramente, aquel hombre, podían dar fe del destino del corazón de Laura.

Larios acababa de llegar a su destartalado y solitario apartamento tras un largo viaje, más fatigoso y pesado por las ganas de llegar cuanto antes para seguir husmeando dentro de las tripas de un misterio que poco a poco se abrazaba a sus cinco sentidos, que por el propio viaje en sí. Tras acercarse a la nevera y coger un botellín de cerveza se metió dentro de la oscuridad, roto, anestesiado por el recuerdo y zarandeado por los gnomos del pasado. Venecia se había descompuesto detrás de él, recordándole algo que ya sabía, que la felicidad es como la nieve, blanca durante un instante; luego se ensucia y, finalmente, cuando menos lo esperas, desaparece de forma definitiva. Por eso, sumergió, durante unos minutos, la cabeza debajo del grifo de agua fría provocando una estampida de la memoria, del pasado. Se desnudó y se plantó, desafiante, delante de Robert De Niro. Golpeó durante, aproximadamente, media hora el saco de arena y se tumbó en el suelo tras poner en el equipo de música *The Road to You*, el camino que me llevó hasta ti, el del disco que nos unió, en el que te escondí un billete de ida y de vuelta, pensó Larios mientras se retorcía en el suelo, acurrucado en recuerdos y maldiciones.

Había pasado una hora y el disco casi llegaba a su fin. Larios se levantó, deshizo la maleta y colocó cuidadosamente en sus archivos la carpeta con las fotos del tesoro de Claudio de Lorena. De pronto, fijó su mirada en una caja de madera

197

de estilo árabe, llena de ajaracas y filigranas hermosísimas, que compró tiempo atrás en Túnez. Era su santuario particular de ácido lisérgico, el mítico LSD que tanto le había ayudado a olvidar, embelecando con artificio la vida, poniéndole un disfraz, una máscara para hacerla más llevadera. Siempre supo, desde que perdió el tren de la vida, que sólo podría sobrevivir alejándose de la desoladora realidad que le rodeaba y el LSD era un refugio, como lo era el whisky, como lo era la música. Pero con Gary Moore, David Bowie o Leonard Cohen sangraba la memoria, se excitaban y hacían fuertes los recuerdos, y con el whisky bebía hasta desfallecer, pero no conseguía olvidar, aunque todas las noches bebía y bebía con la esperanza de que se le pasara, definitivamente, la borrachera, con el deseo, falso en el fondo, de olvidar. Sin embargo, el ácido conseguía acelerar su corazón hasta límites insospechados, elevaba la presión arterial y la tensión muscular de su destartalado organismo y comenzaba a sufrir alucinaciones, sus ojos veían cosas que le llevaban lejos, muy lejos, se distorsionaba el tiempo a su alrededor, los relojes se doblaban, eran de plastilina, como el tiempo, como su cuerpo, y un mundo de ensueño le retenía más allá, alejándole transitoriamente de los recuerdos más dolorosos, de los besos perdidos. Larios tardó mucho en comprender que se podía amar tanto a alguien que el miedo a perderlo hiciese que lo jodieras todo y lo perdieses de todos modos y que, siempre, la lejanía apagaba las pequeñas pasiones pero aumentaba, hasta más allá de lo razonable, las grandes. Por eso ya sólo deseaba alcanzar el mundo de sueños, confuso y nebuloso, el mundo especial con árboles de mandarina y cielos de mermelada, de taxis de papel de periódico que le aguardaban en la orilla para emprender un viaje en el que ella, la chica de los ojos caleidoscópicos, le esperaba siempre, anudaba su corbata de espejo y le volvía a besar como sólo ella era capaz.

Larios tenía ya la caja de madera en la mano, sabía que iba a emprender otro viaje, una nueva huida. Sin embargo, antes de que el nuevo mundo artificial se abriese en su cerebro, sonó el teléfono. Larios, todavía desnudo, dejó la caja en el enmoquetado y sucio suelo y descolgó el aparato. Al fondo, escuchó la voz, entrecortada, débil y excitada a la vez, de Piñeiro. El viejo profesor parecía preocupado, había descubierto algo importante y se lo quería enseñar inmediatamene. Larios escribió sobre un taco de hojas azules una dirección, colgó el teléfono, se puso unos vaqueros y una arrugada camiseta y salió de su casa.

La noche empezó a tragarse el 4×4 negro y Larios, al volante, mientras escuchaba música de supermercado en la radio, se alegró de no haber emprendido, esa noche, una nueva huida.

El *Roccobarocco* llevaba seis días ya en alta mar y el ánimo no había decaído, ni mucho menos, entre la tripulación. Las continuas bromas se mezclaban con el pesado e interminable trabajo que daba el espléndido navío y todos, sin excepción, confiaban a ciegas en los preparativos llevados a cabo por el Duque. Además, milagrosamente, el capitán Danko gozaba de un sorprendente buen humor, algo que contagiaba a todos sus hombres. Sin embargo, la paz y la calma no eran un estado de ánimo habitual entre los piratas y, mucho menos, en alguien tan desequilibrado como Danko.

Ese sexto día un incidente enturbió la paz en el *Roccobarocco*. El día era hermoso, en la cubierta todo el mundo trabajaba de forma constante, todos y cada uno de los marinos conocían su trabajo y lo ejecutaban a la perfección, los veteranos porque llevaban mucho tiempo navegando y los nuevos porque deseaban, a toda costa, hacer los méritos suficientes ante el Duque para ser llamados, de nuevo, a otra aventura, si la suerte y el destino así lo disponían. En un momento dado, a primera hora de la tarde, con el sol golpeando salvajemente la cubierta, el capitán Danko salió de su camarote convertido en una furia. Llevaba en su mano una pequeña pipa de madera e iba lanzando juramentos, escupiendo blasfemias y empujando a los hombres que se cruzaban en su camino. Todos se volvieron hacia él. Danko rompió por la mitad la pipa, lanzó las dos mitades al mar y se encaminó directamente al artillero mayor. Al llegar a la altura de Davids le lanzó una descomunal patada a la altura del estómago. Mientras Davids intentaba reincorporarse, llegó el Duque y separó a los dos hombres.

—¿Qué sucede aquí? —Con una mano el Duque sujetaba a Danko mientras esperaba, impaciente, escuchar los motivos que le habían llevado a hacer aquello.

—¿Sabes cuál es el castigo por ocultar comida y parte de la pólvora común? —Davids no contestó la pregunta y se limitó a intentar evitar, por todos los medios, los puñetazos que lanzaba un furioso y ebrio Danko.

—No sé de lo que me hablas —acertó a balbucear el artillero mayor.

—Los gusanos se alimentarán de tu carroña al ponerse el sol. Llevad a este cerdo maloliente a la bodega —gritó Danko, fuera de sí, mientras intentaba deshacerse del abrazo conciliador del Duque.

—Estoy esperando una explicación. —El Duque soltó a Danko intentando solventar lo que, sospechaba, ya no tenía ningún arreglo.

—He encontrado bajo el catre de ese malnacido comida y pólvora. Es un delito grave, es un espía, y a los espías se les ata a las estacas. Los cangrejos, antes de subir la marea, se encargarán de él.

—No sabes lo que dices, Danko. Estamos en alta mar, esa pena no está dentro del código que todos hemos firmado y, además, Davids no es un traidor, tú lo sabes. Lleva con nosotros mucho tiempo, es el mejor artillero, y le necesitamos para hundir al *Espíritu Santo* —El Duque intentaba calmar a Danko—. Además, siempre tienes la lamentable manía de alimentar primero a los cangrejos y luego averiguar la verdad...

—Si me equivoco prefiero que sea a nuestro favor y no al de los traidores. —Danko, cada vez más exaltado, consiguió alcanzar de nuevo el rostro de Davids, quien se revolvió y, envalentonado por la defensa del Duque, le devolvió el golpe, al tiempo que insultaba gravemente a su capitán.

Todo el *Roccobarocco* enmudeció. Conocían las estrictas reglas que contemplaba la ley filibustera cuando el capitán era insultado en público. Danko, de repente tremendamente sereno, se dirigió a Davids.

—¿Qué arma eliges?

El Duque se retiró. Comprendió que la suerte estaba echada y que el infierno había caído sobre el *Roccobarocco*. Pasara lo que pasara en los siguientes minutos, sus planes sufrirían un serio revés.

—Me parece justo. —El Duque miró a Davids y esperó una contestación de sus labios, ahora temblorosos. Sabía que había cometido un error, pero tenía demasiado orgullo para volverse atrás. De forma aparentemente altiva respondió:

—La pica de abordaje.

Entre la tripulación se armó un gran revuelo. Como sucedía siempre que había un duelo empezaron las apuestas y, en unos segundos, todos dispusieron parte de sus pequeños ahorros a favor de uno de los dos duelistas.

El combate fue corto porque el salvajismo y el espíritu traicionero y tramposo de Danko no soportaba esperas. A

201

poco de empezar el duelo, el capitán cogió una de sus pistolas y la descargó sobre el corazón de Davids. Toda la tripulación se echó hacia atrás aunque, al instante, comprendió que la historia no podía terminar de otra forma. Desde el puente de mando, el Duque miró entristecido la escena. En ese momento de derrota, prefería pelear con la botella de ron, antes que con la pica de abordaje. Con la botella en la mano se acercó hasta Danko y le ofreció un trago.

—Eres un estúpido. Has matado a nuestro artillero. Ahora tendrás que confiar en Bogarde. Tú lo has querido.

Unas horas después todos asistían, cariacontecidos, al sepelio de Davids. El capitán Danko, como era norma habitual, pronunció unas palabras.

—Nos hemos reunido todos aquí para dar el último adiós a un valiente. Para mí es un privilegio enviar su cuerpo a las profundidades. ¡Tiradlo ya de una vez!

A una señal de Danko el cuerpo de Davids fue arrojado al mar, y los tiburones, que parecían haber presentido el festín, se lanzaron salvajemente sobre él. El Duque observó, desde la precipicio de sus ojos negros, cómo se empezaba a desmoronar el castillo que tanto tiempo le había costado levantar.

—Es estupendo. Hace mucho tiempo que aposté por este pintor... Disculpen. —Igor Zanussi acababa de salir disparado, abandonando por un momento su exquisita delicadeza, para echarse encima de Zoé Latorre y Hugo Soto que acababan de hacer acto de presencia en la abarrotada y exquisita galería Capuletti.

—Pensaba que no ibais a llegar en la vida... —comentó, excitado, ganador, totalmente recompuesto.

—Por favor, Igor, siempre tan melodramático. —Hugo Soto se desprendió de su abrigo, lo dejó en el ropero y se acercó, jovial y enredador, hasta un trío de pusilánimes, encopetados y engominados que parecían haber aterrizado en la tierra con la única misión de estrechar la mano del político más amado y odiado, el mismo que acababa de aparecer en los periódicos acusado de turbios asuntos de dinero, algo que, paradójicamente, provocaba en aquellos hombres tanta admiración como envidia.

—No le hagas caso —Zoé agarró el brazo de Igor y, tan bella como siempre, con un vestido negro largo que dejaba su espalda al descubierto, se adentró en el corazón de la galería Capuletti, haciendo converger todas las miradas en su pequeño y sensual cuerpo.

—El cuadro que nos interesa ya ha sido tentado... Hay varios clientes detrás de él. Tal vez tengamos que subir nuestra oferta.

—¿Lo crees necesario? —Zoé, mientras hablaba de negocios con Zanussi, siguió sonriendo y saludando a todo el mundo con el que se cruzaba, consciente de su poder, de su magnetismo, el mismo magnetismo que siempre consiguió llevar hasta el centro de su cuerpo todo lo que se propuso, algo que siempre había sido así desde los diecisiete años. Ahora, veinte años después, comprendía que tenía dotes de hechicera, de bruja letal, capaz de atraer a cualquier hombre hasta el precipicio más deseable.

—Creo que deberías comprar el cuadro. Este pintor, en los próximos años, se va a revalorizar mucho.

En la galería Capuletti, en ese mismo momento, acababan de aparecer varias bandejas llenas de canapés, de caviar del mejor, de exquisiteces de todo tipo, y la gente, abandonando sus modales tan bien aprendidos, se abalanzó sobre las bandejas no dejando en ellas, en pocos minutos, más que migajas indecorosas. Luego, tras apurar una copa de cham-

203

pán, todos continuaron paliqueando, absorbiendo minutos de gloria en conversaciones huecas.

Zoé Latorre comenzó a mirar los cuadros. Nunca entendió mucho de pintura pero tenía una sensibilidad muy especial para comprender el enigma de la belleza, sabía sentirse sacudida, anonadada por el choque frontal de un cuadro muy especial. Sin embargo, aquellos lienzos le parecían manchas estúpidas, brochazos sin sentido, aunque estaba segura, conociendo como conocía a Zanussi, de que cierta gente, los más influyentes, ya se habían encargado de lanzar a ese joven pintor que, en ese preciso momento, abrumado por los focos de una televisión local, se deshacía en interpretaciones cosmológicas de sus cuadros sin título. Y eso era algo que siempre había llamado la atención de Zoé, la facilidad pasmosa de los pintores para no pensar un título, para no dar nombre a la magia, para no dar pista ninguna de la belleza. ¿Por qué los escritores o los cineastas vendían sus obras por el título, buscaban y rebuscaban el *nocaut* brutal de la primera impresión y, sin embargo, los pintores se despachaban con la vaguedad incierta de títulos fríos como el hielo? Nunca lo comprendió Zoé. Mientras tanto, no apartaba sus cegadores ojos marrones del joven pintor, un chico alto, rubio, con perilla, coleta y un aro de plata en su oreja derecha. Había algo en él que le atraía especialmente. Su pintura no le gustaba pero él sí. Por ello sabía que el joven pintor acabaría rendido a sus pies. Durante una época le asustó ese poder, pero ahora sabía convivir con él. Podía, perfectamente, apartar todos los sentimientos de su cabeza y dejarse llevar, únicamente, por su sexo, por la danza gloriosa de su culo.

La galería ya entraba en período de jubilación, de decadencia nocturna, cuando apareció, haciéndose coro de sí mismo, Castillo. Tanta elegancia y tanta extroversión sólo podían tener refugio en alguien como él. Acababa de llegar de

Barcelona y, sin tiempo para cambiarse, había enlazado una fiesta con otra, sintiéndose en ambas, en todas, el rey. Con sus ojos empezó a buscar a Zoé, pero ya era tarde. Hacía varios minutos que se había perdido dentro de la noche con su pintor.

Laura seguía sin aparecer. Al final del día decidí huir de aquella tremenda, absurda y cruel pesadilla. Aun así, intenté seguir adelante, me rajé las tripas y maldije mi vida, esperé, en definitiva, el despertar, el alba, la esperanza. Estaba en casa, tras el cristal de la ventana, e imaginaba la escena de siempre, que Laura estaba en la cama, tumbada, desnuda, acariciada, penetrada, llena de felicidad y de luz, de martinis y perfume. Eran las tres de la madrugada y había luz en su casa. Quise pensar que estaba allí aunque Laura desgraciadamente ya fuese ceniza, lluvia, siempre burbujas.

El 4 × 4 cruzaba la ciudad como un relámpago negro, alumbrando, en cada frenada, resquicios de locura, mientras los oscuros ojos de Larios iban fijándose en los números de los portales, persiguiendo desesperadamente el rastro que, al parecer, había abierto el viejo profesor. Por fin, tras múltiples miradas desde un viejo papel arrugado hasta los portales, Larios aparcó el 4 × 4, llamó a un timbre del portero automático y, en un minuto, estaba sentado en un viejo sofá de azul descolorido.

El viejo profesor, algo excitado, se acercó a Larios y le mostró una ilustración en un libro que correspondía a un grabado del siglo XVIII. Representaba a un pirata vestido con una curiosa casaca, un cinto sobre la espalda, un par de pistolones, rostro fiero, algo luciferino, con una larga y rizada barba adornada con cintas.

—Es Barbanegra. Se parece mucho al pirata del cuadro... —comentó Piñeiro, mientras señalaba con su regordeta mano el grabado.

—Sí, es verdad. —Larios sabía que el profesor había descubierto algo importante y no ocultó la impaciencia por conocerlo.

—Edward Teach, conocido como *Barbanegra*, era natural de Bristol y, según Daniel Defoe, comenzó el próspero negocio de la piratería a finales de 1716. Era un hombre de regular estatura que vestía y hacía gala de hábitos tan extravagantes como su aspecto. Respecto a lo primero siempre lucía un aparatoso cinto que ceñía a su casaca negra y que le servía para llevar varias pistolas. En cuanto a lo segundo, su negrísima barba, peinada en largas trenzas con cintas de colores en sus extremos, se hizo famosa y temida. El vicioso y sanguinario pirata dejó la impronta de su crueldad durante un par de años al mando del *Queen Ann's Revenge*, un barco de 40 cañones, justo hasta que el lugarteniente Maynard lo derrotó y colgó su cabeza de la punta del bauprés de su corbeta. Era noviembre de 1718. ¿No entiendes lo que quiero decir?

Larios no contestó, se limitó a mirar, como un estúpido autómata, el grabado de Barbanegra.

—Como ya te adelanté, en nuestra anterior conversación, continuó el viejo profesor, Claudio de Lorena no pudo ser vocero de Barbanegra, nunca pudo pintar ese cuadro, si es que Barbanegra es, realmente, su protagonista. El cuadro es, sin duda, de la primera etapa de Claudio de Lorena, en torno a 1635. El pintor murió en 1682. Conclusión: ni Barbanegra ni nadie relacionado con él pudo encargarle jamás ese cuadro.

—Entonces, ¿qué es lo que ha descubierto? Todo eso ya lo sabíamos. —Larios parecía no comprender —El cuadro resulta un juego muy particular, siempre me lo pareció, desde el principio. Hay algo que el pintor quiere ocultar y, a la vez, nos ofrece jugosas pistas. No digo que el cuadro esconda el plano de un tesoro, no, pero hay algo que me resulta chocante. Desde el primer momento pensé que el verdadero protagonista del cuadro era el hombre vestido de negro que está de espaldas, en primer plano. Y sigo pensándolo. Sin embargo, es difícil descubrir la identidad de una mancha borrosa. Es preciso, entonces, volver a investigar la figura del barbudo pirata. Llevo varios días buscando un pirata con ese peculiar aspecto que ejerciese su «honrada» profesión alrededor de 1630, y creo que lo he encontrado... ¡Estoy seguro de que lo he encontrado!

—Hay mucha niebla. Apenas alcanzo a ver aquellas maderas... Parece algún resto de un naufragio —susurró, atrapado por los últimos fulgores de la noche, un vigilante y atento Duque.

Bogarde, modales exquisitos en medio de la barbarie, perfectamente acicalado, con su blusón blanco inmaculado y una pistola amarrada al cinto negro, conversaba con el Duque en medio del frío amanecer. El día empezaba a hacerse paso alrededor poco a poco y el Duque, como era habitual en él, había permanecido despierto la mayor parte de la noche. Desde que Davids les dejó, estaba obsesionado con encontrarle un digno sustituto y sabía que el que más se podía acercar a esa condición era Bogarde.

—Parece que los hombres de mar ven algo que yo no consigo... O tal vez me confundo, tus modales y tu aspecto no te delatan como pirata —comentó el Duque mientras permanecía con la mirada en un horizonte tremendamente negro.

—He trabajado con gente importante, por eso mis expresiones y modales son refinados —contestó Bogarde.

—¿Serías capaz de acertar a esas maderas? —dijo el Duque mientras señalaba un trozo perdido de algún navío que se pavoneaba en medio de la negrura a unos quinientos metros.

—Será un honor para mí.

La seguridad que parecía tener en sus posibilidades el artillero Bogarde acabó por convencer al Duque y, mientras observaba cómo llevaba a cabo los preparativos necesarios para disparar, escuchó atentamente las explicaciones que, en voz alta y de forma entusiasmada, le dirigía Bogarde:

—Al disparar el cañón, si se ha apuntado muy arriba, el proyectil pasará por encima del blanco. Apuntando más abajo hay mayores posibilidades de acertar. Preparado. ¡Fuego!

El disparo, perfectamente encaminado, alcanzó de lleno los pedazos de madera que, inmediatamente, saltaron por los aires.

—Un disparo perfecto. ¿Lo harías igual ante un navío bien pertrechado y que nos estuviese atacando? —preguntó el Duque.

—Si no estoy confundido, un galeón español es mucho más grande que ese pedazo de madera... —contestó, altivo, Bogarde.

El ruido del cañonazo había despertado a los que aún permanecían dormidos y todos, casi sin excepción, se arremolinaron en torno a los dos hombres. En unos segundos, empujando a diestro y siniestro y con un humor de perros, el capitán Danko se plantó ante Bogarde.

—Asno chapucero, tu presencia en este barco es cada vez más irritante para mí. ¡Ve a la bodega!

Antes de que el Duque pudiese mediar en la discusión, Bogarde desapareció de la escena. Sin tiempo para explicaciones, y tras dar varios gritos a su tripulación para que volviesen a sus puestos, Danko se dirigió al Duque:

—Si necesitáramos carenar y aprovisionarnos por esta zona, ¿hacia dónde nos dirigiríamos? —preguntó.

Sin vacilar un segundo, el Duque respondió:

—A la bahía de Tex.

El Duque sabía que todavía no sufrían la galleta picada de gorgojos, ni la insufrible dureza de la carne salada y se podía soportar, aún, la acidez de la cerveza que habían comprado, a precios ínfimos, en los almacenes navales de Tortuga, hábilmente explotados por su gobernador; no, todavía no había llegado esa situación tan habitual, por otra parte, en casi todas las expediciones. Ésta, sin embargo, estaba milimétricamente calculada y, aunque la pregunta que había salido de la apestosa boca del capitán Danko había sido por pura curiosidad, no sabía hasta qué punto se había acercado a los pensamientos del Duque. En efecto, el *Roccobarocco* estaba a punto, ya, de alcanzar la bahía de Tex. El Duque sabía, si todas sus informaciones y sus cálculos resultaban ciertos, que el *Espíritu Santo* iba a cruzar la bahía ese mismo día, al anochecer, y la bahía de Tex era el lugar idóneo para abordarlo con esperanzas no sólo de derrotarlo, sino de hacerlo con el menor daño posible para ambos barcos.

Todo se desarrolló de forma muy rápida y tal como lo tenía planeado el Duque. Empezaba a anochecer cuando, en la lejanía, amparado tras unas rocas, los piratas del *Roccobarocco* avistaron las velas del *Espíritu Santo*. Pasó un tiempo sagrado, iluminado tan sólo por el silencio. Los piratas, cada uno en su puesto, aguardaban, impacientes, las órdenes de sus capitanes. Cuando el *Espíritu Santo* estuvo a tiro, lo más cerca posible antes de ser descubiertos, el Duque mandó disparar. La bala, hábilmente dirigida por Bogarde, pasó entre las velas perroquete y gavia y partió el extremo del palo mayor. En unos minutos, con hábiles y estudiadas maniobras, y amparados por la noche y el factor sorpresa, el *Roccobarocco* se echó encima del *Espíritu Santo* que, todavía, estaba intentando recuperarse de la primera embestida. En ese momento, el capitán Danko ordenó a sus hombres:

—¡Todos a sus puestos de combate! Preparados para el abordaje. Izad la bandera.

La bandera pirata fue izada, inmediatamente, sobre el pico de la cangreja y el *Roccobarocco* pasó directamente al abordaje. Con los ribadoquines el barco pirata acabó por desmantelar a la sorprendida tripulación española. Estaban ya a menos de treinta metros de distancia. Algún cañón español comenzó a disparar pero ya era tarde y casi todos los infantes habían caído.

—¡Al abordaje! —gritó el capitán Danko.

El *Roccobarocco* introdujo el bauprés por entre las escalas y el cordaje de mesana del *Espíritu Santo* y con los garfios de sujeción aferraron la nave enemiga. El capitán Danko, poseído por una furia incontrolada y llevado por el delirio que habitualmente le acompañaba y le había hecho tan famoso y temido en aquellos mares, fue el primero en lanzarse al abordaje. Todos los demás fueron detrás, empuñando sables y pistolas y gritando de forma demoníaca para intimidar a la ya sorprendida, aterrorizada y diezmada tripulación enemiga. Nadie podía parar las estocadas de Danko y sus hombres, y en unos salvajes y sangrientos minutos el *Espíritu Santo*, de manera mucho más fácil de la que jamás hubiese imaginado el Duque, fue reducido. Y tras la victoria, sin tiempo para la recuperación, y como parte necesaria del plan, llegó el exterminio. Todos los soldados, en un abrir y cerrar de ojos, fueron pasados a cuchillo por las incontroladas huestes piráticas.

La primera parte del plan había salido a la perfección, tal vez demasiado. Ahora llegaba el turno de los carpinteros que debían, en el menor tiempo posible, reparar los desperfectos causados al *Espíritu Santo*. Mientras tanto, antes de echar los cuerpos de los vencidos al mar, un grupo de piratas iba despojando de sus vestidos a toda la tripulación española. El Duque comprendía que la suerte ya estaba echada y sus ojos negros vislumbraban, más cerca que nunca, el sueño de Maracaibo.

—Estoy harto de descubrir en cada esquina la jeta de ese asqueroso policía; no deseo verla nunca más. Me resulta repugnante. Entre unas cosas y otras, va a joderme todos los negocios. ¿Quién va a querer hacer tratos conmigo si tengo a un maldito madero encima de mí día y noche? Yo no he hecho nada, sólo perder a Lisa y que toda la puta policía me notificase indignamente que era una zorra. ¡Todas las mujeres son iguales! Pensé que había algo especial y qué es lo que había, dime, qué había... Pero no te he pedido que vengas para eso... ¡Quiero los huevos de ese hijo de puta! Él metió a Lisa en todo esto y estoy seguro de que la mató. No pararé hasta verlo muerto. No quiero excusas... También quiero que sigas al polaco. No sé que tendría ese grabado pero no me fío de él. ¿Cómo pudo conseguir tanto dinero de una forma tan fácil y rápida? ¿Qué cojones hay detrás de ese grabado? Empiezo a pensar que alguien va por mí y eso no me gusta. Antes de caer me llevo por delante a unos cuantos. ¡Lo juro!

La noche había descendido sobre la ciudad envolviendo sugestivamente el letrero Antigüedades Gaudí, que parpadeaba casi mágicamente, haciendo noche y luz en el breve intervalo de un par de segundos. Dentro del establecimiento, la oscuridad se había convertido en hechicera de las ruinas. Era tarde, muy tarde, pero Andrés Pacheco solía apurar hasta el último momento su trabajo, su placer o sus turbios asuntos, que todo era más o menos lo mismo.

Mientras bajaba la persiana metálica siguió hablando con un musculoso esbirro de la noche, con pinta de temulento crónico, de seboso vocacional. Comenzaba a llover y los dos hombres se alejaban por la calle, perdiéndose como sombras desnudas llenas de estrellas. A lo lejos, al final de la inmensa avenida, salpicada como un espejo por luces del cielo, parecía que quería amanecer y, sin embargo, las tinieblas no habían hecho nada más que desperezarse, que desbordarse indecentemente.

El nuevo día llegó y con él toda la miseria que envuelve a los que hemos hecho de la vida un examen incesante de continuos fracasos. Cuando conocí a Laura creí que mi vida cambiaría totalmente. Sin embargo, al final, lo que llegó fue la absoluta certeza de que la felicidad de cuentagotas se había roto: el milagro ya nunca llegaría, como jamás volvería a volver a ver a Laura y su sonrisa inagotable. Ahora, desde este torreón, sólo recuerdo el sonido de una radio destrozándome los oídos y lanzándome directamente a la nada. «En el bosque de San Miniato ha sido encontrado el cadáver de una mujer joven.» Sabía que era Laura y sabía que yo también había muerto. De eso hace ya tantos años...

—Mira lo que he encontrado en este viejo libro, *Galería de Piratas Ilustres*, escrito por un tal Benito Lynch y editado en Buenos Aires en 1940. —El viejo profesor se acomodó en un sillón y empezó a leer, sosteniendo entre sus achacosas manos un libro de cubiertas marrón oscuro con un tejuelo amarillento que se despegaba continuamente del lomo—. Marco Danko era, en efecto, holandés, de Rotterdam, donde nació, para desgracia del mundo, en torno a 1590. Se hizo prontamente famoso por su peculiar aspecto, siempre coronado por una espesa barba negra que solía adornar con cintas de colores y por una crueldad sin límites que practicó tanto con sus prisioneros como con sus hombres. Lo que más fama y riquezas le dio fue, sin embargo, el asalto a la tripulación del *Gran Mogol*, cargado hasta arriba con grandiosas riquezas. Hundió varios galeones españoles como el *Santa Marta*, dotado con 16 cañones, municiones de guerra y dinero para pagar a los soldados españoles de Santo Domingo. En 1632 ya se publicó un edicto por el que se ofrecían 100 monedas de oro por su cabeza. Llegó incluso a desembarcar en Maracaibo y llevarse uno de los galeones españoles más importantes, el *Espíritu Santo*, cargado hasta arriba de oro y plata. Poco tiempo después murió en su refugio habitual, la isla de la Tortuga, en un extraño y peculiar duelo fratricida con su lugarteniente.

213

Durante unos angustiosos y significativos segundos se hizo el silencio. La habitación estaba casi a oscuras, tan sólo un pequeño flexo, situado junto al sillón desde el que había leído Piñeiro el fragmento del viejo libro, otorgaba una rancia luz a la estancia.

—¿Piensa que Danko es el pirata del cuadro? —acertó a preguntar Larios.

—Estoy completamente seguro. —Piñeiro se levantó y ofreció un cigarrillo a Larios. Juntos comenzaron a fumar y llenaron la habitación de humo. El silencio se volvió a apoderar de la noche hasta que Piñeiro continuó, de forma completamente excitada, a divagar, a soñar con un cuadro que, sin verlo, se había metido dentro de su mente—. Todos los datos que poseemos cuadran: las fechas, el aspecto físico, incluso el hombre de negro puede ser su lugarteniente. Sin embargo, hay algo que me tiene completamente desconcertado, algo que hace que las piezas del puzle no encajen. Si los datos históricos concuerdan, la bandera pirata es de fecha posterior...

—La bandera que había era francesa. Debajo estaba la bandera pirata... —Un extrañado Larios volvió a encender otro cigarrillo mientras analizaba desconcertadamente los ojos del profesor.

—Eso es lo que no cuadra en mis investigaciones. Cuando hablamos de piratas siempre vemos ondear la bandera negra con la famosa calavera y la dos tibias cruzadas, pero ese pabellón es muy posterior a la fecha en la que Claudio de Lorena pintó el cuadro. Es más, los pabellones con la calavera nunca eran iguales. Muchos llevaban un hombre desnudo con un jabalí en la mano izquierda mientras empuñaban un sable con la derecha. Otros llevaban un diablo armado de su tridente y un jabalí. Otros llevaban el jabalí y la calavera. Algunos luchaban bajo una bandera de fondo blanco donde iba un esqueleto pintado en rojo. Por ejemplo, el famoso Bartolomé Roberts se representaba a sí mismo al lado de un esqueleto sosteniendo un jabalí entre los dos. Incluso, para mayor burla de sus perseguidores, transformó su pabellón, en una especie de desafío a los gobernadores de Barbados y Martinica que habían puesto precio a su cabeza, y se hizo pintar en la bandera que ondeaba en su barco con un pie sobre un cráneo con las letras ABH (*A Barbadi's Head*) y AMH (*A Martinican's Head*).

—Espere un momento. Recuerdo que en el informe del laboratorio hablaban de una mancha roja debajo de la bandera pirata, algo que tomaron como una preparación anterior del pintor —comentó Larios.

Piñeiro, como impulsado por un oculto resorte, se levantó del sofá y con ojos encendidos comprendió en el instante que acababa de encontrar la luz que perseguía:

—¡Eso es, eso es! El pabellón rojo de los piratas. ¡Eso es!

—El profesor sopló dos veces y volvió a tomar asiento. Luego, viendo el rostro de despiste de Larios, siguió con sus explicaciones, con sus historias, con sus locuras revividas—. Al principio los filibusteros, los Hermanos de la Costa, navegaban siempre bajo el pabellón de su respectivo país. En caso de haber diferentes nacionalidades, la mayoría decidía. Si el capitán era famoso, a él le correspondía la decisión. Así Mansvelt, holandés, siempre navegó bajo los colores de la casa de Orange. Por otro lado, si navegaban con patente de corso se asimilaban a los *privateers* del país que se la había concedido y llevaban su pabellón. Pero pronto comenzaron a surcar los mares, y los piratas franceses fueron los primeros, con una bandera completamente roja. Algunas llevaban una calavera y un jabalí que simbolizaba el tiempo, así hacían saber al buque atacado que se le concedía un tiempo prudencial para rendirse. Sin embargo, la mayoría llevaba un pabellón rojo, sin diseño alguno. Significaba que no habría cuartel...

—La bandera roja que Claudio de Lorena pintó —susurró Larios—. Es decir, no se trataba de una mancha preparatoria para el dibujo de la calavera sino de la verdadera bandera pirata...

—Efectivamente, no puede ser de otra forma. De ese pabellón rojo, ahora tan olvidado, viene la historia mítica de la calavera y la tibia cruzada. Los primeros piratas llamaban a su pabellón de combate el *joli rouge* (el rojo bonito). Luego se deformaría la frase y los ingleses comenzaron a llamar al pabellón pirata *jolly roger* (la alegre calavera), término con el que se conocieron, desde entonces, todas las enseñas y pabellones piratas, donde ya no estaba el rojo y sí el negro, con sus conocidas calavera y tibias cruzadas.

En los dos hombres se transparentaba un triunfo empapado de humo y oscuridad que alargaron durante unas ho-

215

ras, fumando y fumando sin parar, bebiendo whisky y hablando de piratas, de historias temibles y maravillosas a la vez. Cuando ya empezaba a amanecer, el viejo profesor se levantó, acudió a un gran archivo y de él sacó, tras buscar durante unos minutos, una pequeña ficha. En ella, escrito con una cuidada letra, se podía leer un nombre, Rojas, y una dirección perteneciente a un pequeño pueblo de Salamanca, Peñaranda de Bracamonte.

—Esto me hace sentir vivo, volver atrás treinta, cuarenta años, qué sé yo. Tú eres como aquel hombre que me visitó entonces preguntando lo mismo. Incluso te pareces a él físicamente. Es extraño... De todas formas, jamás te imaginarás los años que he rejuvenecido esta noche.

Los dos espléndidos navíos, el *Roccobarocco* y el *Espíritu Santo*, dirigieron sus proas a Maracaibo. Ya estaban cerca, muy cerca de la soñada ciudad. En un momento dado, como parte de un plan perfectamente calculado, los dos barcos se separaron. El *Espíritu Santo*, con el Duque y casi todos los piratas, convenientemente vestidos a la manera española, con los uniformes arrebatados impunemente a los soldados vencidos, se dirigieron directamente a Maracaibo, donde pasarían a ser el galeón protector que debía regresar inmediatamente a España con Dios sabe qué tesoros. El *Roccobarocco*, con el capitán Danko y unos cuantos secuaces, se dirigieron también a Maracaibo pero su camino no era tan directo. En un premeditado giro que duró más de tres horas, los piratas desembarcaron en una zona alejada de la ciudad y se internaron en la selva. En menos de un día, si todo salía bien, llegarían a las puertas de Maracaibo donde cubrirían las espaldas del Duque y sus hombres en el hipotético caso de que surgiese algún contratiempo. El capitán Danko, en sus alucinaciones repletas de ansia, ya escuchaba al vigía de la ciudad: «Las tres y todo en orden». Pero no, todavía estaban lejos. Ahora se encontraban en una ensenada, a diez millas de Maracaibo.

—Habéis visto las orquídeas de la jungla. Es una flor muy hermosa que ofrece su polen a los insectos, pero en cuanto el insecto se posa sobre sus pétalos se cierra así... —El capitán Danko apretó fuertemente el puño mientras estallaba en una carcajada ensordecedora que conocían demasiado bien sus hombres—. ¡Me gustan las orquídeas! —acabó chillando como un desvencijado orate.

Todo, sin embargo, se iba a complicar más de lo previsto. En un momento dado los hombres de Danko, escondidos entre la maleza, observaron una caravana de 20 mulas cargadas hasta arriba de tesoros. Los ojos del capitán Danko empezaron a bailar dentro de una espiral codiciosa demasiado conocida para sus hombres. Y creyó comprender, al instante, que ese precioso cargamento que se dirigía a la ciudad seguramente iría destinado al *Espíritu Santo*. Danko ya se veía en un trono de oro y diamantes, con cientos de mujeres desnudas a su alrededor, y con una botella del mejor ron del Caribe siempre en su mano. Sin embargo, entre tantas alucinaciones, no supo darse cuenta de que una bien nutrida patrulla de soldados españoles se les habían echado encima, que ya habían cebado sus mosquetes y habían comenzado a disparar.

—¡Es una trampa! A las marismas. ¡Rápido! —A los gritos de Danko todos los piratas respondieron, como un solo hombre, con una ágil y rápida carrera que les permitió esquivar los disparos de los españoles e internarse en los terrenos pantanosos que, en los siguientes minutos, se convertirían en su tumba o en su salvación.

Pasaron cuatro horas de miedo, humedad e insectos peligrosos y desconocidos, hasta que los hombres de Danko se

217

decidieron a abandonar las marismas y, en medio de la oscuridad, huyeron hacia el mar. Buscaron, inmediatamene, el *Roccobarocco* aunque con ello sabían que dejaban abandonados a su suerte a los demás piratas. Sin embargo, el Duque había previsto esa intempestiva circunstancia. Ahora Danko zarparía veloz en el *Roccobarocco* antes de que la patrulla española diera la voz de alarma en Maracaibo y esperaría cerca de la bahía de Tex al *Espíritu Santo*. El Duque se quedaba solo en Maracaibo pero todos confiaban en su astucia y en el milimétricamente calculado plan que había tejido su privilegiada mente.

Cuando Zoé Latorre entraba en una habitación, la llenaba de golpe. Y es que no existía nadie que representase de mejor manera la capacidad de fascinación y de hipnotismo sobre los demás como la exquisita mujer que ahora, en la penumbra del dormitorio, se despojaba de su largo vestido negro, dejando al descubierto unos pezones duros, únicos, negros como la noche, y un diminuto tanga del mismo color que enmarcaba finamente su culo como en una filigrana indecente y sublime.

—¿Dónde has estado? Llevo toda la noche esperándote. —Soto acababa de encender la luz, cogió las gafas de la mesilla, enredadas entre turbios informes y alguna novela de misterio, y se las colocó bruscamente. En sus ojos se adivinaba un malestar profundo, como de niño emberrenchinado.

—Vamos, Hugo, vengo muy cansada, no me hagas escenas, ya nos conocemos. —Zoé se quitó el tanga y golpeó con su increíble culo a su marido, entró en el aseo y se dejó acariciar por el agua fría de la ducha.

En dos minutos Zoé, frente al espejo, estaba pasándose

por todo el cuerpo una crema hidratante de excitante fragancia. Hugo, en la puerta del lavabo, seguía subido a una colina extraña:

—Tal vez tengamos que plantearnos todo de nuevo...

—Vete a la mierda, Hugo. Allí está tu secretaria.

Soto sonrió. Desde tiempo atrás imaginaba que Zoé sabía todo; sin embargo, le parecía cruel que, justo en ese momento, el mismo en el que se encontraba acorralado por todas partes, el mismo en que Zoé regresaba de una noche salvaje, —porque con Zoé las noches eran siempre salvajes—, ella le echara en cara su infidelidad. Mientras tanto, Zoé seguía acariciándose con la crema todo el cuerpo, mirando a su marido a través del espejo y ofreciéndole, con perturbadora sensualidad, toda su desnudez:

—Tal vez deberíamos divorciarnos: ya no estamos enamorados.

—Qué tontería. Hoy en día nadie está enamorado.

—Pero imagino que, si te follas a tu secretaria, querrás casarte con ella. ¿Cuándo pensáis iros a vivir juntos? —Por primera vez, Zoé miró fijamente a los ojos de su marido.

—Hay tantas posibilidades de eso como de que el Papa fiche por el Real Madrid.

—Eres un cabrón. —Zoé volvió a dar la espalda a Soto y siguió extendiéndose la crema por todo su cuerpo—. Eso sí, con dos carreras universitarias, lo cual otorga una clase especial...

—¿Sabes, Zoé? tienes un culo inexplicable, maravilloso, tan pequeño, suave, redondo, acogedor —Hugo comenzó a acariciar el culo de Zoé, a investigar con sus dedos santuarios maravillosos e infinitos—. Y tú lo sabes, por eso lo explotas. Estás segura de tu culo, sabes que con él triunfarás en todo lo que te propongas.

Hugo Soto ya estaba agachado, de rodillas, y con su lengua empezó a recorrer el paraíso, comenzó a construir un camino de rubíes y aguamarinas, a viajar por un sendero tan conocido como deseado. Comprendía que Zoé había estado, horas antes, en otros brazos, pero ahora su boca se encontraba sumergida en su sexo, lamiendo miel de las alas de una mariposa, y ya no le importaba ser un maridazo de clase, un gurrumino con dos carreras universitarias. Ahora sólo deseaba meterse para siempre dentro del cuerpo de Zoé y morirse allí definitivamente. Zoé lo sabía, apartó el rostro de su marido de la entrepierna y le empujó sobre la cama.

En la noche oscura sólo se escuchaban unos gritos salvajes y desaforados, porque Zoé entendía ese idioma mejor que nadie y, cuando tuvo los labios del sexo tan gordos y henchidos de sangre como los de la boca, explotó definitivamente. Zoé ya era, ella sola, todo el universo.

Pasé todo el día encogido, apoyado en un rincón de la casa, apretando con todas mis fuerzas el estómago e intentando soportar el arrebato último del dolor. Me había vuelto loco, lo sabía. Cogí las llaves, una cazadora y salí de casa. Crucé la calle y me dirigí al portal de su casa. Nunca pensé, cuando hice la copia de la llave de la casa de Laura, utilizarla en algún momento. Siempre imaginé a Laura abriéndome la puerta, colgándose de mi cuello, abrazándome, besándome. Ahora eso era imposible y no me sentí, en absoluto, culpable.

Entré en el apartamento y comencé a aspirar el olor de Laura, un olor increíble y tremendamente vivo. Mis pies me llevaron hasta su habitación, me senté en la cama y comencé a llorar. Tras unos minutos de lucha conmigo mismo me levanté y me dirigí a una amplia cómoda de varios cajones. Ahora ya sólo tenía en mis manos un trozo de seda y una pena inabarcable. No pude seguir, vi cómo me hacía más daño a cada segundo, olí por última vez a Laura, cerré el cajón y salí de su casa. Al fin y al cabo había llegado nuestra hora final, la de la ausencia, la peor derrota.

El 4 × 4 de Larios iba tragando noche por las desiertas avenidas de la ciudad. Parado en un semáforo y viendo cómo grupos de chicos y chicas se recuperaban de malos paseos por las orillas del delirio, encendió otro cigarrillo. Era ya el último. Tiró la cajetilla vacía por la ventana y se metió, definitivamente, en el último resquicio de noche, donde unos pocos noctámbulos, los más valientes, apuraban las últimas copas. Amagando tracamundanas de alto calibre y asistiendo al triste espectáculo de puñetazos intempestivos y madrugadores que alcanzaron a una chica de vestido casi transparente y coletas, con no más de quince años y la nariz sangrando copiosamente, Larios comprendió que en el puerco mundo en el que vivía, cuando se hundiese definitivamente el barco, no se salvarían ni las mujeres ni los niños sino los que primero pisasen a los otros.

«Los sueños son el espíritu de la realidad con la forma de la mentira», decía Bécquer, el huésped de la niebla, y cuánta razón tenía, pensó Larios. Él, como no podía ser de otra forma desde hacía tanto tiempo, tenía miedo de regresar a casa, de tener que enfrentarse de nuevo a la tortura de una cama solitaria y angustiosa, y prefirió seguir bebiendo menta y lluvia, escuchar a los primeros perros que ladraban a la luna enamorada, continuar aloquecido de memorias felices. Siempre supo que lo único que haría en la vida sería vagar sin sentido, y eso ya era algo normal en su errática existencia en la que tan sólo deseaba huir, conejear, esquivar compromisos, buscar soledades. Hacía mucho tiempo que sólo jugaba a perder y, como Byron, sabía que estaba destinado a no ser feliz jamás, aunque su forma de enfrentarse a la vida fuese radicalmente distinta.

Miró el reloj y comprobó que eran ya las siete de la mañana; sin embargo continuaba resistiéndose a regresar a casa. Aparcó su 4 × 4 negro y se acercó a un bar que sabía abierto, un bar lleno de maría, de vida y de infierno. Dentro, atrapado por el característico olor del cannabis, pidió un whisky. Antes de media hora había tomado tres y ya sentía que las luces de la madrugada se iban durmiendo dentro del alto vaso de cristal. Pagó la cuenta y salió del bar. Cuando se dirigía al coche observó, en un pequeño y apartado callejón, a unas cuantas personas formando un extraño círculo de gritos y ojos rebosantes de estrellas. Se acercó y pudo ver a una pareja haciendo el amor desaforadamente, con sus brazos acribillados por pinchazos, con sus rostros desbordando locura y muerte, tan desnudos como sus ojos, tan delgados como el resplandor de la noche que ya se había ido. Junto a ellos, en el suelo, una especie de plato de hojalata iba recogiendo las monedas que querían depositar los que observaban el espectáculo. Aquello comenzó a excitar, de forma amarga y tremenda, a Larios. Comprendió que cada uno se buscaba la vida como podía y ésa era una forma, como otra cualquiera, de ganar dinero, posiblemente más honrada que la mayoría, y para ratificar esa opinión sólo tenía que encender la televisión cada noche, la misma televisión que había tirado cinco veces a la basura y que había rescatado única y exclusivamente para esconderse detrás de las películas de Robert De Niro, para restregarse en la tragedia de los amores más imposibles, para crear vidas sobre una vida que no existía. Al final, como siempre, decidió huir de allí. Echó unas monedas en el plato de hojalata y subió al coche. En el trayecto, con los ojos puestos en los cuerpos desnudos de aquella pareja, intentó recordar la última vez que había hecho el amor. Y le fue imposible. Hacía siglos que había dejado de estar enamorado y ya no deseaba estar con nadie más. Una vez estuvo con ella y eso había valido para toda la vida.

En Maracaibo el Duque se sentía dueño de su destino. Había un perfume conocido en esa ciudad que le llevaba hasta un pasado feliz, a un lugar donde el cielo estaba al alcance de sus manos, algo muy extraño que le provocaba un cruce de sentimientos. En principio, lo atribuyó a la importancia de la misión que jugaba con sus manos y, desde luego, no tenía por qué ser ninguna otra cosa. Maracaibo estaba tan cerca, tan cerca, de su corazón...

Desde el primer momento todo salió como había planeado. El gobernador de Maracaibo y todos sus secuaces le recibieron como si fuese un enviado del mismísimo Dios. Supo que su nuevo nombre era Alonso Vázquez de Prada y que era uno de los almirantes de mayor reputación de la gloriosa Armada Española. Junto a él habían desembarcado siete de sus hombres, los que dominaban el español, mientras que el resto de los piratas habían permanecido en el *Espíritu Santo* para no despertar sospechas. El plan, hasta el momento, había salido a la perfección. Incluso las primeras noticias que recibió el Duque en las que le informaban que en el plazo de dos días debería partir de regreso a España le permitieron mantener a todos sus hombres lejos de la ciudad con la excusa de preparar el barco y así evitar cualquier malentendido de última hora.

El Duque, escurriéndose en la noche, desapareció del palacio del gobernador de Maracaibo. Entre las espesas sombras de la calle se deslizó por oscuras callejuelas. Durante unos minutos revoloteó alrededor de una plaza, escondiéndose del vigía que con su candil enfocaba todos los sitios en

223

penumbra, violentando de forma artificiosa la oscuridad, la mejor amiga, en ese momento, del Duque.

Poco tiempo después, cuando el peligro había pasado, el Duque llegó a una casa baja con motivos ajedrezados en su puerta y un ostentoso blasón en su parte superior. Aporreó la puerta suavemente y esperó unos segundos. Del interior llegó una mortecina luz. Un hombre a medio vestir pero con porte distinguido le hizo pasar. Se saludaron y entraron al interior de la enigmática casa.

—¿Tenéis alguna noticia nueva para mí? Uno de mis hombres me avisó de que deseabais verme. ¡Hablad!

—Siempre os di noticias de cada galeón español que salía de puerto, con todos los tesoros que llevaba en su interior... El último, si no recuerdo mal, tenía 40 cañones, iba cargado hasta arriba de plata y partió de Maracaibo sin escolta... —comentó el extraño hombre, con ojos codiciosos y piel tremendamente tostada por el justiciero sol del Caribe.

El Duque arrojó una bolsa de cuero llena de monedas al rostro de aquel hombre y le zarandeó de forma furiosa.

—Tomad, estúpido cretino, el Duque siempre cumple. ¡Ahora hablad!

El turbio y ahora complacido hombre se recompuso, tomó de un solo trago el vaso de vino que le esperaba sobre la mesa del salón, y empezó a hablar:

—Una patrulla de soldados ha llegado hace unas horas a palacio.

—Acompañarían a la caravana que trae el tesoro que debemos conducir a España... —comentó el Duque.

—No, la caravana llegó más tarde con su escolta correspondiente. La primera patrulla había salido en busca de unos piratas que habían desembarcado unas millas al sur de la ciudad... —contestó el hombre.

El rostro del Duque, impasible siempre, no pudo ocultar un pequeño gesto de preocupación.

—Continuad.

—Se rumorea que alguien avisó al gobernador... Esa patrulla sabía su destino, sabía lo que se iba a encontrar.

—¿Han traído algún prisionero con ellos?

—Parece ser que no. Son piratas muy escurridizos y hábiles. Rápidamente ha corrido el rumor de que el temido Danko está en las puertas de la ciudad...

—Sois hombre muerto si me engañáis. —El Duque comenzó a comprender que la situación se podía poner muy difícil, sobre todo en el caso de que algún pirata hubiese sido hecho prisionero. Conocía, él mejor que nadie, el poder de persuasión de la tortura española.

—Sabéis que nunca os engañaría... —comentó el enigmático hombre.

—Está bien. Sólo necesito un día. ¡Mantenedme informado!

—La situación para mí es muy difícil. Creo que comienzan a sospechar. El gobernador no me ve con muy buenos ojos. Pienso que va a prescindir de mí en cualquier momento...

—Aguantad un poco. Si todo sale bien muy pronto os traeré un collar con los dientes del gobernador.

El Duque se despidió y partió tan veloz y sigilosamente como había llegado. El aroma de Maracaibo era el mismo pero la sensación de peligro se iba anudando de forma cruel, poco a poco, a su garganta. Nunca pensó que un sueño tan placentero pudiese convertirse, de súbito, en una amarga y peligrosa pesadilla. Sin embargo, todavía estaba a tiempo de impedirlo. Ahora, mientras regresaba a palacio acompañando a las sombras de la noche, tan sólo esperaba que ninguno de sus hombres hubiese sido apresado. Si todo salía tal y como esperaba, muy pronto se reuniría con Danko y los demás en la bahía de Tex. Entonces, allí, ya no tendría miedo de las pesadillas...

◆ ◇ ◆

Las últimas luces de la casa ya se habían despojado de sus incómodos vestidos de etiqueta. El viejo profesor se encontraba agotado por una noche tan larga e intensa aunque hacía mucho tiempo que no recordaba un mayor sentimiento de felicidad y bienestar reflejado en su cansado rostro. Hacía mucho tiempo que se sentía un estorbo en todas partes, un jarrón incómodo y feo, del que todo el mundo está pendiente para que no se caiga aunque para todos sería un gran alivio el que así sucediese. Cuando su antiguo alumno le visitó, todo pareció cambiar hasta desembocar en la última noche, que se había convertido en una verdadera montaña de oxígeno para sus delicados pulmones.

Antes de meterse definitivamente en la cama, abrió la ventana y dejó escapar todo el humo concentrado, toda la pasión desbordada del último encuentro. En la cocina tomó dos vasos de agua y con un esperpéntico pijama de cuadros se metió en la cama. En su interior sintió, sumergido en el apasionante mundo de piratas, misterio y tesoros malditos al que le había arrojado Larios, que, por fin, había abandonado su sensibilidad desvaída y llena de soledad que le había acompañado durante los últimos años.

—¿Quién anda ahí? —No habían transcurrido ni cinco minutos y algo llamó la atención de un Piñeiro que, tan cansado como excitado, no podía coger el tren del sueño. Dejó sobre la cama el ejemplar de *Galería de Piratas Ilustres* que le acompañaba en su último delirio nocturno y se levantó, con un evidente gesto de preocupación, en dirección a la puerta, desde donde había llegado un extraño ruido—. ¿Qué hace usted aquí? —El viejo profesor no pudo decir nada más, sólo sintió ya, como única contestación, el golpe salvaje de un instrumento contundente sobre su cabeza. El resto fue una sensación de ahogo, de asfixia, de muerte navegando por sus venas, de velos negros que rodeaban su viejo cuerpo de cristal. El hombre vestido de negro, enmascarado e increíblemente sereno, comenzó a revolver los archivos de Piñeiro. Parecía buscar algo muy concreto. Por fin, tras mirar durante unos segundos varias fichas, cogió una de ellas y la introdujo en uno de los bolsillos de su pantalón. Luego, abandonando su aparente tranquilidad, explotó de forma intempestiva y tiró al suelo todo lo que se encontraba al alcance de sus manos. En unos minutos, la casa quedó destrozada de arriba a abajo, todos los libros por el suelo, los cajones de un par de armarios abiertos en canal, las escasas figuras que adornaban la casa hechas mil pedazos, toda la casa desvestida, mutilada, soportando indecorosamente a su dueño, muerto en el suelo y con una cinta roja sobre su cuello.

El charco de sangre que rodeaba a Piñeiro fue testigo de las últimas pisadas del embozado. Desde el rojo más crudo, la extraña y cruel presencia negra cerró la puerta provocando que regresase a la casa, impune e indecorosamente, el silencio anterior, el silencio definitivo.

Me sentía inmensamente débil. Volví a casa y me hundí en un sillón, anhelando sus noticias, oliendo sus manos, besando su boca. Ya sólo me iluminaba el juego de los días pasados, de los minutos vividos juntos, explotando algo que nunca supimos qué, como aquel día de tibia luz que nos besamos hasta la alucinación. Estábamos juntos, muy juntos, sentados en su sofá y la besaba como antes nunca lo había hecho con nadie. Mis manos temblaban y, con miedo, deshacían miles de botones, un excitante sostén blanco y unos pechos tan bellos y salvajes que, desde la distancia, me dañan.

Me agaché y posé mis labios en su piel, me abandoné y soñé con la felicidad, que estaba allí, junto a ella, en sus inolvidables senos. Luego la tumbé encima del sofá al tiempo que la noche se colaba, cómplice, en el salón. Me senté en el suelo, a su lado, y con mis manos me metí en sus ojos, en su boca, en su cabello de azabache, en su piel alucinante, en sus labios llenos de otoños y silencios. Y sé que esa noche hubo una explosión, y estaba allí, en ella, en un ángel tumbado en el sofá.

El disco de las dos guitarras, de los *blues* y las baladas, por enésima vez decoraba el apartamento de Larios. Había sido una noche agotadora y el nuevo día ya estaba encima; sin embargo el sueño, *acuario de la noche,* no deseaba instalarse en la mente de Larios, quien se desnudó, contempló su desocupado cuerpo y, desde la cama, se refugió en un puñado de fotografías.

Encima de las sábanas, extendidas como en un desfile de dolor, decenas de esas fotos escupían a Larios recuerdos, besos y momentos que nunca volverían. Sin embargo, comprendió que no era tiempo de plañideras, de autocompasiones estúpidas a las que tan a menudo se encontraba enganchado, así que se levantó de la cama, cogió una cinta de vídeo, la primera que cayó en sus manos, y encendió el televisor. En la pantalla estaba De Niro con la blanda Meryl Streep. De Niro era Frank Raftis, un arquitecto que se enamoraba locamente de Molly Gilmore, una diseñadora gráfica. Los dos, cada mañana, cogían el tren que les llevaba a sus respectivos trabajos. Se cruzaban todos los días pero no se conocían de nada. Sin embargo, un día, la casualidad, quiso que se encontrasen en una librería, fuera del habitual y cotidiano túnel de las miradas cruzadas. Luego se seguirán en-

228

contrando, comenzarán a cruzar sus ojos, sus corazones y se acabarán enamorando. Y como ambos están casados se acaban enamorando de algo completamente imposible. De Niro se desmarcaba de sus interpretaciones de personajes fuertes, duros, con carácter y personalidad. Frank Raftis era un pobre hombre drogado de amor, perdido, desencajado, era el ser más debil de la tierra. Y aunque sabía que en la vida había mil quinientas cosas que, con toda seguridad, no podría conseguir, la que más deseaba, la única que le podía permitir seguir vivo, era la que no podía tener. Los ojos de De Niro eran los ojos de la derrota. Larios lo sentía por los acérrimos seguidores de David Lean. *Enamorarse* no era, ni mucho menos, *Breve encuentro*. En *Breve encuentro* había más poesía, más sentimientos a flor de piel, más tragedia y más verdad, porque su final era más certero, y eso lo sabía muy bien Larios; sin embargo, en *Enamorarse* estaba De Niro, un De Niro explorando una faceta nueva en sus interpretaciones, saliéndose de su caparazón de hombre duro y encerrándose detrás de unos ojos rotos. Mientras veía la película, Larios se preguntó por qué, entre tantas y tantas cintas de vídeo, había tenido que aparecer precisamente ésa. Antes de asistir al forzado final, al estúpido final feliz impuesto por los cretinos productores americanos, justo en el momento en el que el coche de Frank Raftis acudía a despedirse de Molly Gilmore, justo cuando ella se jugaba la vida delante del tren, de la noche y de la tempestad, y los dos comprendían, agazapados tras los parabrisas que no cesaban de girar, que su amor era imposible, Larios decidió parar la película. Además, aquel era el mejor momento para rubricar una pasión tan desmedida como inútil. Al menos ellos dos se amaban, aunque el suyo fuese un amor imposible. Larios amó sólo una vez y, sin embargo, siempre supo que ella nunca le quiso.

Ya no le apetecía ni viajar, ni beber, ni fumar, sólo escuchar la guitarra de Gary Moore escupiendo lágrimas, recordando París, los Campos Elíseos, San Michelle y el vino Beaujolais, volver a mirar fotografías y descubrir tan sólo habitaciones vacías, vidas separadas, *blues* de medianoche. De repente, en mitad de un *riff* característico de la Gibson Les Paul de Gary Moore, sonó el teléfono. Sorprendido por la temprana hora, por la tardísima e intempestiva hora para Larios, descolgó el teléfono.

—¿Conoces a un profesor de Historia de América llamado David Piñeiro? —La voz de Batista, al otro lado del hilo telefónico, sonaba apagada y azul, como los *blues* de Gary Moore.

—Sí. Acabo de estar con él en su casa. ¿Qué ha ocurrido?

—Larios, desde el primer momento, temió lo peor, pues sabía que lo peor siempre acababa golpeándole tarde o temprano.

—Te espero en su casa. —Al fondo del teléfono sólo se escuchó un pitido agudo, desasosegante, que se transformó en un lagunajo en el cerebro de Larios, en arenas movedizas embotando su mente y dejando su cuerpo roto, tolondrón, derrotado.

Antes de retirarse a la lujosa habitación que le habían destinado en el palacio del gobernador de Maracaibo, el Duque solicitó una audiencia especial. Lo avanzado de la hora, al parecer, no era un impedimento para el prestigio que arrastraba don Alonso Vázquez de Prada. El gobernador, a pesar de las reticencias de alguno de sus colaboradores cercanos, oscuros personajillos de turbios manejos, accedió a entrevistarse con el Duque. La conversación fue corta, el gobernador y Alonso Vázquez de Prada hablaban el mismo idioma y enseguida se entendieron; ambos deseaban, por diferentes motivos, que el *Espíritu Santo* zarpase de Maracaibo cuanto antes, el gobernador para traspasar responsabilidades y esperar recompensas, el Duque para evitar los posibles problemas acarreados por la incursión por tierra del capitán Danko. Todo estaba decidido casi desde el principio de la entrevista: en las primeras horas de la mañana, sin esperar a que asomase el sol, el *Espíritu Santo* zarparía de puerto. Ambos se despidieron con la intención inmediata de ordenar a sus hombres los necesarios preparativos.

Quedaban unas horas todavía para escapar del sueño cuando el Duque empezó a sentirse prisionero de un deseo y algo se revolvió en sus tripas, empujándolo a un desasosiego brutal. Se tumbó sobre la cama e intentó cerrar los ojos pero sólo vio tristeza en su pasado. Incluso ahora, tan cerca de los españoles, recordaba unas imágenes que ya creía totalmente olvidadas, eclipsadas en el fin de los tiempos por la locura de su corazón.

—Seréis encadenado a los remos de una galera para que prestéis servicio hasta el fin de vuestros días en la tierra.

—Ofrecéis una hospitalidad especial cuando vuestros invitados están encadenados.

—Dadle un latigazo. Ya estamos navegando. Que empiecen con los remos a un ritmo de dieciséis.

Un hombre gigante, con el torso desnudo, toda una montaña de músculos, cogió en sus inmensas manos un par de mazos y empezó a golpear, a un ritmo sostenido y brutal, sobre un par de tambores.

—¡Aumentando el ritmo a dieciocho!

—No pueden remar por encima de dieciocho...

El Duque recordaba y recordaba la miseria, la sangre, el sufrimiento inenarrable...

—Al timón, Gomes. A la vela delantera, Mambrilla. A la principal, Redondo. El mástil para Yáñez...

El fantasmagórico galeón se alejaba para nunca más volver. El Duque, sin embargo, sabía que ese galeón estaría siempre ahí, en su mente, y le acompañaría hasta el fin de sus días. Ahora, en Maracaibo, cuando ya lo creía perdido, ahogado por otros recuerdos más desgraciados, también estaba con él. Y lo que era peor, comprendió que nunca se había ido, que tan sólo estaba escondido, un recuerdo triste ocultaba a otro. Era su vida y su pasado, lo único que quería olvidar para seguir recordando, lo único que ya deseaba recordar para intentar olvidar definitivamente.

Mientras conducía, por unas calles que comenzaban a inundarse de gente que acudía presurosa a sus trabajos, Larios esperó que todo fuese una alucinación extraña, un amargo malentendido.

No duró mucho la incertidumbre. La ciudad era pequeña y más lo eran las posibilidades de equivocarse cuando el corazón ya había dictado sentencia. Según se aproximaba a la modesta casa de Piñeiro iban surgiendo coches y más coches de policía, vehículos llenos de presagios fúnebres. Las múltiples sirenas iluminaban la mañana gris, la manchaban de desasosiego.

Un par de policías no le dejaron pasar, aunque Batista no tardó mucho tiempo en interceder. Larios se internó por un pasillo que, poco tiempo antes, había cruzado de forma muy distinta. En mitad, enmarcado de sangre, el cuerpo sin vida de Piñeiro se exhibía indecentemente por última vez. La cinta roja alrededor de su cuello se incrustó dentro de los ojos de Larios, que se transformaron en fábricas de borrones en medio del maremágnum de policías que iban recogiendo huellas, tomando fotografías, perdiendo pistas entre encontronazos y estupideces.

—Todo indica que ha sido un robo... —Con su aspecto de boxeador callejero, borrachín y con barriga cervecera y gafas enormes, Miranda se dirigió hasta la esquina donde conversaban Larios y Batista, quienes, extrañados, sonrieron.

—¿Por dónde entró el ladrón? —preguntó Batista.

—Rompió un cristal del portal y entró por una de las ventanas que dan al patio. Este pobre hombre debió sorprenderle. El ladrón le golpeó con algún objeto contundente y luego revolvió toda la casa buscando algo...

—¿Sabemos lo que ha podido llevarse?

—Dinero, imaginamos. Tal vez algo más...

—¿Puedo mirar estos archivos? —Larios se había acercado hasta la torre de archivos y había abierto uno de ellos.

—¡No toque nada! Estamos recogiendo huellas —contestó Miranda.

—Por eso no se preocupe. Mis huellas estarán por todos los lados. He pasado parte de la noche aquí.

El rostro de Miranda sufrió una pequeña conmoción matutina, madrugadora, llena de legañas. El grueso policía sudaba a mares y parecía no acabar de comprender los comentarios de Larios.

—¿Podría mirar —continuó Larios— si hay una ficha con el nombre de Rojas?

Miranda, durante unos minutos, buscó y buscó pero no encontró nada. Por fin, moviendo la cabeza significativamente, dio a entender que la ficha no existía.

—¿Y un expediente de Claudio de Lorena? —volvió a preguntar Larios, sabiendo de antemano la contestación.

El proceso resultó ser el mismo y el resultado también. Un cada vez más sorprendido Miranda se quedó con los ojos fijos sobre Batista pidiendo una explicación. Fue, sin embargo, Larios el que habló:

—Ya tiene lo que se ha llevado su ladrón. Aparte de dinero, lo que dudo, ese hijo de puta ha robado esos dos expedientes que hace unas horas el viejo me enseñó. Y me imagino que también un libro sobre piratas...

—Pero ¿tan importantes son? —preguntó, anonadado, Carmelo Miranda.

—Después de lo sucedido, seguro que sí —respondió Larios y se dio media vuelta, saliendo de una casa que, desde que entró, no había dejado de asfixiarle. En la puerta, un antiguo compañero le reconoció. Era un quitapelillos de regional preferente que le jodió mañana y noche cuando estaba en el Cuerpo y que ahora, cínicamente, le saludaba con una sonrisa estúpida y falsa. Larios le empujó sin contemplaciones y se bebió a bocanadas el aire fresco de la mañana.

—Ya me puedes ir explicando algo. Y vete diciendo a tu amigo que se tiene que pasar por la comisaría... —comentó Miranda.

—¿Vas perdiendo facultades, o es tal vez la cerveza que te ha secado el cerebro? —susurró Batista—. ¿No te acuerdas de la cinta roja que apareció alrededor del cuello de Iris Latorre?

Las grandes manos de Carmelo Miranda se acercaron a su ancha frente y acabaron cubriendo toda su cara. Poco a poco comprendió que tenía en sus manos un caso más complejo de lo que esperaba y que el día se estaba empezando a comer su úlcera. Presentía que todo su cuerpo estaba a punto de explotar y no había hecho nada más que poner los pies sobre la mierda de cada día, algo a lo que, después de tantos años, no acababa por acostumbrarse.

Era muy temprano y, aterido de frío, miedo y pena, veía a mucha gente interpretando un papel conocido y repugnante. Llevaba una hora aproximadamente en el cementerio cuando vi una cara que me rompió la vida y me hizo perder el control. Allí, frente a mí, dando la mano a la gente y hablando con un tipo calvo, me había parecido ver al fulano de la otra noche, con idéntico aire turbio y acechante. Me empecé a poner enfermo, el vómito comenzó a anudar mi garganta y el vértigo a edificar una torre en mi cabeza. ¿Qué podía hacer? ¡Nada, nada, nada! El terror cruzó mi mente de un lado a otro. Y lo peor de todo era que tenía auténtico terror: el recuerdo de la mirada del tipejo aquel, hoy en día, todavía me produce pánico.

Era una mañana espléndida, con un sol grande y dulce como el membrillo, repleto de historias, cargado de magnetismo para regalar a mujeres como Zoé Latorre. En la piscina de agua azul transparente, rodeada de hierba, se respiraba olor a jazmines y lavandas. Zoé, con un pequeño bikini de lunares, se dejó abrazar por el día, mientras leía un libro que hacía descansar sobre sus pechos, hasta que, agobiada por el peso de un sol que escupía fuego, se acercó al borde de la piscina y se tiró de cabeza. Durante un buen rato recorrió la piscina de arriba abajo repetidas veces, sin dar a su pequeño cuerpo el más mínimo descanso. Luego, se acercó a la escalera y, al salir, se encontró con una toalla rojo pasión esperándola.

—Te he preparado un zumo de naranja. Es ideal para tu cuerpo. Pura vitamina. —Castillo, vestido con su habitual bata de seda azul, recogió el pequeño cuerpo de Zoé Latorre.

—Gracias, no sé qué haría sin ti. —Zoé se echó sobre la tumbona y con sus delicadas manos alcanzó el zumo.

—Ayer te fuiste muy pronto.

—Y tú llegaste muy tarde.

—Sí, es cierto. El viaje se complicó.

—¿Cómo te fue en Barcelona? —Zoé acababa de terminar su zumo de naranja y se acomodó en la tumbona, dejando su exquisito cuerpo a merced del sol.

235

—Bien, bien, ya sabes cómo son esas fiestas. Llenas de pequeñas zorras y aduladores de todo tipo, de bragas húmedas que buscan caminos fáciles y de cocaína regando los canapés. Tienes que estar preparado para ello. Saber, de antemano, que te metes en vena un sarao con contraindicaciones múltiples, abarrotado de estúpidos fiesteros, de esnobs insufribles, de pijos cargantes hasta el delirio. Pero te acostumbras a todo. Ya he asistido a tantas fiestas de este tipo, todas igual de aburridas y monótonas, que mis oídos se acomodan fácilmente a escuchar necedades y estupideces con una sonrisa bobalicona pero muy estudiada y trabajada. Además no soporto a todas esas modelos, tan altas, tan delgadas, tan llenas de huesos y vacías de ideas...

—Jorge, creo que eres el único hombre al que no le gustan esas mujeres. La mayoría son preciosas.

—No digas tonterías. A mí me gustan las mujeres como tú, pequeñas, manejables, llenas de pasión. Todo el mundo sabe que sois las mejores amantes. Y yo lo sé mejor que nadie...

—Eres incorregible. —Zoé, consciente de su poder, se quitó la parte de arriba del bikini, y se dio la vuelta, mostrando a los impresionables ojos de Castillo, su espléndida espalda, su culo maravilloso.

—¿Sabes lo que estoy recordando? El día que me enseñaste este bikini. ¡Te lo acababas de comprar! Si tú siempre te pones bañador, te dije. Y tú me respondiste que el bikini era sólo para tomar el sol. De repente, los celos me cegaron los ojos, sólo vi cómo te observaba todo el mundo, cómo te taladraba con sus ojos, cómo te deseaba y montaba una fiesta dentro de tu cuerpo, todos menos yo...

—No seas pesado, Jorge. —Zoé intentó cambiar el tema de conversación— ¿Qué tal el nuevo perfume?

—No me acaba de convencer. Muy clásico y conservador. Un perfume de acorde florido aldehidado demasiado utilizado por los grandes diseñadores. Nada novedoso.

—¿Y Otelo? —preguntó Zoé.

—Otelo va a triunfar. Creo que va a tener un buen lanzamiento, con televisión incluida. Es el mejor perfume que he conseguido hasta ahora. La agencia está buscando un rostro famoso que lo promocione. Siempre la publicidad, el dinero, el mercado... Es una pena.

En ese preciso instante, se acercó hasta el borde de la piscina una criada que anunció la llegada de Larios. Zoé se levantó, se ciñó un albornoz y abandonó el jardín. Castillo miró el fondo de la piscina y se quedó soñando quimeras, oliendo sueños.

No había amanecido todavía y, en el puerto de Maracaibo, el movimiento era continuo. Decenas de hombres subían y bajaban del *Espíritu Santo*, llevando arcones de plata atestados de joyas, collares y monedas de oro, mientras los hombres del Duque intentaban, en la medida de lo posible, evitar el contacto con los soldados españoles, amparados en la excusa de poner a punto el galeón. El Duque se multiplicaba y contaba los minutos para abandonar, cuanto antes, Maracaibo, lo que él pensó algún día que era su sueño. Y es que, de eso parecía no darse cuenta todavía, su sueño se iba con él...

Ya casi todo el cargamento estaba sobre el *Espíritu Santo* y el Duque, en medio del incansable trabajo de control y puesta a punto que llevaba desde el puente de mando, observó cómo un hombre, abrazado a una mujer que iba casi por completo cubierta por una capa negra, entraba en el barco y se acomodaba en uno de los mejores camarotes. Junto a la pareja había subido un extraño hombre, de aspecto serio y melancólico, con cuidada barba negra y ojos muy pequeños y expresivos, que se acercó hasta el Duque. Vestía una magnífica coraza de acero cincelada y llevaba una labrada e imponente espada colgada al cinto. El resto de la vestimenta denotaba su carácter puramente español: mangas amplias con bullones de seda negra, mallas de igual color y botas altas de piel. Calzaba espuelas de plata y en su mirada, en su magnífico porte, el Duque reconoció a un verdadero caballero de la nobleza peninsular. Juan de Espina, que así se llamaba el noble español, contempló en silencio al Duque y finalmente, tras presentarse, comenzaron una larga conversación.

—No os preocupéis por ese hombre. Viaja con su esposa. Es un artesano veneciano de grandísimo prestigio. Ha estado trabajando en el palacio del gobernador y ahora vuelve a la corte española. Allí le espera, impaciente, el rey —comentó Juan de Espina.

—¿Es alguien importante? —preguntó, extrañañamente dominado por la curiosidad, el Duque.

—Es uno de los mejores constructores de espejos. La técnica veneciana, secreta de padres a hijos, ha traspasado con él las fronteras. Es alguien tan importante para el rey que tendrá que defender su vida con la suya. Os aseguro que para nuestro rey la vida de ese artesano veneciano tiene más valor que todas las joyas que ha cargado en este barco.

—Yo no me juego el cuello por nadie. —El Duque, en un apasionado arrebato, se dejó llevar por su espíritu libre e independiente, olvidando que en ese momento era don Alonso Vázquez de Prada, uno de los más prestigiosos y valerosos hombres de la invencible Armada española.

—Vuestra fama proclama, sin embargo, todo lo contrario.

—Nunca se fíe de las apariencias. Son malas consejeras.

El Duque y Juan de Espina sonrieron como si se comprendiesen perfectamente, como si formaran parte del mismo juego. Siguieron hablando. El Duque ya se sentía tranquilo y feliz. Hacía unos minutos que había dejado de ver los estúpidos rostros del gobernador y sus secuaces plantados como monigotes en mitad del puerto de Maracaibo, y ya, en pleno océano, se sabía emperador, dueño de su destino y del de los demás. Mientras tanto, sometido a la apabullante personalidad de Juan de Espina y atraído, con la fuerza sobrenatural de un abismo terrible, por Venecia y sus recuerdos, siguió interesándose por el artesano y su misteriosa mujer. Don Juan de Espina no le ayudó, ni mucho menos, a paliar su curiosidad.

—Me habían informado de que la esposa del artesano era la mujer más bella de nuestro pequeño mundo civilizado. Os puedo asegurar que se quedaron cortos —comentó, de forma perversa, el noble español.

Sin embargo, la belleza había dejado de obsesionar al Duque bastantes años atrás. El también saboreó su locura y, desde entonces, ya no supo vivir. Pero eso era otra historia.

—Os veo muy apasionado con Venecia —comentó Juan de Espina.

—Una vez fui feliz. Fue en Venecia —contestó, con su habitual tono melancólico, el Duque.

—Y, ¿por qué no regresáis? ¿Acaso robasteis en una iglesia, os escapasteis con una mujer, matasteis a alguien?

—Un poco las tres cosas...

El Duque abandonó a Juan de Espina en ese preciso momento. Bajó del puente de mando y se dirigió a su camarote. El interés que había despertado en él aquel extraño hombre y las historias que le llevaban hasta Venecia no se iban a borrar de su vida, ni mucho menos. Volvería a hablar, durante la travesía, varias veces más con Juan de Espina y conocería algo de su peculiar y fascinante vida, comprendería, en el acto, que aquel hombre era tan extraño y melancólico para el mundo como él mismo. Don Juan de Espina, a pesar de formar parte de una de las mejores familias de Madrid, era considerado por todos como un mago lunático. Apasionado coleccionista, virtuoso de la lira, amigo de uno de los grandes escritores españoles, Quevedo, y, sobre todo, personaje que por sus raras e incomprensibles aficiones era consciente de que su destino estaba ligado al de la penosa Inquisición que con tanto esfuerzo le esperaba al doblar el camino. En Madrid, por aquellas fechas, corría ya el rumor de que don Juan de Espina, que vivía completamente solo en su inmensa mansión, se hacía servir por autómatas de madera. El Duque comprendía, poco a poco, que aquel hombre estaba tan desesperado como él y que su pena era tan grande que nadie, nadie, jamás, les comprendería. Estaban fuera del mundo y, por encima de todas las cosas, deseaban estar fuera del mundo.

—Parece que no voy a perderle nunca de vista. Lo tomaré como una maldición. —En la satánica sacristía, Duncan White, como siempre de negro, ultimaba los detalles de una solemne y grandiosa misa que tenía previsto celebrar el sábado.

—¿Dónde estaba la madrugada pasada? —Un Batista sucio y cansado, asqueado de visitar ese templo del mal, no podía continuar ya con sus estudiadas preguntas. Además, acababa de ver a Lesbia y el choque contra sus ojos le resultó mortal, como una fatídica coz en la boca del estómago.

—Lo siento, tengo una coartada perfecta. Salimos a cenar con alguien muy importante. Estuvimos hasta las dos de la madrugada con ella. Luego pasamos la noche aquí. Los dos, Lesbia y yo.

Con la mirada, Batista buscó en los ojos de Lesbia una negativa pero sólo encontró una cobarde excusa y unos ojos que miraban a otra parte.

—Zulema Penchi es la sacerdotisa más importante...
—exclamó Lesbia, que aprovechó la ocasión para salir de la habitación.

—¿Zulema Penchi? —preguntó, aturdido, Batista, mirando con ojos encendidos de rabia a Duncan White.

—Zulema Penchi es una sacerdotisa brasileña, una de las máximas personalidades del satanismo. Este sábado nos hará el honor de presidir una misa. Todos estamos emocionados. —El irónico tono de la última frase no pasó desapercibido para Batista y menos cuando Duncan White se lamentó por tener una coartada tan perfecta—. Estoy seguro de que confía plenamente en la palabra de mi discípula...

—Sí, desde luego. Por cierto, ¿conocía a alguien llamado David Piñeiro?

—Lo siento. Es la primera vez que oigo ese nombre en mi vida. ¿Le ha ocurrido algo?

—Ha aparecido muerto esta noche en su apartamento.

—¿Siempre voy a ser yo el sospechoso? —preguntó, simulando enojo, Duncan White.

—Había ciertos detalles... supongo que puestos allí por el mismísimo diablo, su mejor amigo.

—El diablo es alguien muy importante —exclamó, exaltado, el taumaturgo del mal—. Y suele dedicar su tiempo a cosas más provechosas.

—Bueno, no quiero molestarle más, al menos por ahora... —susurró un abatido Camilo Batista.

—¿Usted tampoco cree en el diablo?

—Supongo que si nos pasamos la vida jugando al tira y afloja tiene que haber alguien al otro lado de la cuerda.

—Espere, le acompaño hasta la puerta. Creo, sinceramente, que un pequeño viaje al reino del mal le podría ayudar. Vería la vida de otra forma. No, no se escandalice. La primera vez que me dijeron algo parecido yo reaccioné de la misma forma.

—¿Y qué fue lo que le hizo cambiar de opinión? —preguntó Batista, ya con su mano derecha sujetando el pomo de la puerta.

—Fue hace seis años... Hasta entonces mi vida había sido una total y absurda pérdida de tiempo. Tenía 39 años y alguien muy cercano a mí murió. La misma persona que me había intentado llevar por el camino verdadero... Su muerte me afectó mucho. La noche del velatorio tuve una especie de visión. Aquel hombre, mi primer maestro, me dio la clave. Antes de su entierro, intentando cumplir el último deseo de mi amigo, coloqué un teléfono móvil dentro de su ataúd. A las doce de la mañana, aquel vagabundo de las tinieblas fue enterrado. Durante los tres días siguientes, encerrado en mi habitación, sólo vi su rostro, y una sonrisa, y una señal que me llegaba desde él, con el recuerdo de su rostro en el lecho de muerte. Todo aquello me parecía una estupidez; sin embargo, cogí mi teléfono y marqué el número del ataúd. Escuché la primera señal, la segunda, y a la tercera, ante mi asombro y pánico, alguien descolgó el teléfono. ¿Se da cuenta?: Alguien contestó desde el más allá. No me pregunte quién, porque, aterrorizado, colgué el teléfono. Desde entonces, no he dejado ni un solo minuto, de bucear por el mal, buscando al supremo ser que contesta a todas las llamadas de teléfono...

—Bien, cuando lo encuentre me avisa. —Batista, vestido con una amplia sonrisa, regalando a Duncan White tanto cinismo como incredulidad, cerró la puerta y huyó del esperpéntico lugar.

—Ya lo he encontrado, estúpido, ya lo he encontrado —susurró Duncan White, desde el fondo de su mente.

Se equivocó la felicidad conmigo, se equivocaba siempre. Pasaron varios días y mi cerebro seguía sin comprender lo que había sucedido. Dilapidé mis pocas fuerzas y las horas de mis días oscuros en saber quién podía ser el hombre del bosque. Supe que era un amigo de Laura, supe que la amaba, y supe, mi corazón supo desde el principio, que aquel cabrón conocía el principio y el fin de Laura. ¿Qué podía hacer? Pensé un millón de cosas pero ninguna iba a devolvérmela. En el fondo, sólo anhelaba dejarme ganar por la melancolía, revivir el amor ondulado de los ojos de Laura y apagar la sed que me consumía porque Laura era el mar y el mar se había secado: un hombre de mirada gris lo había guardado en su bolsillo...

Larios vió llegar a Zoé con toda su fuerza y magnetismo, con esa sonrisa que había escalado por su corazón tantas veces en los últimos días desde que la conoció. Y le dio miedo, le dio miedo porque sabía que Zoé tenía una fuerza especial, y estaba en su boca, en sus manos, en su sonrisa contagiosa y letal. Durante muchos minutos, que para él transcurrieron con la velocidad de un suspiro, le comentó todas las indagaciones llevadas a cabo en Venecia, los últimos descubrimientos, la posibilidad de que algo, tal vez un tesoro, por qué no, se escondiese detrás del lienzo, la teoría de las banderas de David Piñeiro y también su trágico final. Todo desfiló delante de Zoé y Larios se desnudó ante ella como jamás hasta entonces lo había hecho. Tenía la sensación de que él, tan reservado y callado, se confesaría ante ella con una simple señal, y con un chasquido de sus dedos le contaría sus mayores secretos e intimidades. Menos mal que estaba el cuadro de Claudio de Lorena para impedir todo eso.

—¿Tiene algo que ver la muerte de tu amigo? —preguntó Zoé, mientras encendía un cigarrillo.

243

—Al menos, es una extraña coincidencia. —Larios evitó comentar el detalle de la cinta roja que rodeaba el cuello de Piñeiro.

—Por cierto, podemos confirmar definitivamente que el cuadro es original. De todas formas pediré una revisión al laboratorio sobre el tema que me has comentado, la bandera pirata, la bandera roja...

—¿Por qué dices eso? —preguntó Larios, intuyendo algún nuevo descubrimiento.

—Lo único que nos faltaba por descubrir, para confirmar al cien por cien la autenticidad del cuadro, es su fiel reflejo en el *Liber Veritatis*. Pues bien, hemos encontrado la lámina. El cuadro es, definitivamente, un original de Claudio Lorena.

Durante unos minutos, Zoé relató toda la historia que llevó a Zanussi a presentarse en su casa con el grabado de la mano y la sorprendente premonición de Iris que tanto recordaba las palabras de su padre. También le habló de la extraña inscripción, *quadro fecit per Duque, spagnolo*, que presidía la parte posterior de la lámina. Los ojos de Larios, ante ese descubrimiento, se iluminaron de forma expresiva, recordaron al español que mandó construir el palacio Morelli y, al instante, sin saber por qué, recordó a Piñeiro y comprendió que, a partir de ese momento, se encontraba solo tras el pirata de negro.

—Como bien dices hay demasiadas coincidencias. —Zoé acababa de apagar el cigarro y encendió, a continuación, otro—. Y todas de carácter negativo. El cuadro es original y yo, la verdad, estoy harta de tantas desgracias a su alrededor. No creo poseer las fuerzas suficientes para luchar contra su maldición. Lo he hablado con mi marido y quiero que sepas que tengo la intención de venderlo. Hablaré con Zanussi para que lo ponga en el mercado.

—Es un error, mi niña. —Castillo acababa de entrar en el despacho—. Se sirvió una copa, saludó a Larios y acarició cariñosamente la mejilla de Zoé—. ¡Un error! Tenemos que conservar la belleza a nuestro lado todo el tiempo que podamos. Somos unos privilegiados...

—¿No te das cuenta de que este cuadro sólo trae desgracias, muertes, intrigas? ¿A eso llamas tú belleza?

—Belleza es cualquier cosa. —El tono de Castillo se elevó, adquiriendo un matiz extrañamente exaltado en alguien tan tranquilo y educado como él—. Cualquier cosa menos el dinero que te van a dar por el cuadro y que va a ir a parar a los bolsillos de tu marido. Eso es lo que él quiere, pero no te voy a dejar que tires por la borda el sueño de tu padre.

Castillo abandonó, de forma tumultuosa, el despacho y Zoé, extrañada por su desproporcionada reacción, permaneció unos instantes callada. Por fin, tras apagar su segundo cigarrillo, se dirigió a Larios:

—Podíamos seguir nuestra conversación comiendo. Estaremos más tranquilos y veremos las cosas con una mejor perspectiva. ¿Te parece bien?

Larios movió significativamente la cabeza y cuando salió de allí, no sabía cómo ni por qué, estaba deseando ya sentarse a la mesa del Planta 14 con Zoé. Aunque, para su desgracia, y desde su presurosa perspectiva, faltaba todavía una eternidad para que llegase ese momento.

El *Espíritu Santo* navegaba, indomable y altivo, por aguas del Caribe. Su figura majestuosa, hábilmente recompuesta por el trabajo ímprobo y experto de los piratas del *Roccobarocco*, cabalgaba sobre las olas con inocencia. Su próximo destino, para mayor sorpresa de sus elegidos invitados, era incómodo y peligroso. El *Espíritu Santo*, con sus bodegas cargadas hasta arriba de cofres repletos de oro, plata y joyas, se encaminaba, sin saberlo casi nadie, a la bahía de

Tex. Junto a la tripulación pirata, al mando del Duque, había embarcado una compañía de treinta y dos soldados españoles, encabezados por el capitán Francisco Gutiérrez, más el excéntrico aristócrata, coleccionista de arte e intermediario real en asuntos artísticos, don Juan de Espina y el artesano veneciano Carlo Morelli, al que acompañaba su esposa.

La travesía se desarrollaba, en ese primer día, conforme a lo establecido. No había prisas, no debía haberlas. El plan del Duque estaba funcionando a la perfección y no tenía por qué verse sorprendido por ningún extraño imprevisto. Ahora navegaban bajo pabellón español, el más poderoso del mundo, y los únicos piratas acechantes estaban sobre la misma cubierta del *Espíritu Santo*. El Duque ultimaba todos los preparativos y supervisaba, una por una, las actividades de sus hombres, cuidando expresamente que ninguno de los soldados españoles sospechasen, antes de tiempo, nada. Mientras tanto, Boris Padovani, con su eterna sotana negra y su figura alargada de dominico fantasmagórico, vigilaba desde el puente de mando todos los movimientos de sus hombres y de los soldados españoles.

Era mediodía y el sol acompañaba con una suave caricia que todos agradecían. El artesano veneciano y su esposa aprovecharon ese momento para salir a cubierta y pasear un rato, dejándose envolver por la brisa marina y por el gratificante sol. Carlo Morelli, hombre de media altura y cabello claro, llevaba una blusa roja amplia que colgaba abiertamente sobre unos negros pantalones ceñidos en su parte inferior por unas altas botas del mismo color. Morelli era un fabricante de espejos, uno de los más importantes de Venecia. Los artesanos italianos, en todas sus facetas y, sobre todo, en la concerniente a la fabricación de espejos, constituían una secta muy particular que transmitía sus conocimientos exclusivamente de padres a hijos, manteniendo una perfección casi única en sus obras e impidiendo que ningún país accediese a secretos tan preciados. La fabricación de los maravillosos espejos venecianos era uno de los saberes más deseados en esos años pero las leyes de la República Veneciana preveían las penas más severas contra los artesanos italianos que se atrevieran a transmitir al extranjero el secreto de su arte. Incluso existía todo un ejército de soldados pagados por el Dux con la misión de asesinar a todo aquel artesano que osase trabajar fuera de Venecia. Ante esa situación, Carlo Morelli era, no sólo un hombre de incalculable valor, sino también una perla en bruto para las ansias de dinero de todos aquellos piratas. Junto a él, acompañando a su marido en ese viaje que les iba a llevar a trabajar directamente bajo las órdenes del rey español, estaba Bianca Mattei. Era morena, hermosa hasta la locura, de ojos oscuros y sonrisa cautivadora. Cuando apareció sobre la cubierta del *Espíritu Santo* los ojos de todos los hombres, como un imán de tremendo y perverso poder, se volvieron hacia ella. Padovani estaba dando unas instrucciones a uno de sus hombres cuando sus ojos chocaron con los de Bianca. Se miraron durante unos segundos y un descomunal terremoto estalló en los ojos del cura. Intentó disimular, no haber visto a nadie, y siguió con su trabajo. Mientras tanto, Bianca había dejado a su marido mirando el horizonte y se acercó hasta Padovani.

—Hola, Boris.

Padovani intentaba lo que ya era imposible. Evitando cruzar sus ojos con Bianca, respondió:

—No esperaba verlos de nuevo.

—Sí, ha pasado el tiempo.

—Ha pasado mucha agua bajo el puente. —Padovani, nervioso, limpió unas imaginadas manchas del suelo e intentó marcharse, pero la conversación de Bianca Mattei le retuvo ante ella.

—He oído que le han matado en cinco ocasiones diferentes...

247

—Y las cinco veces fue cierto.

—¿Dónde está?

—No volverá. Está lejos.

—Mentías mucho mejor antes.

—Dejadle, le traéis mala suerte...

Aprovechando una grieta del momento, Boris Padovani salió volando de allí. En sus ojos, en su mirada, se reconocía fácilmente el brillo del miedo. Todas las cosas estaban saliendo demasiado bien y eso no era, ni mucho menos, lo que la vida había enseñado al fantasmagórico y doliente dominico.

Esa noche, en el Wang Tao y desde el futuro, la desgarradora e hipnótica voz de Leonard Cohen escupía sus mil infiernos. En una esquina del bar, junto a un par de cervezas y un deslumbrante y angustioso foco de luz, Batista y Larios se dejaban media vida sobre la mesa, rompiéndose en un partido que, por momentos, se hacía eterno. Llegaba a la mente de Batista la imagen del coreano Yoo Nam Kyu destrozado por la tensión psicológica y por el cansancio, después de cinco interminables partidas, abriéndose mental y definitivamente al poderío del formidable Jean Philippe Gatien. Larios, en los momentos de mayor sufrimiento y tensión, comprendía que ya no era el mismo, que nunca podía serlo, ni siquiera en el juego. Y sentía, porque era experto ya en eso, que esa aguda sensación se estaba transformando, poco a poco, en una peligrosa fatiga de tipo crónico en la que la pérdida de peso, los sueños intranquilos, la ansiedad, la irritabilidad y la constante apatía, se habían apoderado de su mente.

Por fin, ante tanta desgana y cansancio, ante tanto desfile de miseria enseñoreándose de su mente, Larios tiró la pala, se sentó en la mesa y bebió de un trago la botella de

Carlsberg. Para entonces, Leonard Cohen susurraba: «Devuélveme mi noche rota, mi habitación de espejos, mi vida secreta».

—Antes nunca te rendías —comentó Batista mientras daba buena cuenta de su cerveza.

—Hace tiempo que me rendí. Tú lo sabes —sonrió Larios.

—No es el fin del mundo.

—Ya lo sé. Estuve en él.

Larios siguió sonriendo y, para ahuyentar jeremiadas, para olvidarse de su espíritu sufridor y repleto de llagas, contó a su compañero las últimas investigaciones, los hallazgos más recientes, las vicisitudes de su viaje a Venecia. Durante casi una hora se enzarzaron en una discusión bizantina sobre motivos, causas e intenciones de todos y cada uno de los elementos a los que les había tocado conocer en las últimas semanas y cuando, en un momento dado, la conversación llevó a Batista hasta el cuerpo de Zoé Latorre, Larios le habló de su cita.

—Eso es lo que tú necesitas. Una mujer como ella. Te voy a poner, inmediatamente, al día. —Batista, engatusador de lujo, dejó un billete encima de la mesa, agarró del hombro a Larios y, juntos, salieron del Wang Tao para perderse detrás de la noche. Los semáforos, a esas alturas, desfilaban dentro de un ritual en el cual casi nadie creía. Las calles estaban prácticamente desiertas y los pocos coches que las transitaban se regían por sus propias leyes. Batista, al volante de su Ibiza rojo, no era una excepción.

✦ ✧ ✦

Llevo tiempo imaginando cómo será la vida sin ella y siempre llego al mismo fin. Es extraño, ahora empiezo a comprender. Atravesaré el más largo verano dentro de desiertos inabarcables preparados para matarme. ¡No importa! Ella me daba la vida y, también, me la arrebataba. Además, no me necesitaba, podía vivir sin mí perfectamente. Y si el precipicio se acercaba ella sabía dónde debía estar, y era lejos de mí... Ahora todo da lo mismo. La imagen de mí mismo se desinfla y mi cabeza reclama independencia pero no soy capaz de dársela. No estaré cerca de ella en el momento de las mayores alegrías y pasiones, no podré dormir abrazado a ella en las noches de tormenta y en las noches de amor eterno. Ella ya no está conmigo y, por eso, no merece la pena vivir. Eso vengo pensándolo desde hace siglos y todo lo vivido desde entonces es de prestado. En realidad, morí hace tanto tiempo...

Era sábado, día de Saturno, y Lesbia estaba más nerviosa que de costumbre. Siempre que se celebraba una misa negra, a pesar de las pastillas que Duncan White le daba para que se relajase, Lesbia se encontraba bastante inquieta y fuera de sí. Y esa noche, en concreto, todos los acontecimientos provocaban en ella una excitación especial que, sin embargo, la hacían aparentar ante los demás una exagerada tranquilidad, una total laxitud. Por primera vez, en un acontecimiento de tanta importancia, Iris no estaba junto a ella. Además, había conocido nuevos lugares junto a un hombre, algo que le parecía increíble en alguien como ella, y había saboreado las mayores miserias de su adorado gurú. Para que nada faltase, asistía, obnubilada y asqueada a partes iguales, a la actuación estelar de una de las mayores personalidades del satanismo.

Zulema Penchi había nacido en Río de Janeiro y era considerada, dentro de aquellos arrevesados círculos, como una experta en la manipulación de las mentes. Recibió las primeras enseñanzas de varios maestros de su país de origen y, ya en Europa, se alineó con la corriente *magika* propugnada por los seguidores de la mítica Gran Bestia, Aleister Crowley. En el escenario, con su amplia túnica blanca que hacía resaltar espectacularmente sus ciento cuarenta kilos de peso, sólo se veía una gran K pintada con sangre roja sobre la túnica. Era la K de su *magi(k)a* especial, la renombrada *macick* de Crowley que tenía mucho que ver con la k de *kteis* —vulva en griego—, perfecto complemento del falo, a modo de bastón, de varita mágica, utilizado por Zulema. Además, la K era, en muchos alfabetos, la undécima letra y el once era el número principal de la *magi(k)a*, el número atribuido a los Qlifot, el inframundo de fuerzas caóticas y demoníacas que debía ser conquistado antes de practicar la *magi(k)a*. Por otro lado, la K se correspondía con el poder de *shakti*, la energía creativa según el hinduismo y también con la palabra *khu*, el poder mágico por excelencia. En último término, para la Bestia, la *magika* era una técnica sexual que empleaba en sus operaciones mágicas con gran éxito y que permitía a Crowley influir en el reino que se encontraba detrás de las apariencias para así llegar a transformarlas. En definitiva, el mágico uso de las corrientes sexuales, el principal motor heredado por Zulema Penchi, que se acostaba todas las noches con seis hombres, como un cinematográfico *gang bang* que le transmitía toda su fuerza y poder. El mismo que desplegaba sobre el tétrico y lúgubre altar, medio en penumbras, con la gran túnica blanca de la K de sangre, con unos pechos inmensos, exagerados, que ofrecía, cada poco a alguno de sus feligreses, con una ceremonia que se adentraba en lo puramente pornográfico y en la que los ululatos de la gran maga se mezclaban con gritos de admiración y sorpresa por parte de los concurrentes.

Zulema, con una gran cicatriz cruzándole el rostro, acabó su actuación, en mitad del delirio, con el sacrificio de un cer-

251

do y con el espectáculo, entre salvaje y surrealista, de una montaña de grasa cabalgando brutalmente sobre uno de sus hombres, gritando hasta hacer temblar los cimientos del local, embadurnándose los pechos, el rostro, todo el cuerpo con la sangre del cerdo sacrificado, envolviendo, en definitiva, a todos sus seguidores en una especie de locura colectiva que terminó más allá de la hora bruja.

Luego, para Lesbia, todo fue un sufrimiento añadido, el comprobar cómo definitivamente su dios, o mejor dicho, su particular demonio, se transformaba en un visceral hijo de puta. En la pequeña habitación donde habitualmente guardaban todos los símbolos satánicos, los instrumentos diabólicos utilizados en sus ceremonias, Duncan White rodeó a Lesbia, la acosó, la interrogó, intentó ponerla a prueba. La acusó de haber pasado información a su amigo policía, de haberle hablado del grabado, de haber provocado que la duda anidase definitivamente en su corazón haciendo que toda la confianza desapareciese para siempre, igual que con Iris, igual que con todas. Lesbia, asustada, lo negó todo y le dijo que quería irse, que deseaba marcharse y no volver nunca más. Sin embargo, sabía que eso le iba a resultar muy difícil. «El diablo te atrae y no puedes resistirte a él», le había soltado poco antes Duncan. Lesbia se puso histérica, gritó, pataleó, lloró y lo único que recibió a cambio fue un brutal puñetazo del hombre de negro. El infierno, como no podía ser menos en aquel lugar, ya se había hecho dueño de la situación.

✦ ✧ ✦

Juan de Espina paseaba por la cubierta del *Espíritu Santo* junto al artesano veneciano, Carlo Morelli, y su esposa, la exquisita Bianca Mattei. El sol golpeaba sus rostros de manera feroz y deliciosa a la vez y, en sus miradas, se anticipaba claramente el deseo de reencontrarse con la vieja España. Sonreían abiertamente y hablaban, matando el tiempo, de mil historias diferentes. Bianca, con mirada turbia y sonrisa encantadora, jugando con lo imprevisto, preguntó a Juan de Espina por el capitán del barco.

—Se trata de don Alonso Vázquez de Prada, uno de los almirantes más valiosos de la Armada española. Un hombre exquisito, de mirada triste y melancólica, pero enérgico y brillante con sus hombres. Un hombre del que yo me enamoraría si fuera mujer... Pero qué estupidez, hablar a una mujer de un hombre.

En ese preciso instante, ajeno a lo que le esperaba, el Duque se acercó al grupo.

—Mi querido almirante, en este momento hablaba de vos.

El Duque acababa de sentir dentro de su cuerpo una sacudida eléctrica absurda, brutal. Allí, justo enfrente, a menos de un metro, mirando fijamente sus ojos, estaba Bianca, su bella Bianca del alma. Cuánto tiempo había pasado..., ya no podía recordarlo. Ahora sólo veía sus expresivos ojos oscuros, su sonrisa maravillosa, su delicado cuerpo y sentía unas ganas increíbles de llorar, de maldecir su mala suerte que le empujaba, de nuevo, a esa mujer que destrozó su vida; pero también bendecía la buena estrella que le permitía volver a ver a la mujer más maravillosa del mundo, a la única persona por la que daría lo poco que valía, por la que daría todo...

Mientras tanto, don Juan de Espina, ajeno a la mirada de los corazones, presentó al matrimonio veneciano y a don Alonso. Todo resultó frío, calculadamente amargo. Con una excusa estúpida, el Duque abandonó a sus invitados y se dirigió a sus hombres. Durante más de una hora ordenó hacer y deshacer cosas que ni él mismo comprendía. Sus hombres le miraban extrañados pero, para entonces, él no parecía ni entender ni ver. Desde el puente de mando, evitando contemplar la gloria y el infierno, intentó distraer su mente, su

253

corazón, pero resultaba imposible, ya todo era imposible.

—Hace mucho tiempo...

El Duque veía a Bianca tan maravillosa como siempre. Y, en ese momento, cuando volvió a mirarla fijamente a los ojos, comprendió de nuevo que sólo podía vivir por ella. Hasta él regresaba la increíble fragancia que enloqueció todos sus sentidos y que, desde que Bianca le abandonó, le había acompañado en su secreta bola de cristal.

—Sí, hace tanto tiempo... —El Duque respondía como un autómata, hipnotizado por la locura de la felicidad, por el salvaje frenesí del recuerdo.

—Sigues llevando la moneda que te regalé. —Bianca se acercó y con sus manos acarició el collar del que pendía una moneda de oro.

—Nunca me ha abandonado...

—Te estábamos buscando, Bianca. Vamos a comer. —En ese preciso instante, el artesano veneciano y Juan de Espina reclamaban para su goce particular la infinita maravilla de compartir unas palabras, unos momentos, unos silencios con Bianca Mattei—. Nos acompañará, ¿no, don Alonso?

—No, gracias, no puedo. Hay mucho trabajo aquí arriba. Empiecen sin mí... —contestó, con la mirada perdida, el Duque.

Todos desaparecieron del puente de mando. El Duque estaba solo y ya no tenía fuerzas para nada. Habló con Padovani, al que dio unas consignas, tan confusas como su corazón, y se recluyó en su camarote. En realidad, sólo le apetecía huir hacia dentro.

La noche se había echado encima del *Espíritu Santo*. El mar estaba en calma, el barco se deslizaba dulcemente, la noche era cálida, disoluta, metálica.

Habían pasado cuatro horas desde el amargo reencuentro cuando Padovani, que no podía dormir, golpeó la puerta del camarote del Duque. Éste, en un rincón, moviendo piezas de un pequeño ajedrez inconscientemente, con su botella de ron bailando sobre el tablero, y su mano izquierda aferrada voluptuosamente a una pequeña bola de cristal, intentaba apartar de su mundo a Padovani. Pero el cura rijoso no era de los que se dejaban convencer fácilmente.

—¿No vas a la cama? —preguntó por enésima vez.

El Duque no contestaba, pero Padovani insistía:

—¿Y no piensas hacerlo en un futuro próximo?

—Estoy esperando a una dama... —La mano izquierda se aferraba cada vez más desesperadamente a su secreto—. Vete a dormir tú, es una orden.

—No, señor. Yo me quedo.

Las fuerzas del Duque se iban desmoronando. Con una temblorosa mano alcanzó la botella, la vació en sus tripas, y la lanzó contra la pared de madera. Padovani, el único hombre que había visto llorar al Duque, adivinaba otra vez, como en aquellos tiempos tan lejanos y tristes, una lágrima en los ojos de su capitán.

Larios bajó con cuidado las escaleras del Planta 14. Delante, con un pantalón negro muy ajustado y una amplia blusa blanca que dejaba ver, imaginar, presentir, un sostén de idéntico color, Zoé Latorre se adentró en el restaurante. Se sentaron y pidieron el plato especial de la casa, lleno de carne, de mariscos, de delicias varias, convenientemente regadas con un buen vino de la tierra. La comida resultó para Larios una especie de vuelta a la vida. Llevaba tanto tiempo viviendo de latas, de comida barata y rápida, que ese momento, junto a esa mujer, era más de lo que podía desear. Hablaron un poco de todo y Claudio de Lorena no podía ser la excepción. Larios se interesó por la posibilidad de que alguien, algún otro investigador, hubiese sido contratado tiempo atrás para realizar el mismo trabajo. Zoé recordó a un hombre al que contrató su padre. Ella era muy pequeña. Pero ese hombre desapareció al poco tiempo. Castillo le comentó que había muerto. Sin embargo, no fueron Claudio de Lorena ni ninguna otra miseria artificial, los protagonistas de la comida, sino los ojos marrones de la tierra de Zoé, su risa contagiosa, su pelo negro, su desbordante vitalidad. Terminaron de comer y, a pesar de los esfuerzos de Larios por pagar, fue Zoé quien finalmente lo hizo.

—Déjame, entonces, que te invite a un café —susurró Larios.

La cafetería tenía un gran mostrador redondo, sillas semicirculares, luz circular, espacio y vida radial. Todo era redondo, como el recuerdo. Tomaron un café solo, fuerte, negro, tal vez un whisky, y se empezaron a comer con los ojos. Había un revistero enfrente, una cafetera y muchas botellas de licor. Alrededor, la gente no existía. Larios bajó al aseo y se dio cuenta de que tenía el sexo inmenso, provocador, lleno de felicidad, como hacía tiempo que no lo sentía. Durante la hora larga que estuvieron en el café no llegaron a sentarse, estaban de pie, apoyados contra la barra, recibiendo el pálido foco circular de un fluorescente redondo. Larios empezó a desear salir de allí cuanto antes, y es que sabía ya que los labios de esa mujer iban a ser suyos, que iba a volver a morir. Luego, en un aparcamiento subterráneo, subieron al 4 × 4 negro. Allí, como un colegial, Larios insistió tenaz e ingenuamente en pagar la comida con un billete que bailaba entre la blanca blusa y los anhelados pechos de Zoé. Y, por fin, con manos temblorosas, Larios rozó su piel y subió directamente al séptimo cielo. Un turbio vahaje corría dentro del coche, un viento del sur apretado, asfixiante, se apoderó de todo el cuerpo de Larios que, con ojos perspicuos, alocados, proclamó a los cuatro vientos lo que tanto deseaba. Sabía que había entrado dentro de una espiral que le llevaría a conocer la boca de Zoé, a dejarse flordelisar por sus labios expertos, a ser adornado de vida, a comprobar que nadie, jamás, había besado como Zoé, a preguntarse quién le había podido enseñar a besar de esa manera tan brutal, a romperse definitivamente por dentro y terminar, de una vez por todas, con su apagada y monótona vida.

Cuando bebía la luz de Laura me sentía otro, sabía que era capaz de seguir adelante a pesar de no tenerla por entero, a pesar de tener que compartirla, a pesar de que los mejores momentos no eran para mí porque entendía que era dueño de un trocito suyo y eso era lo que me mantenía en pie. Laura estaba a mi lado y, para mí, era como una bombona de oxígeno, la luz del sol de mis apagados ojos, pero eso fue antes de que ocurriese todo.

Sentía que debía hacer algo. Había algo que no cuadraba dentro de mi mente, algo que me gritaba y me arrojaba al infierno de mi tristeza. Siempre supe que un mar de melancolía me iba a asesinar, que me pasaría el resto de mi existencia pensando en todo lo que pudo ser y no fue junto a Laura. Un maremoto sacudía mis tripas y la tristeza me ahogaba. Había muerto y no sabía cómo proclamarlo.

257

La casa estaba completamente a oscuras. Un golpeo intermitente y agónico sobre la puerta, suave y frenético a la vez, terminó por despertar a Batista. Se puso unos pantalones y, con el torso desnudo y los ojos entrecerrados, abrió la puerta. Lesbia Aquino, botas y medias negras, falda de cuero y ajustado suéter negro, se abalanzó sobre Batista. Lloró. Durante unos segundos, el tiempo que tardó Batista en despertarse definitivamente, el mundo giró alrededor de las lágrimas negras de Lesbia. Batista, por fin, encendió la luz, separó a la mujer de su lado y le miró directamente el rostro, buscando una explicación, buscando algo que le sacase de su perplejidad, pero sólo encontró un ojo hinchado, una cara desfigurada y mucho miedo.

—¿Quién te ha hecho esto? —preguntó Batista, aunque de sobra sabía quién había sido.

—¿Te he levantado de la cama? Mierda, siempre estoy donde no debo estar. —Lesbia intentó desviar la conversación y conducirla a cauces más pacíficos.

—Sólo son las diez de la noche. Llevaba dos días sin dormir, pero ya me he recuperado. Te voy a hacer una cena que te vas a morir, así que prepárate a contarme todo.

Mientras Batista preparaba unas especiales y deliciosas alcachofas —envolviéndolas en un preparado a base de mantequilla, harina, mostaza, leche, nata líquida y queso gruyère— escuchó las amargas quejas de Lesbia, su deseo de huir definitivamente de la tenebrosa y extraña secta, del peligroso mundo en el que, inconscientemente, se había metido.

—Lo peor de todo es que siento que no puedo dejar ese mundo, que estoy dentro de él. Además sé que Duncan nunca me va a dejar marchar. —Lesbia reposó su rotundo cuerpo sobre la cama deshecha.

—De eso me encargo yo —comentó Batista mientras empezaba a acariciar sus pechos sobre el suéter negro—. Te has dejado atrapar por aguas de las que siempre resulta muy difícil salir. —Batista empezaba a comprender que estaba atrapado por los encantos de Lesbia, definitivamente encoñado—. Yo creía que lo sabía todo —Batista acabó por desnudar a Lesbia—, pero yo no sé nada comparado contigo. Seguro que tú eras una de esas chicas que en las fiestas del colegio se dejaban sobar por todos los chicos porque eras más madura, más lista, te sabías segura de tu cuerpo. No me interpretes mal, yo hubiera hecho lo mismo... Seguro que en los bailes todos se pegaban por estar contigo, sabían que en ti no había una calientapollas y tú sabías lo que querías. Y lo sigues sabiendo...

Lesbia, dogaresa del mismísimo diablo, desnuda y tremendamente excitante, atrajo sobre su cuerpo a Batista y, juntos, empezaron una particular fiesta. Los gritos de Lesbia se escaparon por las cuatro paredes y Batista sintió que se iba a romper por todos los lados, que acababa de ver a Dios, de sentirse Dios. Luego, comieron las deliciosas alcachofas a la luz de unas velas y continuaron toda la noche yendo y viniendo, siempre con los mismos sentimientos intensos e inolvidables.

Después el recuerdo, el cansancio, la sensación de plenitud total.

—Toma, las compré para ti. —Batista enseñó a Lesbia la caja de bolas chinas—. Con esto serás un poco más feliz, aunque estés rodeada de mierda. Tendrás, en todas partes, un placer continuado, llevarás contigo, como quien lleva un bolso, un trozo de este momento. Te olvidarás para siempre de las mamarrachadas de ese hijo de puta.

—Te prefiero a ti, tus dedos, tu lengua, tu polla. —Lesbia alargó su mano hasta el sexo de Batista.

—Ni la mejor que hayas conocido puede estar las veinticuatro horas junto a ti —contestó Batista, mientras, intentando desdecirse a sí mismo, se volvía a sumergir en el cuerpo incandescente de Lesbia.

El día se levantó sobre el *Espíritu Santo* como un fogonazo del destino y, para el Duque, era como un verdadero milagro, el final de un túnel amargo, sucio e indecente que había tenido que atravesar durante interminables horas. Pero el suplicio pasó, al menos momentáneamente. Habló durante unos segundos con Padovani y éste le confirmó que estaban a punto de llegar a la bahía de Tex y que el *Roccobarocco*, sin duda, sería avistado en unos minutos. El Duque pareció respirar. Toda la noche, abatido tras los ojos de Bianca, había pensado, más que nunca, en la muerte, en la destrucción de nuevo. Además, el encuentro con el *Roccobarocco* debía ser lo más pronto posible. El Duque desconocía las noticias que sobre él podía tener Bianca, pero de lo que estaba seguro era de que, a esas horas, mil pensamientos debían cruzar su mente, porque Bianca Mattei sabía que aquel hombre de negro que bajaba cobardemente los ojos cuando la miraba no era, ni mucho menos, don Alonso Vázquez de Prada.

—¡Barco a la vista! —gritó el vigía.

El Duque mandó a uno de sus hombres buscar al matrimonio veneciano y a don Juan de Espina. Mientras tanto, se acercó hasta don Francisco Gutiérrez que parecía muy preocupado por la identidad del barco que se acercaba. El capitán Gutiérrez vestía camisa de encaje, traje de seda y ceñía un sable con una espectacular empuñadura adornada con diversas piedras preciosas. A su lado estaba siempre uno de sus hombres, que le mantenía al corriente y transmitía sus órdenes.

—No os preocupéis, está todo controlado. Es un barco de la Armada española. —El Duque intentaba ser lo más convincente posible y aparentar calma, tranquilidad, confianza.

—Explicaos. No entiendo.

—Mis órdenes vienen directamente de la Casa Real. En este barco van grandes tesoros y personas muy valiosas para el Rey. Hemos sido informados de que el temible capitán

Danko persigue al *Espíritu Santo*... Voy a dar orden de trasvasar todos los tesoros a ese barco —comentó, con seguridad, el Duque.

El lerdo capitán Gutiérrez no cabía dentro de su asombro y con un indisimulado grito de admiración continuó con el gatazo hábilmente improvisado por el Duque:

—Siempre me hablaron de vuestra astucia. ¡Es un gran plan! Me gustaría formar parte de la tripulación del barco que envíe al infierno a ese indeseable pirata.

—Será un honor que nos acompañe. También vendrán con nosotros el artesano veneciano, su esposa y don Juan de Espina.

Al tiempo que explicaba parte de su plan, el Duque iba dando las consignas pertinentes a uno de sus hombres. Carlo Morelli, Bianca Mattei y don Juan de Espina habían escuchado la última parte de la conversación y ya se preparaban para cambiar de barco. En los ojos de Bianca se adivinaba un extraño brillo.

Mientras tanto Padovani, en el camarote del Duque, acababa de sorprender a uno de los soldados españoles abriendo un gran arcón de madera donde una bandera pirata y joyas en un cofre, descubriendo lo prohibido, lo que con tanto esmero se había escondido.

—Es verdad lo que me dijo ese tipo... Desde que salimos de Maracaibo tenía revuelto el cuerpo, y los avatares de mi estómago no eran por la travesía sino por los modales de esta tripulación —susurró el español.

Padovani, alerta, se mantuvo en silencio escuchando a aquel hombre hasta que decidió acercarse, con extremo cuidado, por detrás, intentando calmarle para que no diera la voz de alarma.

—No sabía que entre vuestras obligaciones estuviese el registrar el camarote de nuestro capitán.

—Este barco apesta de piratas y asesinos...

261

El español, en ese instante, hizo el primer amago de gritar pero antes un cuchillo, diestramente manejado por Padovani, le atravesó la garganta. En un minuto escondió el cadáver como pudo, subió a cubierta y le contó lo sucedido al Duque. La situación empezaba a complicarse. El Duque, presuroso, nervioso, con las tripas rotas, dio órdenes inmediatas:

—Izad la bandera y preparaos para disparar la señal convenida. Atención, cañón número seis. Que todos ocupen sus puestos... Padovani, ¡que los hombres dispongan inmediatamente las chalupas y saquen los arcones con las joyas!

El *Espíritu Santo* disparó al aire. El *Roccobarocco*, que acababa de izar una bandera española, respondió con una salva. Mientras tanto, la mayor parte de los hombres del Duque, junto al artesano, su mujer, don Juan de Espina y don Francisco Gutiérrez habían subido a una de las chalupas. En la otra, un poco más grande, montaron el Duque, Padovani y un par de decenas de arcones con el tesoro.

El trasvase duró unos minutos que, para el Duque, se hicieron eternos. Durante el corto trayecto sus ojos se habían cruzado con los de Bianca y había comprendido, al instante, que ella sabía lo que se proponían.

El capitán Danko con su barba espesa y salvaje ayudó a subir a los hombres. Cuando cogió de la mano a Bianca el estremecimiento de su cuerpo llegó hasta los ojos de todos los piratas.

—Pido disculpas por tan pobre alojamiento... Es un placer teneros a bordo.

A esas alturas hasta el incauto de don Francisco Gutiérrez se había dado cuenta de que estaban subiendo a un barco pirata pero ya la suerte estaba echada. En menos de diez minutos el *Roccobarocco* masacraba, con su artillería pesada, el *Espíritu Santo*, ahora desierto y agonizante. La operación resultó casi fulminante. Mientras el *Espíritu Santo* se hundía en las aguas del Caribe, el *Roccobarocco* recogía a los pocos piratas que habían permanecido en el galeón español y que habían sabido saltar a tiempo para evitar la masacre. El *Roccobarocco* había vencido pero el Duque, mientras miraba la bandera española que ondeaba en su barco, se sentía el hombre más desgraciado del mundo. Sus ojos ya sólo acertaban a ver cómo conducían a su Bianca, a don Juan de Espina, a don Francisco Gutiérrez y al odioso artesano veneciano a la bodega del *Roccobarocco*.

—Llevo toda la noche en la calle, como un mataperros, como un mocoso travieso y perdido —exclamó un Larios desmañado, nervioso, extrañamente excitado.

El sol, como una mancha violácea, había irrumpido de forma indigna en el apartamento de Batista, y Larios, ya con el camino archiconocido, se acercó al mueble bar y se sirvió un vaso de whisky.

263

—¿Qué ha ocurrido? —preguntó un somnoliento Batista.

—Traigo buenas y malas noticias —respondió Larios, tras apurar de un solo trago el whisky—. Las buenas: estuve con ella, la besé, caí. Las malas: creo que la quiero.

Larios volvió a llenarse hasta el borde otro vaso de whisky.

—Bien, eso es lo que necesitas —comentó un entusiasmado y, al parecer, milagrosamente despierto Batista.

—Mierda, no, no —gritó Larios—. No quiero volver a pasar por lo mismo, volver a oler tufaradas que ya creía desterradas de mi cuerpo, violines de angustia, besos canallas. No, no pienso volver a pasar por lo mismo, ya no.

Batista y Larios se miraron durante unos segundos. El tiempo no corría, era como un río de mercurio, espeso y pesado, tanto como la luz crepuscular, como el silencio, como la mente escarpada de Larios. Sin embargo, unas campanillas de plata agotaron definitivamente el manantial. En el aseo se escuchó el ruido inconfundible de una cisterna. Los dos hombres se miraron. El silencio y el tiempo ahora eran velocidad.

En medio del salón había surgido, como un exquisito fantasma, como una sirena del mar, como una Venus de Botticelli, Lesbia, toda desnuda, con sus grandes pechos, su rasurado sexo y su mirada perdida y desbordante de vida a la vez.

—No sabía que estuvieras acompañado, lo siento. —Larios se dirigió a la puerta.

—No, espera —gritó Batista.

Antes de cerrar la puerta, Larios miró los rostros de Lesbia y de Batista y vio una luz especial:

—Sed muy felices —susurró.

De toda la historia que viví con Laura únicamente aprendí una cosa, algo que grabé a fuego y sangre dentro de mí y que, desde entonces, jamás olvidé, por eso no he vuelto a desear esa forma de angustia llamada amor. Ahora comprendo que desear ser el único que besase la boca de Laura resultaba peligroso. Además, si Laura hubiese tenido que elegir yo tampoco habría triunfado; es más, veo que me engaño, que me sigo engañando después de tantos años: Laura sí que hizo esa elección y el resultado fue que me rechazó.

Esa mañana deambulé por la ciudad. Durante un buen rato contemplé una pintada que animaba una de las calles cercanas al río: *Quando ami vieni preso per il culo, prendi per il culo e serai amato.* Tal vez aquella hubiese sido la solución aunque ya era tarde para comprobarlo. La noche empezaba a caer y la noche era todavía más noche sin ella. La noche era ya la nada.

En el Ginger, dentro de una oscuridad total, de forma extraña, se había metido la noche hasta dentro, atravesada por un simún huracanado que iba derribando todas las estanterías. En una esquina, repleta de cintas X y de consoladores de mil estilos, un hombre fuerte, de anchas espaldas, desaliñado y desastrado, acababa de volcar una lata de gasolina sobre la moqueta roja. Era el mismo hombre que durante más de dos horas había esperado que clientes, chicas y el Sietepolvos abandonasen el obsceno local. Escondido detrás de la noche y guachapeando miserias encendió una cerilla y salió corriendo...

—No quiero que tu asquerosa mirada ensucie el cuerpo de esa mujer...

El Duque se había dirigido, con ojos fieros y expresión salvaje, al capitán Danko, interrumpiendo el festejo que, de forma alborozada y espontánea, había estallado sobre la cubierta del Roccobarocco. En unos segundos, los mismos que un inmenso y justiciero sol había tardado en golpear de lleno el barco pirata, todos los hombres del Roccobarocco, como uno solo, sellaron sus gritos de alegría y dirigieron sus temerosos y sorprendidos ojos a la escena protagonizada por sus capitanes.

El silencio se transformó, como por arte de magia, en un verdadero y agobiante espadón metálico y amenazador, convirtiendo el tiempo en algo inmóvil, viscoso, increíblemente pesado. Todos los piratas sabían que, en condiciones normales, Danko atravesaría la garganta de cualquier hombre que se atreviese a humillarle en público. Pero también sabían que el poder del Duque sobre su capitán era inmenso. Desde su silencio el Duque dominaba a Danko y, posiblemente, a causa de su extraño y enigmático silencio, el capitán Danko temía al Duque. Eso lo sabían todos.

Durante casi un minuto los dos hombres se miraron fijamente. De sus ojos saltaron chispas de furia y odio... Sin embargo, ante la alegría de todos los piratas, la fiesta iba a continuar. El capitán Danko acababa de estallar en una estruendosa carcajada y, agarrando por los hombros a su enojado y dolido compañero, lo sacudió de forma enérgica.

—Duque, sabes que esa mujer me excita menos que mi hija. Mis pasiones son el oro y el poder. Y ahora, en el *Roccobarocco*, está todo lo que deseo. Mira este mar... Es mi única vida. Di una palabra y el Caribe será tuyo

—La ambición es la más sucia de todas las rameras...

—Sí, soy ambicioso, lo quiero todo. Y tú también, pero no lo has conseguido ni lo conseguirás jamás. Sólo necesitas valor para coger lo que deseas. Como todos vosotros, conejos vociferantes —el capitán Danko se dirigió a sus hombres, ebrio de felicidad y poder—, mis zapatos, mis pistolas, no os costarán nada si tenéis el valor de subir a quitármelas... ¡Izad nuestra bandera y emborrachaos!

El Duque ya hacía rato que se había alejado de aquel loco energúmeno. Había dicho que la ambición era la más sucia de todas las rameras y comprendía que no era cierto. Ahora, intentando olvidar lo que nunca podría, porque el que se obsesiona en olvidar a la mujer amada lo único que realmente busca y desea es no hacerlo, se acercó hasta un grupo de hombres que festejaban alegremente la victoria sobre el *Espíritu Santo*. En medio de ellos, sin compartir, aparentemente, el espíritu embriagador de la victoria, estaba el artillero Bogarde. El Duque se dirigió hasta él y le propinó, sin mediar palabra, un brutal puñetazo que le rompió la nariz. El

Duque le exigió, con iracundos gestos y gritos, viniendo de quien venían, que se levantase inmediatamente mientras, de nuevo, toda la tripulación se arremolinaba en torno a él. Era la segunda vez, en unos minutos, que el Duque, siempre tan misterioso y recogido sobre sí mismo, se comportaba de esa forma tan extraña y los piratas del *Roccobarocco* no acertaban a comprender lo que podía ocurrirle. El capitán Danko, mientras tanto, intentaba pedir explicaciones, pero el Duque, ciego, seguía dirigiéndose, de forma excitada y brutal, al sorprendido artillero.

—Lo que más me repugna de este asqueroso mundo son los traidores y tú, Bogarde, eres el peor de todos.

—No sé lo que queréis decir. —Bogarde, con el rostro desgarrado por el miedo y totalmente ensangrentado, intentaba evitar lo que, sospechaba, era ya inevitable.

—Nos vendiste en Maracaibo y nos volviste a vender en el *Espíritu Santo*. Confiesa.

—Déjame, Duque, voy a sacarle el hígado por la boca a ese traidor. Le arrancaré las tripas y las colgaré del palo mayor. —El capitán Danko, ávido de sangre y deseoso, desde que zarparan de Tortuga, de ajustar cuentas con el artillero holandés, intentó mediar en la disputa, pero el Duque no accedió. Estaba demasiado dolido y exaltado y sólo deseaba ser él el brazo vengativo y justiciero. Era algo a lo que quería aferrarse como otra forma de olvidar.

—Los españoles sabían que Danko se acercaba a Maracaibo porque algún malnacido se lo dijo y en el *Espíritu Santo* alguien se fue de la lengua. Menos mal que Padovani lo descubrió a tiempo...

—Eso es mentira, por qué iba a hacer yo eso... Vos confiasteis en mí —intentaba excusarse Bogarde mientras se limpiaba la sangre que no dejaba de manar por su nariz.

—Eso es lo que más me duele, el engaño —continuó el Duque, sin escuchar a Bogarde, sin quererlo escuchar—. Y lo

267

peor de todo es que nos traicionaste y engañaste a todos, porque tú fuiste el que llevó al infierno a Davids, tú le enseñaste el camino con todos tus engaños, poniendo falsas pruebas donde sólo había lealtad... Las informaciones llegan a mí más deprisa de lo que piensas. Sé que conocías a Wooter y sé que es a ti a quien confió sus secretos. Antes de morir nos lo hizo saber...

El artillero Bogarde comprendió que acababa de perder. En el último momento, hundido en la derrota, se revolvió contra Danko, sacó un cuchillo e intentó clavárselo. El Duque, más rápido, le atravesó el corazón con un disparo certero. Bogarde cayó al suelo y dejó escapar unas últimas palabras:

—Ese cerdo le engañó, le humilló, le mató... Wooter era mucho más que un amigo.

El cuerpo de Bogarde rápidamente fue echado al mar mientras se escuchaba, a lo lejos, la voz dura, quebrada, del Duque:

—Litmanen, mantén el rumbo. Volvemos a Tortuga.

Cuando Camilo Batista y Carmelo Miranda entraron en el lujoso y espectacular despacho de Hugo Soto lo primero que llegó hasta ellos fue el rostro de perplejidad con el que fueron recibidos, la sensación de estar fuera de lugar, de caerse desde los acantilados de un sueño, de una mala pesadilla, para darse de bruces con metacrilato y modiglianis, con moquetas asquerosamente limpias y sillones grandes como un estadio de fútbol, con luz cegadora y olor a sobres cerrados. Batista con su sempiterna barba de dos días, con sus gafas negras y su arrugado y sucio traje, se sentó en uno de los cómodos sillones y dejó que fuese Carmelo Miranda el que llevase el peso de la conversación.

—Por favor, siéntense, están en su casa. —Soto miró irónicamente a Batista, pero éste dedicó toda su atención a jugar con una bola de cristal situada sobre una de las mesas—. ¿A qué debo esta inesperada visita? —Hugo Soto se quitó las gafas y con un paño comenzó a limpiarlas.

—Ya nos conoce suficientemente, creo —comentó Miranda, acomodando su amplia barriga a una silla metálica situada en una de las esquinas—. Estoy más cómodo aquí; con este cuerpo tan pesado esos sillones me matan. —Y comenzó, de forma automática y repetitiva, a limpiarse sus gruesas y feas gafas de ancha montura negra.

—Sí, pero nunca les había visto juntos. —Soto se ciñó elegantemente sus gafas y encendió un cigarrillo—. Usted investiga la muerte de Lisa Conti, pero no acabo de entender la presencia del señor Batista. Tengo entendido que el objeto de sus investigaciones está centrado en el asesinato de Iris Latorre, mi cuñada.

En ese preciso momento, una de las secretarias de Soto le interrumpió por el interfono. Hablaron durante unos segundos. Soto anotó la hora y el lugar de una cena de trabajo. Luego, sin solución de continuidad y dominando la situación, siguió pidiendo explicaciones a Carmelo Miranda:

—¿Se sabe algo nuevo?

—¿Dónde estuvo anoche?

Hugo Soto se levantó, miró por el amplio ventanal de su despacho hacia la calle, hacia el cielo, al rascacielos de enfrente. Finalmente se sentó, apagó un cigarrillo que se negaba a dejar de despedir humo y que permanecía olvidado en un aparatoso cenicero de cristal de Bohemia, y miró fijamente a Miranda:

—Estuve con unos amigos en casa hasta las cuatro de la madrugada —contestó de forma abrumadora, como sólo él era capaz, perdonando la vida, haciendo que todos se sintiesen unos atribulados chisgarabises.

269

—Podemos detenerle —gritó, saltándose el estudiado protocolo, pateado por la demostración de soberbia y prepotencia de Soto, un Batista encolerizado, fuera de sí, harto de tratar con esa clase de gente instalada de por vida en una suntuosa torre de marfil desde donde escupe, alegre y vistosamente, al resto de la humanidad.

—Anoche incendiaron el garito de Jorge Comas. Supongo que será una buena noticia para usted. —Miranda, aparentemente más calmado, intentaba capear el temporal.

—No me importan para nada los asquerosos negocios de ese tipo.

—Sin embargo, muy probablemente, haya desaparecido la famosa cinta de vídeo. Y sin cinta de vídeo no hay chantaje. —Miranda se acababa de levantar, al igual que Soto y, durante unos segundos, se puso en evidencia la diferencia de altura entre ambos. Sin embargo, a pesar de su achatada estatura, parecía que Miranda, al menos durante unos momentos, dominaba la situación. Para entonces, un desquiciado Batista había salido del despacho, con sus angustiosas gafas negras y con el total convencimiento de dejar atrás a un completo hijo de puta:

—Nos veremos antes de lo que usted se piensa —murmuró al salir.

—Si no tienen nada más que decirme les agradecería que me dejasen. Tengo mucho trabajo y no necesito que nadie me venga a insultar a mi despacho. De todas formas, les puedo poner en contacto con mi abogado... —comentó, casi en susurros, en penumbras de voz, tan suaves como cínicas, Hugo Soto, lleno de fuerza, sintiéndose en su elemento, como un pez dentro del agua, como una piraña carnívora y territorial.

Carmelo Miranda se despidió con frialdad. Salió del despacho y, tras una angustiosa carrera, alcanzó a Batista.

✦ ✧ ✦

Me habían llegado noticias de que la policía estaba acorralando al asesino de Laura. De todas formas, resultaba tremendamente extraña la actitud de la policía, a no ser que supiesen mucho más de lo que decían. Al parecer el asesino estaba a punto de ser identificado. La clave estaba en un abrecartas del siglo XVI, un abrecartas de plata Adriani de cuatrocientos años de antigüedad que, presuntamente, había sido el arma homicida pues, ahora se daba a conocer, había aparecido cerca del cuerpo de Laura. Además, el abrecartas en cuestión, construido por Jacopo da Strada para la estrambótica colección imperial de la corte de Rodolfo II, tenía una funda encajable de plata con idénticos grabados. Sólo había que encontrar la funda. ¡Qué absurdo! Todo mi mundo iba a girar alrededor de un abrecartas de plata. Mientras tanto, Laura estaba lejos de mí, estaba tan lejos...

271

✦ ✧ ✦

Larios llevaba más de media hora atravesando la ciudad, haciendo crujir el asfalto, persiguiendo un imponente coche azul metalizado, soportando semáforos, atascos y calor. Por fin, detrás de un gran edificio de cristales, en un barrio residencial de las afueras con mucha clase y categoría, el coche azul detuvo su alocada e incongruente marcha. Doscientos metros detrás, Larios detuvo su 4×4 y observó, parapetado tras sus gafas negras, cómo Zanussi, con una maletín negro, entraba en Antigüedades Gaudí. Larios sonrió y encendió un cigarrillo. Un cuarto de hora después Zanussi salió de la tienda y, antes de subirse al coche, se acercó a un kiosco próximo; durante unos segundos leyó los titulares de las portadas de diversos semanarios, chocó su mirada con algún *Playboy* perdido en el desierto de su privilegiado cerebro y compró un periódico. En ese preciso momento, cuando acababa de meter en su exquisitamente planchado pantalón negro unas cuantas monedas que le había devuelto la señora de amplias carnes y sonrisa festiva que regentaba el kiosco, Larios se abalanzó sobre él.

—¿Me está siguiendo? —preguntó un elegante Zanussi, algo asombrado por la fantasmal aparición de Larios.

—¿Tiene negocios con Pacheco? —preguntó, a su vez, Larios.

—Tengo negocios con todos los hombres de arte de esta ciudad y de casi todas. Es mi trabajo.

—¿En qué han consistido esos últimos negocios? —Larios miró fijamente los ojos de Zanussi, encendió otro cigarrillo y esperó su contestación.

—Sinceramente, pienso que no es de su incumbencia. De todas formas, no tengo nada que ocultar. El señor Pacheco me ha vendido un grabado —contestó Zanussi.

—El de Claudio de Lorena, ¿no es verdad?

Zanussi paralizó estúpidamente su enflautado rostro durante unos segundos, perdiendo su compostura, su elegancia natural. No había pensado, para nada, que aquel triste y sucio investigador fuese por delante de él en algún momento. Eso era algo, además, a lo que no estaba, precisamente, acostumbrado.

—Sí —se limitó a responder, completamente descolocado, algo extraño para alguien con su asombrosa serenidad, con su total dominio de todas las situaciones.

—¿No sabe que Pacheco es un mafioso? —preguntó, acalorado, Larios.

—Por Dios, no diga tonterías. En este negocio todos somos mafiosos. —Zanussi parecía haber recuperado, milagrosamente, la confianza, el autodominio, su extraña verborrea.

Durante unos segundos el que pareció estar fuera de juego resultó ser Larios. Por eso, apurando el tiempo y buscando un resquicio al que agarrarse, miró algunas de las revistas que se asomaban al escaparate del kiosco y sólo vio el rostro de Zoé en todas ellas, su cuerpo desnudo en sucias revistas para hombres, sus pechos apuntando directamente a su cerebro, a su cabeza que giraba y giraba como un carrusel vienés. Se dio cuenta de que Zanussi era muy inteligente, demasiado, y por ello, peligroso. Sin embargo, inmediatamente comprendió que el polaco tenía alrededor del cuello un dogal imposible de quitar y que no iba a conseguir nada de él, por lo que sambenitar el prestigio de Pacheco no le iba a llevar a ningún lado. Y es que, posiblemente, a esas alturas y con su experiencia, Zanussi conocía, con muchísimos más detalles, los turbios negocios del gitano.

—¿Sabe que el grabado se lo vendió Iris antes de ser asesinada? —preguntó un Larios aparentemente recuperado.

El rostro de Zanussi, durante unos momentos se encendió, comprendió que Larios sabía más de lo que aparentaba aunque el polaco siguió comportándose como un profesional de primera fila, manteniendo las formas exquisitas, las mismas formas y modales que le convirtieron, tiempo atrás, en la mano derecha de Zoé Latorre para sus asuntos artísticos.

—No, está equivocado. Fue alguien que no es del negocio el que vendió el grabado a Pacheco. Él mismo me lo ha confirmado. Sólo me confesó que tenía acento extranjero.

Esas mismas palabras eran las que deseaba escuchar Larios y eso fue algo que no pasó desapercibido a Zanussi. Sin embargo ya era tarde para rectificar.

—No sé si lo sabe —intentó rematar Larios la conversación, seguro de haber conseguido más de lo que pensaba y dejando una brecha abierta en la siempre bien amueblada mente de Zanussi—, pero tal vez le convendría saberlo: Andrés Pacheco es el principal sospechoso de la salvaje muerte de una mujer que tiene algo que ver con la familia Latorre, una muerte que, probablemente, salpique a demasiadas personas. Creo que eso debería hacerle pensar, igual que me está haciendo pensar a mí y a toda la policía desde hace tiempo.

Con gesto triunfador y actitud extrañamente soberbia, Larios dio la espalda al estilista polaco, volvió a encender otro cigarrillo y se alejó definitivamente de allí.

Los días que siguieron resultaron extraños. En el *Roccobarocco* se respiraba un ambiente de euforia sensacional y todo el barco hervía de alcohol y fiesta. Los piratas, mientras esperaban vislumbrar en el horizonte las costas recortadas de Tortuga, mataban su tiempo cantando, bailando y, sobre todo, entregándose de forma libidinosa y salvaje a devorar todo el alcohol que reposaba en el vientre del *Roccobarocco*: la brava ginebra holandesa, la espumosa cerveza de Irlanda, los ajenjos secos y brutales capaces de tumbar al hombre más fuerte. Faltaba todavía algún día más para llegar a puerto y los bocoyes de cerveza empezaron a agotarse. El Duque sabía que era una situación alarmante pero el éxito obtenido en la expedición justificaba por sí solo el suplicio de aguantar algún día sin cerveza. Para el Duque la situación había cambiado. Siempre había mantenido una fuerte disputa con el capitán Danko en el tema referente al alcohol. Sabía que era una situación peligrosa, que el barco estaba a merced de cualquier ataque porque los hombres, hundidos en los terrenos más bajos y cenagosos de la bebida, no respondían, no tenían fuerzas ni reflejos suficientes, estaban a merced del enemigo, estaban muertos antes de empezar la batalla. Era una lucha constante y, la mayor parte de las veces, infructuosa, porque el propio capitán Danko era el primero en perder el conocimiento por sus excesos con el alcohol. Sin embargo, la seriedad de los planteamientos del Duque, para alcanzar un éxito total y seguro, implicaba un compromiso por parte de todos los piratas y, claro está, en primer lugar, del capitán Danko. Lo primordial era el mantenimiento del barco y la seguridad del *Roccobarocco*. Luego estaba la diversión y el alcohol, algo que con un poco de paciencia, llegaría en forma de torrentes incontrolables cuando llegasen a Tortuga. El Duque, durante esos días, se refugió en el mantenimiento del barco y la disciplina, encargándose tanto de actuar como amigable componedor entre dos enemistados, como de administrar unos cuantos latigazos a algún desobediente. Supervisó, más que nunca, huyendo de lo que no quería huir, la actividad del nostramo, del nuevo artillero, del cirujano, matarife experto en cauterizaciones al rojo vivo que por suerte tuvo que trabajar poco gracias al limpio y total éxito de la empresa, del cocinero y del marmitón. Todo resultaba importante para el Duque, sobre todo aquello que le ocupaba la mayor parte de su tiempo. No deseaba, bajo ningún concepto, enfrentarse a Bianca, aunque sabía que, tarde o temprano, debería hacerlo. Había hecho instalar a los prisioneros en los mejores camarotes del *Roccobarocco* y había confiado a Padovani su seguridad y bienestar. Mientras tanto él se refugió, como pudo, en el trabajo, un trabajo permanente al que se entregaba por entero, tensando drizas, apretando traversas, arreglando lonas estropeadas, achicando agua, reforzando cabrestantes, ordenando los petates que servían de descanso a sus hombres, supervisando todas las reparaciones que había que realizar en plena navegación, subiendo a la mesana o al trinquete como si fuese el último pirata del barco y un millón de actividades más. Todo con tal de no enfrentarse a su Bianca, a su mirada, al brillo acogedor de su sonrisa. Esa inagotable actividad sorprendía a sus hombres, sobre todo porque durante esos días el Duque realizó trabajos que no formaban parte, ni mucho menos, de su cometido, pero a él todo le resultaba indiferente. Cuando ya no había nada que hacer, cuando la noche cubría por completo el *Roccobarocco*, el Duque se refugiaba en su camarote, aferraba con todo el dolor y las fuerzas del mundo su pequeña bola de cristal, la llevaba a su rostro, hacía que llegara hasta él el perfume secreto evocador de la felicidad y se replegaba sobre sí mismo, se acurrucaba en el incómodo catre y, mientras bebía desaforada y brutalmente, deseaba con todas las fuerzas que le quedaban acabar de una vez para siempre.

Hacía un día espléndido, con un sol salvaje, lleno de colores y de vida, como una acuarela transparente y femenina. En el impresionante jardín del chalé de Hugo Soto, junto a la piscina de azules misterios, Zoé Latorre desnudaba su cuerpo al sol. El bikini de lunares había quedado sobre la húmeda hierba, tirado, y, junto a la hamaca de rojo fosforescente encendido, Zoé ofrecía su magnífico culo al obsesivo y camandulero viento del sur.

En uno de los extremos de la piscina donde se encontraba instalado un coqueto bar, Castillo mezclaba en una coctelera de plata zumo de naranja, melocotón, granadina, limón y unas gotas de lima. La agitó durante unos segundos y sirvió el explosivo cóctel en dos altas copas que decoró con unas pequeñas sombrillas de color rojo y blanco. Luego se despojó de su bata y, con un bañador de estampados chirriantes, se acercó hasta Zoé. Durante un momento contempló lo que él siempre consideró la octava maravilla, y, tarareando una estúpida canción, extendió una de las copas hasta Zoé:

—Tu *Furor de estación*, especialmente hecha para ti.

—Gracias, eres un encanto; no sé lo que haría si algún día me faltaras —respondió con una cautivadora sonrisa Zoé. —Pues todavía tengo otra sorpresa preparada. Espera. —Castillo se acercó hasta la casa y en un par de minutos regresó con un tarro de cristal en la mano—. Es una crema de mi creación, llena de aromas picantes, cálidos y de gran volumen, algo pensado para ti. —Y sin esperar más, tomó parte de la crema con sus delicadas y afeminadas manos y empezó a extenderla por el cuerpo de Zoe, penetrando con masajes intensos por todos y cada uno de los músculos de su espalda, por sus piernas, y dedicando una especialísima atención a algo que desde hacía años obsesionaba al delicado zahorí, dejando que los dedos de la mano siguiesen un camino que aprendían con pasmosa facilidad. El cuerpo de Zoé comenzó a revolverse, a agitarse, a vibrar infinitamente. Entonces, se dio la vuelta y, ante los enamorados ojos de Castillo, surgió el pequeño cuerpo indómito, con sus delicados pechos llenos de vida y besos, con sus pezones negros, duros y que se agrandaban por segundos, con su pubis de vello mágicamente recortado que mostraba un pequeño camino hasta la cueva del milagro. Castillo volvió a coger más crema y acarició con sus manos el pecho, el abdomen, las piernas, hasta detenerse unos interminables segundos en los muslos de donde llegaba el fuego de miles de poderosos volcanes.

Zoé empezó a gemir, aunque sólo acertaba a susurrar, «pero, ¿qué me haces?», y siguió retorciéndose, componiendo sensualmente un ovillo de cristal y dejando que sus pezones terminasen por estallar:

—Deja, déjame, no podemos volver a empezar. —Zoé se dio la vuelta y volvió a dejar la espalda de los sueños al alcance de las manos del viejo trujamán.

—A veces me gustaría hundirme en tu cuerpo para siempre... Pero habrá que dejar, como decía Proust, las mujeres bonitas a los hombres sin imaginación. —Castillo si-

277

guió con su particular masaje, aunque ahora evitó bajar al cielo, conformándose, durante bastantes minutos, con estrujar los músculos del cuello y los hombros de Zoé, justo hasta el momento en que el teléfono portátil rompió intempestivamente la mañana. Ella contestó y, durante unos momentos, escuchó en silencio. Luego, terminada la misteriosa conversación, se puso a reír a carcajadas ante la atónita mirada de Castillo. Se levantó, mientras seguía riendo como una desquiciada autómata, y se puso la parte de abajo del bikini de lunares.

—Al parecer, Hugo ha matado a una puta, es lo único que me faltaba por escuchar —exclamó.

—¿Quién era? —preguntó Castillo.

—No lo sé, pero tampoco me extraña... ¿Por qué iba a ser mentira? Será un amigo, ya sabes que cuanto más fea es la verdad más amigo es el que nos la revela.

—No sabes lo que dices —la interrumpió Castillo.

—Sí, sí que lo sé, vaya si lo sé —dijo Zoé mientras se ponía un albornoz que no se molestó en abrochar, se acercó a Castillo y le dio un salvaje, arrebatado, tremendamente sensual, beso en la boca—. Ya sabes que la traición siempre fue compañera del fuego.

—Y tú siempre has sido mala y hermosa. Una explosiva combinación —susurró el cada vez más atónito Castillo.

—La mejor —respondió Zoé.

—¿No te preocupa lo que te han dicho por teléfono? ¿Piensas que puede ser verdad? Sabes que no seré yo el que defienda al hijo de puta de tu marido.

—Al parecer tienen un vídeo. El hombre del teléfono dice que le van a hundir.

En ese instante, Zoé, tras escuchar el ruido de un coche que entraba en el chalé, miró por el circuito cerrado de televisión:

—Deberías marcharte, llega Larios —susurró.

Te quiero cuando tienes frío, cuando tienes calor, te deseo cuando te levantas malhumorada, cuando estás triste y cuando estás alegre; te amo hasta la muerte cuando huelo tu perfume, cuando me acompañas hasta mi cama y no te separas de mí; te amo, incluso, cuando me traicionas y te cambias de perfume, te quiero cuando estás y cuando no estás, cuando me besas y cuando sé que estás besando a otra persona. Sólo quiero ser la última persona que veas cuando cierres los ojos y la primera que veas cuando los abras. Quiero compartir contigo tus mejores momentos y quiero estar a tu lado cuando sufras, cuando las cosas no te sonrían. Quiero encender tus cigarrillos y besar el suelo por donde pisas. Quiero pasar el resto de mi vida junto a ti y sé que sólo será posible en otra vida...

Ahora sonrío mientras acaricio la funda de plata del abrecartas Adriani. Me he acercado con ella hasta la iglesia de San Miniato... Es de noche, muy de noche, pero siempre nos gustó, cuando veníamos hasta aquí juntos, entrar en esta maravillosa iglesia. Ahora camino por sus naves y creo que escucho los sonidos de ultratumba del órgano. Bajo a la capilla y allí, al lado de unas escaleras, me arrodillo delante de tu tumba: Laura Gabelatti. Siempre supe que estabas aquí y ahora me voy a acercar hasta ti, te voy a estrechar contra mi cuerpo y ya nadie, nunca, jamás, nos separará.

Y es que te podría contar que estoy solo y triste...

Mientras esperaba en el despacho, haciendo volar sus ojos sobre una estantería llena de libros donde se distinguían, entre otros, el Diccionario de la Real Academia de la Lengua Española, la colección entera de Clásicos del Arte de Noguer-

Rizzoli, el Summa Artis, un buen número de atlas, la Gran Enciclopedia Larousse, cientos de catálogos de exposiciones y un par de enormes manuales de Internet, Larios intentaba, de nuevo, como tantas otras veces, recapitular su vida, volver a paginar una nueva historia; sin embargo, la entrada de Zoé le descolocó, le hizo regresar a sus tristes cuarteles y, para su desgracia, le provocó una sacudida no deseable para alguien que quería olvidar, desterrar recuerdos, dejar de balancearse en columpios desvencijados y oxidados por el tiempo.

—Pensaba en ti en este momento. Qué bien que hayas venido —dijo Zoé, colgándose del cuello de Larios, haciendo vida de alguien tantas veces muerto. Larios observó a Zoé, su bata que no se había molestado en abrochar, sus pechos escapándose y golpeando sus ojos, y comprendió que Zoé era una maravilla que él, desde luego, no se merecía y, por un momento, le pareció una mujer experta en engaitar, en sonreír, en embaucar, en hacer algo que, seguro, había hecho con muchos hombres y, con toda seguridad, seguiría haciendo a lo largo de su vida. Recordando miserias pasadas, Larios se separó de ella y miró por la ventana hacia la piscina donde observó a Jorge Castillo nadar plácidamente.

—¿Por qué me rehúyes? ¿Alguien te hizo daño? —preguntó, con ojos ligeramente tristes, más marrones y apagados que de costumbre, Zoé.

—Es curioso, cuando me marché de su vida, ella también pensó que la rehuía y, sin embargo, a partir de ese momento, ha estado conmigo las veinticuatro horas del día, los siete días de la semana, los doce meses del año —contestó Larios sin dejar de mirar por la ventana.

—Pero eso no tiene por qué ser así —dijo Zoé, mientras se abrazaba a él por la espalda—. La gente como tú sólo recordáis aquello que os causa dolor. Déjate llevar y sé feliz, no pienses en nada.

Larios se volvió, miró los ojos marrones tierra de Zoé y sonrió.

—Me encanta —comentó Zoé.

—¿Qué? —preguntó Larios.

—Verte sonreír —respondió Zoé.

Larios volvió a mirar por la ventana y, pellizcando los múltiples rostros de la melancolía, susurró con un apagado hilillo de voz:

—En realidad has estado dentro de mí desde siempre. Incluso antes de conocerte...

—¿Qué has dicho?

—Me gustaría que mirases en tus ficheros la dirección de Rojas. —Larios prefirió dejar de hablar de algo que siempre le superó y centrarse en lo que le había llevado esa radiante mañana a aquella mansión donde, muy probablemente, Zoé, cada noche, respondería salvajemente a todas los sueños de Larios, eso sí, en brazos de su marido, sobre la cama, en la bañera o en cualquier rincón de la casa, mientras él se conformaba con mojar su mano cada noche, abrazado a la almohada y soñándola una vez más—. Rojas es el investigador que contrató tiempo atrás tu padre para realizar el mismo trabajo que ahora estoy haciendo yo —recordó Larios al ver el rostro inundado de sorpresa de Zoé—. Me gustaría hablar con él, tal vez pueda ayudarnos.

Zoé se abrochó la bata, comprendió que el tiempo de los corazones había pasado, y comenzó a buscar en los abarrotados ficheros metálicos que decoraban una de las paredes del despacho. Durante unos minutos comprobó, de arriba abajo, la letra R hasta que finalmente se dio por vencida:

—No hay ninguna ficha con ese nombre —comentó—. Fue hace tantos años... La verdad, creo recordar que ese hombre murió.

Larios, por encima de la cabeza de Zoé, siguió con la vista todo el recorrido de sus finas manos adornadas por un anillo de plata, tan hermoso y enigmático como su cuello:

—¿Es el expediente del cuadro? —preguntó, al tiempo que señalaba una gruesa carpeta.

—Sí —respondió Zoé, y extrajo del archivo el expediente para, juntos, durante unos minutos, beberse de un trago todos los papeles—. Mira, el contrato de adquisición —y le enseñó un viejo pliego, arrugado y algo amarillento. Larios lo leyó y comprobó que el cuadro fue comprado por el padre de Zoé en una galería de arte de París el año 1959. Sin embargo, lo que más le llamó la atención fue una carta de recomendación llena de loas a Franco y a la guerra de salvación que un tal Vidal, seguramente aprovechado preboste de falanges, había redactado de puño y letra para Latorre.

—Me gustaría una copia de todo esto —comentó Larios mientras se despedía de Zoé con un amago de sonrisa.

Y es que la vida estaba empezando a dar demasiadas vueltas dentro de su cabeza, en medio de sus febriles recuerdos...

—¿Quién es? —Una voz temblorosa surgió tras la puerta del camarote del capitán Danko.

—¡El diablo, que cuida de los suyos! —Danko, perdidamente borracho, de un puntapié entró en el camarote.

El artesano veneciano y su esposa retrocedieron. En sus ojos se adivinaba el miedo, la angustia, un pánico casi irracional y, a la vez, perfectamente comprensible. Hasta ellos había llegado la fama de crueldad de Danko con sus prisioneros, el recuerdo de tantas y tantas historias... Se daban cuenta de que el fin podía estar muy cerca.

Danko, poco a poco, empezó a acercarse a Bianca Mattei, acorralándola contra una puerta. Su esposo, el artesano Morelli, intentó defenderla pero, rápidamente, cayó vencido a los pies del pirata. Danko, con la empuñadura de su sable, le había golpeado en la cabeza, dejándolo inconsciente en el suelo. Bianca intentó gritar pero no encontró fuerzas. Tan sólo, de forma histérica, comenzó a insultar a su perseguidor:

—¡Sois una rata de mar que se complace matando inocentes!

Danko lanzó una sonora carcajada y con sus sucias manos acarició el rostro de Bianca. Ella se apartó y mostró claramente su repugnancia.

—Sois muy valiente... Podéis guardar vuestras pistolas. ¡No las necesitaréis conmigo!

—No llevo pistolas.

—Vuestros ojos... He visto pistolas más consideradas.

Danko volvió a reír y, poco a poco, fue atenazando el exquisito cuerpo de Bianca.

—¿Sabéis que dormís en mi camarote? —baboseó.

Bianca no contestó.

—Y lo embrujáis... Sí, lo embrujáis cada noche —repetía, de forma desquiciada, completamente borracho.

El pirata se abalanzó sobre Bianca e intentó besarla. Ésta le propinó una sonora bofetada y gritó con todas sus fuerzas.

—En Tortuga cuando una mujer rechaza a un hombre significa que quiere que le domine y le ahogue con sus besos y abrazos... —susurró, libidinosamente, Danko y continuó con el sucio acoso hasta que alguien entró por la puerta. Era Padovani, con todo su aspecto de cura fantasmal surgido de las tinieblas. La escena resultaba tétrica y amenazadora, pero el corazón de Bianca respiró por primera vez.

—¿Ocurre algo? —En los ojos de Padovani se adivinaban demasiadas cosas y Danko, a pesar de su lamentable estado, las comprendía todas. No quería problemas con el Duque, así que empujó a la dama y salió huyendo del camarote no sin antes dar una última orden a Padovani:

—¡Haz que suban a los cuatro prisioneros a cubierta! En el puente de mando el Duque controlaba a sus hombres mientras no perdía de vista el horizonte. Deseaba volver a Tortuga pero jamás tuvo tanto miedo de un regreso. En ese preciso momento un Danko encolerizado y completamente ebrio le abordó.

—Te veo triste, Duque. Tendré que divertirte... Ya veo a ese capitán español colgado de los muelles de Tortuga... En la mirada del Duque había hielo y acero. Danko rio.

—Recuerda el potro de tortura de esos puercos. ¡Un cuarto de vuelta! ¡Vuelta entera!

—Cállate. —El Duque se había vuelto, enfurecido, contra su capitán.

—Bebe, estúpido. —Danko le alcanzó una botella de vino—. No hay nada como un buen potro para despertar la sed.

El Duque estrelló la botella contra el suelo.

—He dicho que te calles... Estás borracho.

—Siempre he trabajado mejor borracho que sobrio —contestó Danko.

En ese preciso momento, Padovani, acompañado de los cuatro prisioneros, interrumpió a sus dos capitanes. El rostro del Duque reflejó un millón de sentimientos, sus ojos se cruzaron con los de Bianca y creyó morir. Pero no había tiempo ni para palabras ni para miradas. El capitán Danko ya tenía preparado su propio espectáculo... Se acercó a don Francisco Gutiérrez, le agarró de los cabellos y le escupió a la cara:

—Sois un bailarín en la horca...

—El sótano es para los traidores. La horca para los valientes. —El capitán Gutiérrez, aterrorizado, sacó fuerzas de flaqueza y escupió en el rostro a Danko. Fue lo último que hizo en su vida. De su cuello, relampagueante, zigzagueante, surgió un copioso reguero de sangre. El cuchillo de Danko acababa de terminar con otra vida... Los prisioneros, que sabían lo que les esperaba, intentaron revolverse contra el pirata pero Danko, envalentonado por el alcohol y la sangre, sacó su par de pistolas y volvió a amenazarles.

—Si alguien quiere lo mismo que se acerque y le partiré la cabeza con mis manos. —En los ojos de Danko se descubrió una expresión de locura que asustó a todos sus hombres, perfectos conocedores de sus arrebatos.

Bianca Mattei, mientras tanto, en un ataque de histerismo y rabia intentó dar una patada a Danko. El capitán pirata empezó a reír, cogió a Bianca de los brazos y acarició su rostro con una de las pistolas.

—Siempre pruebo el vino antes de comprarlo. Probemos a ver si merece la pena.

En ese momento, cuando se disponía a besar a Bianca, el Duque empujó a Danko, le desarmó y le propinó un fuerte puñetazo. Todo el *Roccobarocco* empezó a temblar. Sin embargo, Danko temía al Duque como si fuese el mismísimo diablo y, además, sabía que estaba demasiado borracho para vencerlo. Durante unos segundos, en el suelo, estudió la manera de salir de esa desbordante humillación delante de sus hombres de la mejor forma posible, pero, a esas alturas, ni sus piernas ni su cerebro le respondían. Sólo acertó a reír como un loco y a gritar a todos los piratas, con su voz ronca, fantasmal, definitivamente rota:

—¡Cervezas para todos y no paréis hasta que estemos ahogados!

El *Roccobarocco* respiraba de nuevo. El Duque cogió de la mano a Bianca Mattei y la condujo, junto a los otros dos hombres, a su camarote. Había visto demasiadas veces a Danko que, tras beber como un poseso, había dado rienda suelta a sus más sucios placeres. Y a la bebida le solía seguir la insolencia y los sucios abrazos con honestísimas mujeres y doncellas que, amenazadas por su cuchillo, entregaban su cuerpo a la violencia de semejante bestia. Pero con Bianca eso no iba a suceder. El Duque sabía que, aunque ya había muerto por ella, estaba dispuesto a volver a morir otra vez. Y un millón de veces más. Ahora, mientras apretaba su mano, después de tanto tiempo, comprendía que todo merecía la pena por ella.

Esa tarde Batista iba especialmente desaliñado. Aparcó el coche y atravesó la calle sin mirar, provocando frenazos e insultos. Como un baladrón indomable se acercó hasta el templo satánico. Esperó unas horas, apoyado en la barra de un cercano bar, bebiendo cervezas sin parar, mirando una anodina televisión llena de figuras descoloridas, aprendiéndose de memoria los rostros de jugadores del F.C. Barcelona, entre los que reconoció a Cruyff, Sotil, Maradona, Amarillo, Rexach, Marcial y Kubala, que decoraban, en marcos ostentosamente dorados, todo el frente del bar y, como un catacaldos indómito, como un buitre paciente, cuando vio salir a Duncan White, todo de negro, como siempre, con su cuidada perilla y su larga melena negra, se abalanzó sobre él. Los clientes del bar, embozados tras el cristal y la música de El Fary, sólo acertaron a ver empujones, ojos de fuego, verbenas de voces y un puñetazo que dejó a Duncan sangrando copiosamente por su mejilla izquierda.

La forma en la que llegué a introducirme en el extraño mundo de los buscadores de tesoros es algo que, todavía hoy, me resulta bastante incomprensible y absurdo, aunque, bien mirado, la única salida digna a la pérdida de Laura Gabelatti sólo podía ser la de buscar indefinidamente la belleza. Lo cierto es que, de la noche a la mañana, me vi sumergido en el apasionante, intrincado y mafioso mundo de la búsqueda de tesoros, metido hasta el cuello, agarrado por las pelotas de una forma indolentemente buscada.

Cuando regresé de Florencia, en el otoño del 48, atado irremediablemente a los besos de Laura, comprendí que el tiempo, el mismo que en el pasado, junto a ella, me devoraba, pasaba indecente delante de mis ojos, era velocidad y ansiedad en estado puro, se había convertido en algo pesado como un obús, en una carga insoportable de llevar. Sabía que mis ojos habían contemplado la belleza y comprendía que había sido un privilegiado pero, al final del camino, sólo quedaba la condena de su ausencia. Todo el mundo, en su asquerosa vida, busca de forma desesperada la belleza y casi nadie la consigue. El que la logra es feliz, pero se condena. Es como si hubiese vendido su alma al diablo. Yo, en Florencia, en Laura, en su cuerpo increíble, en su sonrisa fastuosa, conocí la belleza, y por eso me condené.

Estaba en Madrid, intentando poner en orden mi vida, recuperando amigos y estrategias pasadas, asistiendo, impasible, a la reconstrucción de un país destrozado, un país en el que ya casi ni me reconocía y donde la vida se consumía a pequeños y dolorosos tragos. En esa situación, apurando un apestoso brandy de garrafa en un bar del Madrid antiguo, me encontré con un antiguo compañero del Servicio de Información e Investigación. Siempre me había resultado un tipo repugnante pero, por mucho que quisiera cambiar mi pasado, durante unos años, mi historia se unía a aquellos hombres necios, serviles y tremendamente peligrosos de los que, en muchos momentos, me aproveché. Era Vidal el típico fulano ganador de la guerra, de sucia mirada y perversos sentimientos, con bigote pequeño, copia indecente de indecentes modelos, encumbrado en una gloria que nunca hu-

287

biera imaginado, ávido de dinero y poder, de sed de venganza y resentimiento. En su perversa mente, no contento con todo lo que había conseguido tras su triunfo en la guerra, no cejaba en el empeño de acumular más y más dinero en sus bien nutridos y poblados bolsillos. Desde su impecable traje azul, vistoso y canallesco en medio de tanta pobreza, de tantos tipos que apenas tenían un saco de esparto para vestir, me atrajo a su causa. Yo no deseaba ni dinero, ni poder, porque todo lo había perdido, y no tenía ninguna intención de tirar adelante, al menos de forma consciente. Lo único que deseaba era matar el tiempo cruel y asesino y, para ello, tan sólo necesitaba trabajar las veinticuatro horas del día, los siete días de la semana, y viajar, mover mi desesperado culo, huir, huir hacia adelante de la forma más digna posible.

Vidal tenía montado un próspero negocio clandestino de tráfico de obras de arte y se había convertido en el verdadero rey del mercado negro de los restos arqueológicos. No se trataba de expoliar obras conocidas y clasificadas extraídas de museos o iglesias —de eso ya se encargaban otros más listos y de mayores galones; Vidal, al fin y al cabo, era un pelele, un segundón, un siervo de los verdaderos triunfadores, de los voraces salvadores de la patria— sino de coger restos directamente del suelo. No había ningún tipo de control y el suelo, la tierra, todo el país era suyo, todo el campo estaba bajo la sombra de su fascistoide bigote. En concreto, en la zona de Extremadura y Andalucía, tenía localizados Vidal más de mil yacimientos arqueológicos y contratado, a golpe de reales manchados y sucios, todo un nutrido ejército de expoliadores, de toda clase y condición, fuerzas vivas de cada pueblo y también campesinos y gente de la calle que labraban su pequeña tierra y encontraban restos, para ellos de ningún significado y valor, armados con rústicos detectores de metales y con cientos y cientos de palas, que asaltaban los campos en busca de alguna joya que resultase valiosa a los ojos de los expertos historiadores del arte vendidos a Vidal. Se podía encontrar de todo porque en la removida, hastiada y derrotada tierra española, había de todo: objetos de ajuar pertenecientes a la edad de hierro, denarios de oro y plata del período romano, todo tipo de monedas del medievo y de la edad moderna, vidrios, cerámicas y trozos de mosaicos y columnas; todo lo que se pudiera imaginar. Las piezas más pequeñas y de menor valor pasaban de mano en mano y acababan convirtiéndose en moneda de pago para alcaldes, guardia civil y curas de los pueblos que lucían, orgullosos, en las vitrinas de su casa, como un tesoro, monedas o pequeñas vasijas de casi ningún valor. Las piezas de mayor importancia, sin embargo, llegaban directamente a Vidal quien se encargaba de desviarlas a canales ya establecidos. Comenzaba, entonces, una organizada red de comerciantes clandestinos, restauradores piratas, coleccionistas anónimos y sin escrúpulos, e intermediarios codiciosos. Era así como un mosaico romano encontrado en suelo español acababa en una subasta de Londres, París o Nueva York. En esos círculos la figura de Vidal era ya casi mítica y, durante un tiempo, me convertí, sin ningún tipo de remordimiento, en su mano derecha.

Al poco tiempo de estar metido en este nuevo, apasionante y peligroso trabajo, Vidal me pidió que encabezara la expedición que, con capital americano, de uno de sus más importantes y reconocidos socios, iba a emprender, en aguas de Venezuela, a la búsqueda de un tesoro del mítico capitán Morgan, teóricamente desaparecido en las aguas de Maracaibo tras su invasión del año 1669. Deseaba viajar, quería huir, buscaba emociones en un cuerpo en el que ya no existían y, sin pensármelo dos veces, me engarrafé desesperadamente al proyecto y partí hacia Venezuela.

✦ ✧ ✦

La Biblioteca de la Casa de América estaba un poco destartalada, medio abandonada, con sillas que crujían y una docena de mesas de madera repletas de *graffiti*, pero tenía los mejores fondos en materia de piratas y corsarios. Era como una cafetera tremendamente antigua, que se caía de vieja, pero capaz de seguir preparando el mejor café, el más aromático y delicioso. Unas cincuenta sillas vacías se abrían a los ojos de Larios, y también un silencio sepulcral, un ambiente fantasmagórico, lleno de ecos pizarrescos. Desde el centro de la sala surgía, como un islote saliendo de las profundidades, de abajo arriba, una escalera de caracol que llevaba hasta un piso superior donde había unas cuantas mesas más, igualmente destrozadas por corazones atravesados por flechas, citas diversas, frases soeces y loas a equipos de fútbol o a grupos de *rock and roll*. Larios miró a su alrededor y observó que, al fondo, junto a la ventana, un joven rubio y con gafas era el único usuario de la biblioteca. Tenía en sus manos un libro que parecía bastante antiguo, con unas cubiertas de piel de color rojo, al que no prestaba la menor atención. Inmediatamente, Larios se acercó a un viejo y destartalado fichero y comenzó a buscar en el índice de materias algo que le otorgase alguna luz. El primer libro que consultó fue *Galería de Piratas Ilustres*, de Benito Lynch, el mismo libro que le había enseñado la noche de su muerte el profesor Piñeiro y que, casualmente, desapareció como presa de un mismo encanto de cintas rojas. Larios volvió a leer los datos que sobre el pirata Danko aparecían en el viejo volumen argentino y comprobó que no había nada más en él que lo que le había leído Piñeiro. Luego hizo muchas más consultas. Durante más de seis horas fue descubriendo que el pirata Marco Danko aparecía en las páginas de muy pocos libros, que no era, ni mucho menos, de los piratas más conocidos, y cuando en alguno le citaban era para repetir, aproximadamente, los mismos datos que le había descubierto el profesor: que era de Rotterdam, que asaltó la tripulación del *Gran Mogol* y varios galeones españoles, que se atrevió a adentrarse en el mismísimo Maracaibo para llevarse un galeón español, lleno de oro y plata, anclado en el puerto de la ciudad, que fue famoso y temido por su aspecto físico y por las crueles atrocidades que cometió con sus prisioneros y con sus mismísimos hombres y, finalmente, que murió en un peculiar duelo a manos de uno de sus hombres. Todos repetían lo mismo. Sin embargo, como premio a su constancia, en un pequeño libro titulado *Piratas, bucaneros, filibusteros y corsarios en América* escrito por un tal Honorio Bustos, apareció algo que hizo que Larios saltase de su silla. Apenas se dedicaban a Danko siete líneas pero la última era explosiva: «Danko murió en La Tortuga a manos de su lugarteniente, un extraño pirata español conocido como el Duque». Larios recordó, al instante, las palabras del profesor que decía que el hombre de negro que estaba de espaldas en el cuadro de Claudio de Lorena seguramente fuese el lugarteniente de Danko porque parecía ser el protagonista del cuadro, recordó al hombre que hizo construir el palacio Morelli, y recordó, todavía con mayor excitación e intensidad, la inscripción que figuraba en el reverso del grabado perteneciente al *Liber Veritatis* del lorenés, *quadro fecit per Duque, spagnolo*. Larios acababa de descubrir, o al menos eso pensaba, quién era el extraño hombre de negro y quién encargó el cuadro a Claudio de Lorena. La investigación parecía seguir su curso, llena de aristas y lagunajos, pero también de Zoés y martinis. En la biblioteca, a esas horas, ya sólo estaba Larios con su imaginación volcánica. Tomó unas notas en una vieja libreta, dejó el libro y se acercó, como cada noche, al Wang Tao.

✦ ✧ ✦

El Duque, con su prodigioso instinto natural, acababa de notar un extraño movimiento en el barco. Se acercó al hombre que, en ese momento, dirigía el *Roccobarocco* y preguntó:

—¿Qué ocurre? Mantén el rumbo.

—No me responde; es la caña del timón.

El Duque apartó a su hombre, dio unos golpes sobre el timón y consiguió que el barco le respondiese. El piloto, con ojos incrédulos, parecía no entender la pericia de su capitán.

—El *Roccobarocco* y yo nos conocemos desde hace tiempo... Sabemos cómo tratarnos —fue la escueta excusa dada por el pirata negro a su sorprendido hombre.

El Duque y el *Roccobarocco* se conocían desde siempre, era cierto, pero no menos cierto era la pericia del Duque, su don natural para entender el barco, que había pasado a ser su vida. Llevaba tiempo sin salir en expediciones y eso, en cierta forma, le había trastornado. La única manera que tenía de ser feliz, de intentar olvidar, era trabajar día y noche en la nave. Mientras permanecía en Tortuga sólo podía olvidar preparando una nueva expedición y dirigiendo El Loro Azul. Pero eso no era suficiente. Necesitaba de la grandeza del mar, de sus luces y sombras para sentirse vivo. Y en el *Roccobarocco* parecía conseguirlo. Sin embargo, al regresar a su vida Bianca Mattei de una forma tan brutal y desesperada, ya ni siquiera el *Roccobarocco* podía servir de bálsamo. Todo se había vuelto a derrumbar. El par de días que siguió a su disputa con Danko lo empleó en trabajar como el último de los piratas, reparando jarcias, achicando sentinas, recogiendo velamen, mientras reservaba las veinticuatro horas del día para que Padovani, fiel como un perro, defendiese y protegiese a su bella Bianca del alma. Y fue entonces cuando todos sus hombres, asombrados y admirados por el despliegue de energías del Duque, comprendieron que aquel hombre taciturno, triste y solitario era un grandísimo marino al que su instinto le hacía predecir la intensidad de los vientos y la ruta a seguir, sin necesidad de ningún instrumento adicional. No existía gaviero más trabajador ni timonel más hábil en el manejo de la caña a la hora de barloventear y era imposible encontrar a alquien con su derroche de energía. Lo realmente cierto es que en su corazón había habido tal prodigalidad de sentimientos que aquello era, para él, una nadería sin importancia.

La noche caía sobre el barco pirata y el Duque era uno de los pocos que permanecían en la cubierta del *Roccobarocco*. Una luna llena, grande, inmensa, desquiciante y tremendamente hermosa presidía el paso fugaz del barco sobre las calmadas aguas. El Duque, pensativo, afiebrado, con una de sus manos acariciando la moneda de oro que colgaba de su cuello y que tantas primaveras atrás le regaló Bianca, veía un rayo de luna platear sobre la cofa del palo de la mesana lo que hacía resplandecer, de forma casi mágica, la blancura de la lona de la cangreja.

—No merece la pena...

A su lado acababa de situarse Padovani. En sus ojos apareció un brillo de cansancio que no pasó desapercibido para el Duque.

—Acuéstate unas horas. Dentro de poco estaremos en Tortuga. Ella no corre peligro ya.

—En Portobello cambiaste una chica por dos barriles de ron.

—Aquella mujer se parecía tanto a ella... Lo sabes. Sabes que pasé toda la noche acariciando su rostro y mordiéndome las lágrimas. Aquella mujer era tan libre como Bianca Mattei, tan libre y tan hermosa...

Padovani apretó el brazo del Duque y se despidió. Sabía

que todo resultaba imposible. Ya lo era antes y ahora prefería no pensar lo que podía ocurrir con el Duque, ahora que ella había vuelto.

La noche seguía su curso envolviendo al *Roccobarocco* en su largo abrazo de magia y misterio. Mirando al horizonte negro del mar en calma, el Duque se perdía en recuerdos, en los besos increíbles de Bianca, mientras comprendía que ahora su vida olía como los sueños rotos. El tiempo le sabía a agua seca porque eso era lo único que tenía desde que le abandonó Bianca, eso y la oscuridad. Siempre supo que cuando el amor se convertía en obsesión se abrían las puertas del infierno. Ahora, después de tantos años, se daba cuenta de que llevaba en el infierno ya un millón de años.

—¡Barco a la vista! —El vigía acababa de despertar de su locura al Duque quien comprobó, estupefacto, cómo los primeros latigazos del día sacudían ya el *Roccobarocco*. Rápidamente tomó el catalejo y vio que se trataba del barco de Kluivert. Estaban llegando a Tortuga y, sin duda, hacia allí se dirigía también el viejo pirata.

—¿Qué demonios ocurre? —Danko, sobresaltado, acudió junto al Duque.

—Es Kluivert. —El Duque le ofreció su catalejo. Danko miró a través de él y lanzó un rugido, en forma de orden, a sus hombres:

—Muchachos, es el malnacido de Kluivert. Vamos a recibirle como se merece... Esta noche Tortuga va a estallar. Artillero, preparado. ¡Fuego!

Durante más de una hora los dos barcos piratas, como era costumbre entre aquellos hombres, saludaron con los cañones gruesos y convirtieron en fiesta el encuentro mientras al fondo, en medio del infernal ruido, se escuchaba una ronca voz:

—¡Tierra! ¡Tortuga a la vista!

✦ ✧ ✦

Esa noche tan malditamente estrellada no resultaba propicia para que Larios expulsase miedos y lamentos en el Wang Tao y Batista se dio cuenta de ello rápidamente. Pidió a la chica de Tarragona un par de cervezas, guardaron sus palas en unas machacadas fundas de plástico y se sentaron en unas sillas altas que miraban hacia la calle. Fuera, en medio de una noche misteriosa y tremendamente sensual, cientos de personas de las más variadas edades y condiciones, desfilaron ante sus ojos. Durante varios minutos el silencio se apoderó de ambos hasta que Larios susurró:

—¿Puedo dormir este fin de semana en tu casa?

—¿Qué ocurre? —preguntó Batista.

—Silvia va a recoger sus cosas, prefiero no estar allí...

Larios apuró el botellín de cerveza, se levantó y, a los pocos segundos, regresó con otro par de botellines.

295

—¿Qué os ha pasado a vosotros dos? —preguntó un desconcertado Batista.

—No sé, supongo que se acabó el amor —contestó, con un dejo algo irónico, Larios.

—No seas estúpido, a mí no me engañas, eso es una tontería impropia de alguien como tú. Jamás estuviste enamorado de Silvia, eso lo sabemos los dos. —Batista, con un visible enfado, cogió del bolsillo de su pantalón el llavero, sacó una llave y se la dio a Larios:— Esta noche llegaré tarde. Toma, tengo otra copia en el coche.

Larios cogió la llave y sonrió. Él siempre pensó que realmente tenía enfermo el corazón, que padecía de bovarysmo, esa enfermedad que consiste en encontrar la vida insuficiente, pero no se atrevió a adentrarse por esa melancólica e improductiva senda junto a Batista.

—No te preocupes, mañana por la tarde tengo pensado acercarme a Peñaranda de Bracamonte —se limitó a susurrar.

—¿Peñaranda? —preguntó, extrañado, Batista—. Eso parece el culo del mundo. ¿Qué buscas allí?

—El culo del mundo, sí, pero por su nombre tiene que ser un culo bonito. La verdad es que todavía no sé muy bien lo que busco, pero creo que parte del secreto se esconde allí. Es un pueblo del que me habló el profesor Piñeiro antes de ser asesinado.

«No necesito que me perdones por haberte amado tanto», iba pensando Larios mientras dejaba atrás el Wang Tao, las luces y a Batista. Larios pisaba, sin darse cuenta, charcos y cervezas derramadas, algún que otro claxon de coches furtivos y faldas de cuero terriblemente cortas. En el bolsillo de su pantalón acarició la llave del apartamento de Batista.

Larios siempre pensó que Dios había desaparecido tras construir su chapucero mundo, pero si había un dios no estaba en él, ni siquiera en ella, ni en el sol, ni el mar, ni en el aire o el fuego, sólo podía estar en el hueco que había entre los dos. Sin embargo, ese hueco, como los suspiros de Baudelaire, olía mal. Ahora, sabiendo que nunca resolvería con ella el Gran Misterio, mientras paseaba dentro de la noche de lujo, dentro de charcos fantasmagóricos y estrellas malditas, y encaminaba sus pasos al apartamento de Batista, se dio cuenta de que estaba solo, tremendamente solo, y lo que resultaba más preocupante, le daba lo mismo.

✦ ✧ ✦

Llegué a Venezuela en diciembre de 1948 y, durante más de un año, me introduje dentro de su luz, dentro de sus gentes y me dejé sobrepasar por su vitalidad, intentando perderme por sus calles, hacerme definitivamente anónimo y diluirme en el confín del mundo, olvidarme por completo de Laura y apagar con la distancia y el tiempo su recuerdo. Pronto comprendí que era una tarea imposible, aunque desde que perdí el perfil de su sonrisa me agarro desesperadamente al pasado, y lo hago intentando, de forma más desesperada aún, olvidarla. Es contradictorio, pero todo, desde que me abandonó Laura, es contradictorio, inútil, terriblemente absurdo. Hoy, tantos inviernos después, siento lo mismo...

En Venezuela me pusieron, como una tapadera casi de ciencia ficción, al frente de una multinacional de perforación petrolífera instalada en el lago de Maracaibo. Era un momento de auge, de explosión. La fiebre del petróleo contagiaba a todos los venezolanos y a todos los grandes hombres de los dólares flotantes. En 1946, Acción Democrática había obtenido la mayoría absoluta en las elecciones para la constituyente y promulgó, inmediatamente, una nueva ley para controlar el negocio petrolífero que fijaba en un 50 por ciento la parte de los beneficios que las compañías debían entregar al fisco. El dinero que se movió a partir de ese momento, con la perversa trayectoria y la engañosa forma de un iceberg, fue indescriptible. Sin embargo, todo estaba dominado por los militares, por la corrupción, por la mierda flotante. Algún pequeño ensayo democrático, como el protagonizado por el candidato de Acción Democrática, Gallegos, que no quiso doblegarse a los mandatos de los militares, terminó con un pronunciamiento castrense justo en los días anteriores a mi llegada. El ambiente estaba cargado y tremendamente crispado pero la sonrisa de aquellos hombres era reconfortante, sincera, envidiable. En el aeropuerto me recibió un hombre alto, rubio, con aspecto de matasiete y maletín prohibido. Se llamaba Milton Davis y era mi enlace con el gran hombre que me había llevado hasta allí, un multimillonario tejano, dios del oro negro y apasionado coleccionista de arte. La cantidad de millones de dólares que el buen fulano extraía de las tripas de Venezuela le permitían muchos lujos y caprichos. Durante aquella época pensé, y lo sigo pensando todavía, que el país entero se movía al ritmo que imponía su rolex, su firma retorcida en papeles oscuros. Muchos de los miembros del gobierno pasaban sus vacaciones en alguna de sus mansiones y escondían sus secretos en varios de los yates que ponía a su disposición el turbio yanqui. Compraba a todos con sus poderosos dólares y yo no fui menos.

El gigante rubio me dejó en la puerta de un hotel extravagantemente fastuoso. Antes de despedirse me alargó su maletín y me presentó a una mujer tremendamente bella. Para aquella época y en aquel país resultaba una verdadera provocación. Era muy rubia, bastante alta, de pechos rotundos y extraordinariamente marcados, con falda estrecha y muy corta. Comprendí al momento que la fulana también se había vendido al tejano. Como yo. Como todos.

—Aquí tiene toda la información que usted precisa. Dentro de dos días empezará el trabajo. Le avisaremos.

—¿Hemos conseguido ya todos los permisos necesarios?

—Trabajamos para alguien que no necesita ningún permiso. No lo olvide. —El matasiete se marchó y me dejó con el maletín, con la rubia y con una sensación de malestar que tardó en desaparecer.

Subimos en el ascensor y cuando llegamos a la habitación di una propina al botones y me quedé solo con aquella mujer. Dejé el maletín encima de una mesa y empecé a desnudarme. Ella me imitó. Cuando la vi desnuda, tan perfecta, tan hermosa e insultantemente atrevida tan al alcance me sentí perdido. En aquella mujer sólo podía ver a Laura, aunque eran completamente distintas. Comprendí, al momento, que no sería capaz de estar con nadie después de haber besado el cuerpo de Laura, después de haber muerto dentro de ella. Sentí un calor asfixiante, una sensación de derrota indescriptible, así que expulsé de mi habitación y de mi vida a la espectacular rubia. Tiré su ropa fuera y el cuerpo perfecto de la mujer perfecta me abandonó para siempre. Comencé a sentirme bien y me sorprendí hablando con Laura. Únicamente me podía apartar de ella el capitán Morgan. Sonreí, miré el maletín y me dispuse a devorarlo. Deseaba convencerme de que yo era el último pirata y que mi princesa se había perdido. Tan sólo esperaba que algún valiente la rescatase.

Reconozco que siempre fui un maldito y estúpido romántico.

La noche se fue haciendo eterna, volviéndose insoportable, con sus mil suspiros y miedos, con todas esas sensaciones de colores que tantas veces habían resultado perturbadoras para Larios. Ahora, sin embargo, acurrucado en un incómodo sofá de cuadros, símbolo del grado de chabacanería que podía alcanzar Batista, se retorcía de angustia. En su mirada, en sus ojos, grandes y abiertos, incapaces de someterse, a pesar de la intempestiva hora, a la dictadura del sueño, habitaba una sensación extraña y agarrotadora que le hacía sentir más débil y perdido que de costumbre. Se encontraba tremendamente agitado por el viaje que iba a llevar a cabo, un viaje al que deseaba aferrarse desesperadamente como a un último y anhelado salvavidas, aunque tal vez su corazón, en esto como en todo, fuese muy por delante de su cabeza. Le agobiaba lo que le había hecho a Silvia. Se acababan varios años, se metían en un cofre cientos de recuerdos y se lanzaban a un mar profundo y amargo. Sentía, y mucho más a esas horas de la noche, rodeado de silencios y de angustias, que se había comportado como un verdadero cerdo con ella, que Silvia había sido un segundo plato injusto, una máscara que lavaba su sed de alguien. Recordaba los momentos en los que abrazaba a Silvia, la desnudaba, le hacía el amor y sólo veía a otra mujer. Siempre había sido así. Hacer el amor con Silvia era estar con alguien, intentar recomponer lo que pudo ser y, en realidad, nunca fue.

Eran las cuatro de la madrugada y, en medio del silencio, un silencio tan agobiante para Larios que se podía cortar con un cuchillo, apareció Batista, acompañado por Lesbia Aquino e iluminado por una luz especial. Larios se dio media vuelta, mareando los cuadros del sofá, cerró los ojos y decidió aislarse en su particular burbuja, dejar que pasase el chaparrón, esperar la electricidad del sueño. Vio, con los párpados bailando, detrás de una oscura persiana instalada en sus ojos nocherniegos, cómo Batista y Lesbia se abrazaban, se besaban, buscaban desesperadamente sus cuerpos y un lecho donde llorar toda su felicidad. Ansioso de mujer, lleno de su ausencia, Larios reconocía en Lesbia algo que le daba escalofríos. Siempre le pareció una suripanta de lujo, alguien demasiado vulgar para cualquier hombre y, sin embargo, lo único que realmente veía en ella era todo lo que en su día no tuvo. Larios no comprendía por qué todos aquellos besos le sabían a como un puñetazo indecente; en el fondo, imaginaba que no era otra cosa que el recuerdo de besos antiguos con sabor ya a naftalina. Lesbia, en aquel momento, era para él, y ya definitivamente, la no mujer, el pasado regalado a la miseria. Durante unos minutos, apoyados en la puerta del dormitorio, les vio hablar de forma desasosegada, inquietante, enfermarse mutuamente de palabras y suspiros, soportando una estúpida logomaquia que, por momentos, se eternizó. Aquello desconcertó a Larios, sobre todo conociendo la forma de actuar de Batista; sin embargo, el extraño preludio duró poco. Cerraron la puerta del dormitorio y Larios pudo abrir tranquilamente los ojos, descansar de sensaciones ya olvidadas, dejarse romper los oídos por los jadeos que iban llegando, acompasadamente, criminalmente, desde el fondo del dormitorio. Larios dio mil vueltas en el sofá de cuadros pero sólo logró escuchar unos suspiros entrecortados que le llevaron a otros lugares, tan lejanos ya. Hemos nacido para estar juntos, aunque nunca lo estemos, susurró. Ésa, en el fondo, era su única gloria, y por eso lo repetía constantemente. Ésa y los recuerdos, su verdadero único tesoro.

El *Roccobarocco*, a primeras horas de una mañana que se adivinaba esplendorosa, iba haciéndose paso, sobre la balsa de aceite en la que se había convertido el mar de los piratas, rumbo al pequeño y protegido puerto de Tortuga. Atravesó la bahía del Nuevo Mundo y se encaminó, altivo, hacia su bocana, tan estrecha que un solo barco podía impedir la entrada a cien, eso sin contar con el fuego llovido desde el cielo, desde el castillo situado en el Peñasco del Nuevo Mundo con sus dos piezas de artillería certeras y letales aunque, generalmente, desaprovechadas porque nadie había sido lo suficientemente osado como para intentar invadir Tortuga. Todos los países sabían que Tortuga era un nido de piratas y que en su terreno eran inexpugnables. Ahora el *Roccobarocco*, seguido por el barco de Kluivert, hacía su triunfal entrada en el puerto de Tortuga. Era una hora muy temprana pero el puerto estaba atestado de gente. Todo el mundo, sin excepción, esperaba impaciente la llegada de noticias, de buenas nuevas, de alcohol y dinero. Todos intuían que los siguientes días en Tortuga iban a ser prósperos, mágicos, salvajes. El sol finalmente hizo acto de presencia para ser testigo del regreso del *Roccobarocco* a su casa.

Desde el puente de mando, el Duque, con expresión seria, adusta, casi trágica, observó cómo sus hombres se abrazaban a la gente que les esperaba, les vio trasvasar noticias, alegría, abrazos; dentro de una inenarrable borrachera de felicidad descargaron los baúles que contenían todos los tesoros arrebatados al *Espíritu Santo* y cómo, en una procesión de silencio y tristeza, su Bianca, al abrigo del fiel Padovani, y acompañada por su esposo y por don Juan de Espina, desembarcaba y era llevada a la casa propiedad del Duque, situada junto a El Loro Azul. Era una imagen que rompía en mil pedazos el corazón del Duque, una imagen casi fantasmagórica, irreal, extraña, como sacada fuera de contexto, como un desfile de almas en pena atravesando un mundo de lujuria, desenfreno y alegría. Y en ese desfile, en medio de los peores momentos, en las situaciones más delicadas y trágicas, Bianca Mattei, casi rozando el suelo, emergía en medio de Tortuga como una mujer exquisita, con una fortaleza adorable, con su cabello negro como la noche, con su porte cautivador, con ese don natural, con esa elegancia innata. El Duque comprobó, desde su atalaya de melancolía, que Bianca estaba tan hermosa como siempre, que los años no podían con ella, que su piel, sus ojos, su cuerpo, resultaban más adorables y excitantes que nunca, que no era justo que cada vez que la mirase se rompiese algo dentro de su cuerpo. Tal vez por eso, porque ya no sabía si su alma estaba preparada para sufrir más, el Duque evitó, en lo posible, mirar a Bianca. En ella sólo veía su vida y las ganas de abrazarla, besarla, acariciarla eran tan grandes que sabía que, en cualquier momento, iban a terminar por dinamitar su entereza. En cada gesto, en cada mirada de Bianca estaba el recuerdo de un beso y, a esas alturas, eso resultaba insoportable para él.

—Ha sido una expedición perfecta, viejo amigo. —El capitán Danko, acercándose por detrás y poniéndole una de sus manos sobre el hombro, felicitó al Duque.

—Sí, perfecta... —El Duque sonrió e intentó cambiar de conversación—. ¿Qué tienes pensado hacer con los prisioneros?

—Podía estar furioso, pero no lo estoy... La mujer es tuya. Ya era hora de que te interesaras verdaderamente por alguna. Es fascinante, hermosa, lo tiene todo. Me alegro, Duque, en serio. Pero los dos hombres son míos. Ése es el trato.

—¿Qué piensas hacer con ellos? —volvió a preguntar el Duque.

—Nos divertiremos... Los próximos días en Tortuga van a ser especiales.

—¿Eres ambicioso, Danko?

—Sí, lo soy. De sobra lo sabes. —Danko, extrañado, pareció no comprender la pregunta.

—Podemos sacar dinero, mucho dinero por esos dos hombres. ¿Por qué crees que el rey francés está detrás?

El capitán Danko dudó y miró con extraños ojos al Duque. Hasta ese momento no había caído en la cuenta de que la expedición estaba, de algún modo, dirigida desde París.

303

—Ese hombre —cuando el Duque hablaba del esposo de Bianca se traslucía en sus ojos algo extraño, indefinible— es un artesano veneciano de primera calidad, un constructor de espejos que se disputa media Europa.

—Explícate. No entiendo nada de lo que dices.

—En Venecia están los mejores constructores de espejos. Su técnica es increíble, perfecta, y sus espejos los más bellos, hermosos y buscados del mundo. Pero esa técnica es un secreto que nadie conoce. Los artesanos lo van transmitiendo, de padres a hijos y no sale de Venecia bajo pena de muerte. A este artesano le están buscando desde Francia, desde España, desde Inglaterra, desde Flandes y, también, desde Venecia. Seguramente el Dux ha enviado a alguien con el encargo de asesinar a ese pobre hombre para que no se vaya de la lengua... El rey español tiene mucho poder y ya lo ha contratado, no sabemos cómo. Incluso le ha hecho venir al Nuevo Mundo a trabajar. Pero el rey francés le quiere para sus nuevos palacios. Y todos le quieren. Podremos sacar mucho oro por él.

—Me gusta la idea... Cada día me sorprendes más. Es tuyo, pero quiero el oro pronto.

El capitán Danko abandonó, presuroso, el *Roccobarocco*. En el muelle, vociferando como un animal herido, el capitán Kluivert le esperaba. Los dos viejos lobos de mar se abrazaron y, agarrados, estrujándose los hombros, se dirigieron hasta El Loro Azul. El Duque, desde el *Roccobarocco*, les observó y sonrió. Luego bajó a su camarote y terminó con el reparto del botín. Sabía que esa noche todos los piratas acudirían hasta él para que les diese su parte de gloria y de infierno.

El 4 × 4 negro iba sacudiéndose lluvias a cada golpe de acelerador. En la radio sonaba la voz de Jim Morrison con sus jinetes en la tormenta y Larios, con su portentosa imaginación, empezó a sentirse en la bañera de un hotel de París, roto definitivamente, abotargado de drogas, alcohol y delirio. Cambió el dial de la radio, buscó fuerza interior pero sólo encontró más y más lluvias. Al calor de la radio, el paisaje lluviano, de tierra mojada, se apoderó de la llanura castellana y cuando cruzó Serrada y La Seca, tierra de vinos donde tantas y tantas veces se emborrachó, se desató una tormenta impresionante. Regresó a Jim Morrison, al mito y al delirio, y subió el volumen de la radio hasta límites casi insoportables, mientras, anhelando y añorando los jinetes en la tormenta, comenzó a pisar de forma desaforada el acelerador, a pesar de la cortina de lluvia que se agolpaba en el parabrisas del 4 × 4, dejando atrás varios coches que se habían detenido en la cuneta por falta de visibilidad. El diluvio fue corto y, cuando Larios ya había dejado atrás la mítica Medina, lucía un sol esplendoroso, de fuego brutal, de día limpio y salvaje. Pasó Rubí de Bracamonte, pueblo de nombre hermoso y evocador, que le recordó, no supo por qué, el cuadro de Claudio de Lorena, aunque, desgraciadamente, su aspecto externo era triste, de pueblo abandonado y silencioso. Tan sólo un rebaño de ovejas, cuyos balidos cruzaban y descruzaban las calles, y el pastor que las cuidaba, sentado en la raquítica fuente que presidía la plazuela junto a la carretera, y que, bajo el justiciero sol, respondió, entre sorprendido y encantado, al saludo que con el claxon le lanzó Larios, parecían reinar en medio de la nada más absoluta. Pasó Fuente el Sol y llegó a Madrigal de las Altas Torres. Larios miró el indicador de gasolina y decidió parar a repostar. Mientras le echaban gasolina ojeó las portadas de diversas revistas y periódicos, compró un bote de cerveza y preguntó por los kilómetros que faltaban hasta Peñaranda de Bracamonte. Subió al 4 × 4, con fuerzas e ilusiones renovadas, y se adentró por el túnel mágico que le iba a llevar a otro tiempo. Cruzó Paradinas de San Juan y, poco después, divisó, a lo lejos, Peñaranda de Bracamonte. Sabía que llegaba a un lugar especial que, con toda seguridad, le iba a regalar más de una sorpresa. Además, con ese nombre tan bello no podía ser de otra forma. Sin embargo, justo cuando dejó atrás la señal que indicaba que Peñaranda de Bracamonte se encontraba a dos kilómetros, cuando se acercaba ya, gozosa y entusiasmadamente, al pueblo, la lluvia volvió a hacer acto de presencia, saludando desde el escenario como en una vieja y fantasmagórica representación teatral. En la radio, para entonces, David Bowie iba de cenizas en cenizas.

✦ ✧ ✦

Henry Morgan, con treinta y un años, había sido elegido almirante por los filibusteros. Tres años después, en el curso de una misión a las órdenes de sir Thomas Modyford, go-

305

bernador de Jamaica, y tras destruir Puerto Príncipe y Portobello, hundió en la entrada del lago Maracaibo tres bajeles bajo el mando del almirante español Alonso de Campos.

Morgan había preparado concienzudamente el ataque a Maracaibo. Tras el éxito de Portobello esperó a que sus hombres gastasen todo el dinero y se pusieran incondicionalmente, ávidos de nuevos y previsibles botines, a sus órdenes.

Tres meses después de la destrucción de Portobello, los filibusteros acudieron en masa a la Isla de la Vaca, al sur de Santo Domingo, donde Morgan les había citado para la expedición que preparaba. En aquella ocasión, los franceses de Tortuga no quisieron perder otra oportunidad como la de Portobello y se presentaron también, algo que agradeció Morgan porque deseaba atraerlos hacia su causa ya que el barco francés tenía veinticuatro piezas de hierro y dos de bronce.

Morgan llegó a la Isla de la Vaca en enero de 1669 y se encontró a todos los filibusteros esperándole con ansiedad. El jefe de los Hermanos de la Costa adoptó aires de gran señor. Vestía camisa de encajes, traje de seda y ceñía un sable con empuñadura de plata. A su lado estaba el oficial que transmitía sus órdenes y le llevaba el catalejo. Además, le rodeaba continuamente su estado mayor.

A bordo de la fragata Oxford, Morgan ofreció un gran banquete a todos sus hombres. El vino y el ron comenzaron a correr. En cada brindis se disparaba una andanada. Accidentalmente una chispa cayó en el pañol de la pólvora e hizo saltar el Oxford en mil pedazos, causando la muerte de muchos filibusteros. Morgan, sin embargo, escapó con vida y ocho días después de la pérdida del navío hizo buscar sobre las aguas del mar los cuerpos de los muertos con la mezquina idea de sacar algo bueno de sus vestidos y adornos, de tal manera que si hallaban alguno con sortijas de oro en los dedos se los cortaban para sacárselos y los dejaban en aquel estado a merced de la voracidad de los peces.

El accidente no canceló la empresa y los filibusteros, en ocho navíos bajo el mando de Morgan y un pirata que ya había saqueado Maracaibo con El Olonés y conocía bien la ciudad, se hicieron a la mar rumbo a Maracaibo. Pasaron por Curaçao, fueron descubiertos, se dirigieron, entonces, a la isla de Ruba, a doce leguas de Curaçao, donde compraron carnes y se avituallaron. Por fin, días después llegaron al lago de Maracaibo donde hallaron las aguas muy bajas. Montaron en barcas y chalupas ligeras y llegaron a la ciudad que, en unas horas, cayó en su poder.

Durante tres semanas Morgan y sus hombres buscaron, por todos los rincones, gente escondida. Se dividieron en diversas tropas y recorrieron todas las plantaciones, sabedores de que los españoles retirados no podrían vivir en los bosques de lo que encontrasen en ellos y acabarían por acudir a las plantaciones en busca de víveres.

Finalmente, harto de esperar y de saquear, tras haber apresado a muchos españoles y no queriendo que estos tuvieran tiempo para organizarse, Morgan decidió abandonar Maracaibo.

Pero ya era tarde.

Larios, escapando de miedos y negros augurios, entró en Peñaranda de Bracamonte y comenzó a dar vueltas con su 4 × 4 negro alrededor del pueblo, inyectándoselo en vena, haciéndolo suyo definitivamente. Encendió la calle de la luz baja, de la luz nueva, paseó con la imaginación dentro de casas blasonadas con sillería, dio mil vueltas a la plaza de la Constitución, a la del Ayuntamiento, creyó ver transformarse el tenderete festivo que adornaba e iluminaba fiestas y se metió dentro del cuerpo destilerías, bodegas y, ya cerca de la estación, todo un polideportivo donde decenas de críos daban patadas a un balón.

El nombre del pueblo, no sabía Larios muy bien por qué, le parecía mágico, hermoso, principesco, tal vez porque, según pisaba sus callejuelas y miraba sus viejas casas, tenía la desasosegante sensación de haber estado allí en algún otro momento. Sin embargo, estaba seguro de que jamás en su vida había pisado Peñaranda de Bracamonte. Resultaba una sensación muy extraña. Era algo que ya le había sucedido en otras ocasiones, el sentimiento de reconocer cosas, edificios, calles que, estaba seguro, era la primera vez que veía. Finalmente, aparcó el coche en mitad de la Plaza Mayor y comenzó a pasear, a sentirse más y más integrado en un sitio que, de alguna forma, creía conocer, conocer las tristes aguas del Guareña y, sin haberla visitado, mirando la gran mole de sillería, rodeada de fuertes estribos, que era marca de fábrica de la iglesia de San Miguel, conocer a la perfección la coqueta disposición de sus tres naves de igual altura sostenidas por columnas dóricas, el excelente retablo de su altar mayor, saber, mejor que su nombre, la historia de su tejado, cimborrio y torre asaeteadas por el fuego en el XIX, conocerlo todo, en cierta forma, haberlo vivido. O, tal vez, se estaba volviendo loco. Ahora, como rubricando tanto despropósito, tanta ingravidez mental, la lluvia se intensificó de tal forma que acabó desembocando en otra espectacular tormenta. El cielo se volvió negro, como un manto espeso de cobre, y comenzó a caer agua a una velocidad y con una intensidad sobrecogedora. Larios, desde los soportales de la Plaza Mayor, miró el silencio y la soledad del pueblo vacío, atacado por la salvaje tormenta mandada por el mismísimo sursuncorda. Larios acababa de entrar en una especie de paraíso y ya llovía en él de manera infernal...

✦ ✧ ✦

Tortuga vivía dentro de un sueño donde todos los hombres y mujeres de la isla se lanzaban, de forma desenfrenada, a la noche, a la alegría de vivir. Sabían que sus vidas transcurrían al borde de un precipicio y que cualquier mañana caerían en sus fauces; por eso, por la sensación de subsistir en una cuerda floja, vivían más allá del límite. En su vocabulario no existía el futuro. El *Roccobarocco* acababa de llegar cargado de joyas y oro y nadie se planteaba el no despilfarrar en el acto su parte del botín. El Loro Azul hervía ya de forma fastuosa y el Duque, en su pequeño despacho situado en el piso superior, escuchaba acongojado toda la descarga de vitalidad, alegría y locura de aquellos hombres, y se daba cuenta de que no podía soportarlo. Sabía que era un cobarde, que su corazón se resistía hasta más allá de lo razonable a volver a enfrentarse a Bianca, cara a cara, sin disfraces ni máscaras, y después de tanto tiempo... Pero tenía que hacerlo. Se armó de valor, recompuso su arrugada casaca negra, bajó las escaleras de El Loro Azul, apagó con su sola presencia el griterío festivo a su alrededor, y se dirigió a la casa de su propiedad donde estaban los prisioneros. Al llegar vio a Padovani vigilando junto a la puerta y le ordenó ir con los demás. Durante unos instantes, parado delante de la sencilla puerta de madera, se dejó acariciar por la posibilidad de salir huyendo como siempre, con Bianca agarrada a su corazón. Sin embargo, esta vez, por fin, dominó sus cobardes impulsos y se decidió a entrar.

Don Juan de Espina, el artesano veneciano y Bianca, sentados alrededor de una mesa, daban buena cuenta, en ese preciso momento, de unos sabrosos alimentos preparados por expreso encargo del Duque.

—Vengo a ver si se encuentran bien. —El Duque no sabía muy bien hacia qué punto dirigir su vista, aunque sus ojos sabían, de sobra, dónde debían atracar. Los dos hombres se levantaron inmediatamente de la mesa y se acercaron al Duque.

—¿Qué va a ser de nosotros? Debéis salvarnos, os lo suplico por mi esposa. Hacednos regresar a Maracaibo... — Carlo Morelli agarró por el brazo al Duque, y le imploró durante unos interminables segundos hasta que don Juan de Espina se acercó y le apartó.

—Carlo, por favor, no os rebajéis ante este hombre. — Don Juan de Espina miró fijamente al Duque—. Me habéis decepcionado.

—Siento mucho que así sea. —El Duque observó a Bianca, sentada junto a la mesa, mirándole con esos ojos oscuros, tan hermosos, tan bellos, tan enigmáticos, ahora tan tristes.

—Tortuga no es un lugar muy recomendable... —Juan de Espina continuó aparentando una tranquilidad y frialdad pasmosa, escudriñando el alma de su raptor.

—Me dijeron que era un sitio ideal para pasar unas vacaciones tranquilas. Me informaron mal —susurró el Duque.

—¿Nos van a matar? —Carlo Morelli, nervioso, histérico, seguía obsesionado con un futuro que para él había finalizado ya—. Al menos salve a mi esposa. Devuélvala a Maracaibo. Ella no merece estar en un sitio como éste.

—Eso es cierto. —El Duque volvió a dirigir su mirada hacia Bianca, pero ella se levantó y, en la otra punta de la habitación, dejó volar sus ojos al mar.

—Ustedes se conocían, ¿no? —El artesano veneciano miró fijamente al Duque.

Sin dejar de mirar a Bianca, el Duque respondió:

—Nos vimos por última vez en Venecia.

—¿No lo has olvidado? —Desde el fondo de la habitación y, sin volverse, con los ojos fijos en el mar, por primera vez, Bianca dejó escapar unas palabras.

El Duque, al escuchar a Bianca sonrió y recordó sus últimos momentos con aquella mujer en Venecia, en aquel tiempo de delirio y de magia tan feliz, donde no había preguntas y las únicas respuestas eran los besos verdaderos. Ellos sabían que todo se derrumbaba a su alrededor y, mientras tanto, se enamoraban locamente. Y recordó, dios, con tanto dolor, recordó el último beso, porque todos los besos hieren pero el último mata. Y recordó sus últimas palabras, «bésame como si fuese la última vez», y recordó aquella nota, destrozada por la lluvia y por sus lágrimas, no preguntes por qué, piensa solamente que te amo. Ahora Bianca, la maravillosa Bianca, estaba junto a él después de tanto tiempo, la observaba de espaldas y sentía que lloraba. El Duque, en aquel momento, hubiera dado un mundo por sus pensamientos. Pero ése no era el momento, tal vez ya no existiese el momento entre ellos...

—No se preocupen, sus vidas no corren peligro. —El Duque se dirigió al artesano veneciano—. Sois un hombre muy valorado por los nobles europeos, conseguiremos un buen montón de oro por vos. Mientras tanto podéis salir y pasear por Tortuga. Es una isla hermosa. No temáis por vuestra vida, seguramente para Danko, ahora, tenga más valor que la mía.

El Duque abandonó la casa no sin antes mirar, por última vez, la increíble y triste espalda de su Bianca. Un nudo atenazó su garganta pero sabía que no podía hacer otra cosa. La vida había acabado desde hacía tiempo para él y en ese momento, más que nunca, se daba cuenta de ello.

Una mesa alargada, negra y fría como una cortina de hierro, separaba a Zoé Latorre de su marido. Esa noche, como casi siempre, Hugo Soto había llegado tarde. Sin embargo, Zoé seguía intentando mantener viva la llama de algo que en su día fue amor, buscando desesperadamente en cada minuto de la vida cotidiana momentos sublimes. Se había puesto su mejor vestido, había preparado una cena exquisita y había llenado la casa de velas rojo pasión aunque la noche, desde el primer momento, parecía querer deslizarse por una senda nada propicia donde la mesa era demasiado alargada, las distancias insalvables y el romanticismo escaso. Como tantas y tantas noches se irían a la cama, harían el amor en silencio, sin subir a ningún altar, sin ofrecer ningún sacrificio, ni palabras, ni ternuras, y dormirían como niños traviesos y oscuros. Tal vez, en medio de la noche, volverían a despertarse, volverían a hacer el amor, medio dormidos, con los ojos y el corazón cerrado, y se darían la vuelta después de haber atravesado el tunel del dolor. Por la mañana se levantarían en silencio, se ducharían, se asearían, se vestirían, desayunarían leyendo el periódico y, sin malgastar una palabra, se darían un beso de despedida. Era la historia de siempre. Mientras tanto, seguían degustando el primer plato, seguían bebiendo sorbos pequeños de un exquisito vino, incluso, angustiados por el silencio, buscaban un salvavidas en el pequeño televisor que adornaba una de las esquinas del comedor. Cuando Hugo Soto se levantó y encendió el aparato, Zoé sonrió. Sonrió al recordar que el televisor siempre fue su mayor enemigo, que siempre había luchado a muerte para apartarlo de su vida, y ahora, mientras cenaban, escuchaban, como dos estúpidos robots, las noticias de boca de un vocero teledirigido y manejado, de una marioneta llena de dinero y consignas. Pasaban los minutos y la cena ya se había convertido en todo un mundo de arenas movedizas. En la televisión, mientras tanto, el guapo y manejado florero de la cadena estatal hablaba de una posible crisis del gobierno y aparecía la foto de una prostituta cuya muerte era investi-

312

gada desde tiempo atrás por la policía. Lisa Conti parecía mucho mayor de lo que en realidad era, tenía el pelo y la piel muy oscuros, era italiana pero tenía rasgos brasileños, ojos de *bossa-nova*, labios de Ipanema.

—¿Conocías a esa chica? —preguntó Zoé mientras bebía un pequeño sorbo de vino.

Hugo Soto, tan activo y vital en su trabajo, y tan bigardón indomable en su propia casa, pareció sorprendido:

—¿Por qué lo preguntas? —respondió, intentando disimular palabras y miradas a base de meterse en la boca varios trozos seguidos de solomillo al roquefort.

—No sé —comentó, aparentando despreocupación, Zoé—. Al verla en televisión me he acordado de una llamada de teléfono. Al parecer hay un ministro entre los sospechosos...

Experto en hacer fullerías en el juego, en engañar en su trabajo, en esconder siempre las cartas, Soto pareció no inmutarse y, con una nueva pregunta, se volvió a escabullir de los ojos cada vez más oscuros de su mujer:

—¿Quién te ha llamado por teléfono?

—¡Eres un cabronazo! —respondió Zoé al ver que sus intentos de acoso no lograban siquiera embermejecer a su marido.

—Muchos quieren hundirme, deberías saberlo —contestó el político profesional, antes de esquivar una patada de la indignada Zoé. Para entonces se había apagado la noche y la luna. Ya sólo quedaba en la gran mansión un sentimiento extraño y desasosegante de tristeza y varias piezas de cristal por los suelos.

Cuando Morgan y sus hombres quisieron abandonar el lago de Maracaibo, se encontraron con que a la salida del canal les aguardaban tres navíos de guerra españoles (el navío mayor de 40 piezas, el otro de 30 y el menor de 24), mandados por el almirante don Alonso del Campo Espinosa que, a su vez, había reedificado el fuerte de la isla de las Palomas, situado junto a la desembocadura del canal, en el mar libre. Morgan decidió pedir tributo de fuego por la ciudad y ordenó que todos los prisioneros casados y con hijos formaran una comisión e intercediesen ante el almirante español, con la amenaza de pasar a cuchillo a todos los habitantes de Maracaibo si los navíos de guerra permanecían taponando la salida.

Dos días después la atribulada comisión regresó junto a los piratas llevando en su poder, como contestación, una carta destinada a Morgan, caudillo de piratas, de puño y letra de don Alonso del Campo y Espinosa, almirante de la Flota de España:

Habiendo oído por nuestros amigos y circunvecinos nuevas de que habéis osado hacer hostilidades en las tierras, ciudades, villas y lugares pertenecientes al dominio de S.M. Católica, mi Señor, yo he venido aquí, según mi obligación, cerca del castillo que vos habéis arrancado del poder de una partida de cobardes poltrones, el cual castillo he hecho asestar, y en el que he mandado poner en orden la artillería que vos habéis echado por tierra. Mi intención es disputaros la salida del Lago, y seguiros por todas partes, a fin de mostraros cuál es mi deber. No obstante, si queréis devolver con humildad todo lo que habéis tomado, así como los esclavos y otros prisioneros, os dejaré salir benignamente, con tal que os retiréis a vuestro país, mas, en caso que queráis oponeros a ésta mi proposición, os aseguro que haré venir barcas de Caracas, y pondré en ellas mis tropas, que enviaré a Maracaibo para haceros perecer a todos por el filo de la espada. Ésta es mi última resolución. Sed prudentes en no abusar de mi bondad ni responder a ella con ingratitud. Conmigo vienen excelentes soldados que no anhelan sino tomar venganza de vos y de vuestra gente por las crueldades y malas acciones que habéis cometido contra la nación española en América. Fecho en mi real navío, La Magdalena, que está al ancla a la entrada del Lago de Maracaibo, en 24 de abril de 1669.

Tan pronto como Morgan recibió la carta reunió a sus hombres en la plaza del Mercado de Maracaibo y les preguntó si preferían devolver todo lo que habían tomado para conseguir libertad o pelear. Fácil es imaginar la contestación de aquellos piratas.

Morgan ordenó distribuir troncos a lo largo de una nave para que pareciesen hombres y piezas de artillería. El interior de la nave estaba abarrotado de pólvora y de barriles de brea. A bordo sólo iban unos cuantos voluntarios que se encargaron de dirigir la nave hasta los españoles y prender fuego a una mecha antes de saltar al agua.

El 30 de abril de 1669 los españoles, confiados en su fuerza, dejaron acercarse a la nave pirata. La explosión de la nave, al chocar contra la capitana, les hizo comprender su error demasiado tarde. La brea inflamada prendió en el buque insignia y, al instante, saltó por los aires toda la popa para, poco después, sumergirse el resto en las aguas. El segundo navío, intentando huir entre las llamas, fue alcanzado por los mismos españoles que lo hundieron antes de que cayese en manos de los piratas. El tercero, que no tuvo tiempo de huir, vio cómo los garfios de sujeción piratas volaban sobre él y en unos minutos pasaba a poder de Morgan y sus hombres.

En poco tiempo los piratas descubrieron que aquellos navíos iban cargados hasta arriba de plata y tesoros de valor incalculable y durante unos pocos días permanecieron en la bahía buceando para intentar extraer algo del fondo del mar.

315

Encontraron grandes cantidades de oro y plata que el intenso calor de las llamas había fundido y mezclado formando lingotes. Sin embargo, la mayor parte del tesoro quedó para siempre en el fondo del mar.

Ya sólo quedaba salir de allí y, para ello, Morgan ideó otro ingenioso plan. Hizo creer a las tropas del castillo que los piratas se disponían a atacarlo y, para ello, todos embarcaron en lanchas y se dirigieron a tierra. Una vez en tierra, fuera de la vista del castillo, los piratas se tendieron en el fondo de la lancha de modo que al emprender el regreso parecía que en ella sólo iban los remeros. Temiendo un ataque terrestre, don Alonso del Campo ordenó que los cañones fueran cambiados de emplazamiento y se dispuso a esperar a los piratas. Cuando llegó la noche, los españoles se mantuvieron alerta esperando el ataque de Morgan y sólo pudieron ver, en la penumbra, cómo las siluetas de las naves piratas se deslizaban silenciosamente fuera de la bahía sin que los cañones, emplazados contra tierra, pudieran evitarlo. La argucia de Morgan había sido perfecta y cuando los españoles quisieron rectificar ya era demasiado tarde. Los piratas estaban fuera del alcance de sus cañones.

La leyenda de Morgan comenzaba y el mito del tesoro hundido en las aguas de la bahía de Maracaibo empezaba a traspasar, indolente y excitante, los siglos.

Los ojos de Larios, esquivando las gotas de lluvia que iban remitiendo, comenzaron a introducirse festivamente dentro de Peñaranda de Bracamonte aunque, en realidad, llevaban unos minutos anclados en la misma escena, en el mismo recuerdo. Larios besaba sus pechos y sentía que el mundo explotaba dentro de su piel. Luego se aferraba desesperadamente a sus labios, a su lengua, se dejaba arrastrar por una locura que ella sabía fomentar como nadie. ¿Quién te ha enseñado a besar? Nadie besa como tú. ¿Quién te ha enseñado a besar? El cuarto de baño era pequeño, estrecho, explosivo. Había un espejo muy grande y luces de lluvia. Larios la estrechó contra su cuerpo, acarició suavemente su culo y pensó que estaba a punto de morir, sintió sus afiladas uñas de plata sobre su espalda, la subió al lavabo y volvió a besarla para quedarse clavado eternamente en sus besos, esperando ser, finalmente, de ella y tener, para siempre, oscuridad. Abrió el grifo y dejó que corriese el agua. Con la mano derecha tomó el agua y la llevó hasta sus pechos, los besó, vio crecer sus pezones, hacerse negros y duros, recordó su felicidad total prendada de los cuernos de la luna en cuarto creciente. Sin embargo, la noche se iba echando encima y ella comenzó a apartarse. Abandonaron los juegos de agua, los pechos de lluvia, aunque Larios no podía apartar la vista de su cuerpo. Observó, completamente extasiado, paralizado por una sensación inexplicable, cómo ella se ataba en los espejos, cómo se pintaba los labios, cómo recomponía su belleza salvaje e indómita. Empezó a sentirse triste, terminaba el mundo maravilloso y Larios comenzaba a comprender que ya sólo le quedaba vivir para siempre en el andén de sus ojos marrones de la tierra mientras acababa despertando de un cruel bofetón a la realidad.

Tras la lluvia había refrescado un poco. Se acercó al 4 × 4 negro y cogió una cazadora vaquera. Luego se perdió por las calles de Peñaranda de Bracamonte buscando lo único que sabía, quería y podía recordar: aquello que le causaba dolor.

En los días siguientes Tortuga, llena de miedos y contradicciones, se convirtió en una isla esplendorosa, con ojos y curvas de mujer salvaje, con días y noches repletas de caracolas, una isla en la que todos sus habitantes se sumergían, alocada y festivamente, en la gloria del infierno, en éxtasis de ángeles caídos, derrochando fantasía y locuras, alcohol y vida. El Loro Azul, día a día, noche a noche, se transformaba en el corazón de la isla, en su motor, en la quintaesencia de Tortuga. Los piratas comprendían, entre borrachera y borrachera, que la expedición sobre Maracaibo había sido un gran éxito que les había llenado de joyas y oro y que todos, con un poco de inteligencia, podrían retirarse y buscar su futuro en otros lares, junto a la ley y la gente decente; sin embargo, ahogados en ron, a ninguno de los piratas se le ocurriría, en aquellos momentos de gloria, caer en la decencia, en el honor. Un puñado de días y noches de locura, sumergiéndose en un mundo de alcohol y de rameras de todos los colores, era mucho más atractivo que cualquier otra cosa. Y así pasaron los días, vistiendo y desvistiendo Tortuga de lluvias y rayos de sol, reviviendo una isla muerta donde la única consigna era gozar hasta el límite, hasta que las fuerzas reventasen por los cuatro costados.

Cuando el gobernador de Tortuga, un cada vez más desangelado y achacoso Henri Doyle, se presentó en El Loro Azul para intentar entrevistarse con el Duque y reclamar su parte del botín y, así, cubrir sus espaldas ante las apremiantes misivas que llegaban desde París, pudo comprobar, con sus propios ojos, el alcance salvaje de las fiestas de los piratas. Muchas mujeres bailaban desnudas, desplegando su belleza, a veces descomunal, la mayoría de las veces triste, por las cuatro esquinas de El Loro Azul mientras muchos hombres extendían toda su humanidad, todas sus miserias, por los suelos, bajo las mesas o en cualquier perdido rincón. Las bolsas con monedas de oro volaban de uno a otro lado quedándose la mayoría de las veces entre los senos de aquellas mujeres. Danko, mientras tanto, tumbado, casi desmayado, sobre una de las rameras, como una chispa eléctrica, se sintió invadido por un súbito ataque de ira y alcohol, golpeó a la mujer furiosamente contra el suelo y la hizo desnudarse. El resto ya no lo quiso o no lo pudo ver el viejo gobernador que sintió todos los polvos que poblaban su rostro transformarse en mil colores. Comprendió que no era el momento de entablar ningún tipo de conversación con aquellos hombres y dio media vuelta para salir de aquel particular infierno. Pero ya era demasiado tarde. Un pirata le agarró de la peluca y la tiró al aire mientras todos los hombres que se mantenían en pie comenzaron a zarandear su maltrecho cuerpo de un lado a otro. Los dos hombres que acompañaban al gobernador, por aquel entonces, ya estaban por los suelos, pisoteados y engullidos por las risas. Danko, espectador de excepción, se apartó de la mujer, momento que ésta aprovechó para salir de allí como alma que lleva el diablo, y se acercó hasta el gobernador.

—¡Silencio, perros! —Danko ejecutó una cínica reverencia delante de las narices del gobernador—. ¡Qué enorme honor para gente tan humilde ser visitada por tamaña personalidad!

Una carcajada general retumbó en el local. Doyle, con los ojos fuera de sus órbitas, estallando de miedo, apeló a la misericordia de aquellos salvajes, enredando sus palabras y ruegos en estúpidos gemidos. Cuando se encontró acorralado y completamente aterrorizado, sacó fuerzas de donde ya no había e intentó dirigirse al descontrolado pirata.

—Me presionan desde París. El rey en persona. ¿Qué hay de nuestro trato?

—¿Nuestro trato? ¿Habéis escuchado? Nos hemos olvidado del gobernador, de su parte en nuestro botín. Tenemos que remediarlo de alguna forma. Propongo que cada uno de nosotros le dé parte de su sudor y sangre —comentó, jocoso, exaltado, lleno de chispas en sus ojos, Danko.

319

Después fue, uno por uno, empujando a todos y exigiendo alguna moneda de oro que iba lanzando al suelo, junto al gobernador. Todo el mundo rió. Danko, mientras tanto, comenzó a acariciar los inmensos pechos de una de las prostitutas y se acercó hasta el gobernador. Estalló en una carcajada diabólica mientras observaba las manos temblorosas de Doyle acercándose a los senos de la ramera. Todos rieron. Danko aprovechó para rodear al gobernador y, de espaldas a él, atravesar la garganta del viejo muñeco. Un chorro gigantesco de sangre afilada salpicó el suelo. Durante unos segundos el silencio fue atronador hasta que el propio Danko lo rompió:

—Lo siento, gobernador. Esto es lo único que va a sacar del capitán Danko.

El cuerpo sin vida de Henri Doyle yacía en el suelo. Hasta él se acercó la figura negra del Duque. Tomó el pulso del viejo gobernador. Luego se levantó y salió de El Loro Azul:

—Sacad el cuerpo de aquí inmediatamente. Cuando vuelva no quiero verlo.

El Duque se dirigió al paraíso de Bianca pero en la casa no había nadie. En los últimos días Padovani le había informado que los tres prisioneros se habían decidido a salir y dedicaban parte de su tiempo a pasear a orillas del mar. El Duque les había prometido seguridad total y que nadie se atrevería a cometer ningún tipo de exceso con ellos. Contaba con la ayuda de Padovani y con el miedo que inspiraba a todos sus hombres, quienes habían sido convenientemente advertidos de que cualquier problema que ocasionaran a los visitantes lo pagarían con su propia sangre. Durante parte de la mañana el Duque se dedicó a rastrear el olor de la mujer que tanto amaba. Finalmente la encontró, junto al puerto, abrazada al artesano veneciano, mirando el *Roccobarocco*, con los ojos fijos en la estela del horizonte y no quiso interrumpir unos sueños en los que, estaba seguro, él no existía. Eso era algo que sabía desde hacía mucho tiempo. Encaminó sus pasos hacia El Loro Azul. Antes de llegar allí, al pasar por una plazuela, vio a don Juan de Espina en animada charla con unos cuantos piratas. Le asombró la capacidad del noble español de seducir, con sus exquisitos modales, tan lejanos a lo que primaba en Tortuga, a toda aquella gente. Padovani ya le había avisado de que éste se había integrado perfectamente en la comunidad pirata y que, en muchos momentos, parecía uno de ellos. Mientras le escuchaba bromear con sus hombres comprendía que don Juan de Espina, a poco que se lo propusiese, acabaría siendo el jefe de todos ellos.

—Tenéis pocas opciones conmigo: me atravesáis con vuestras espadas, me colgáis o empezamos a bailar el minué.

Todos rieron. El Duque se acercó y saludó a don Juan de Espina. Éste le invitó a sentarse con ellos pero el Duque rehusó. Antes de irse escuchó al español:

—Me gusta este sitio.

El Duque sonrió. En otras circunstancias él también amaría Tortuga. Ahora, sin embargo, sólo pensaba en Bianca, en el mar, en estar con ella, y acababa comprendiendo que vivía en una balada.

321

Cuando Batista entró en el despacho de Arnau, el mismo despacho al que venía entrando cada mañana desde hacía más de quince años, supo que algo importante debía comunicarle su comisario-jefe. Conocía a Arnau (hombre bajo y fornido, muy moreno, con un gran bigote y siempre un gesto circunspecto, ceñudo y adusto) desde el momento en que fue destinado a esa comisaría y no tardó ni un segundo en darse cuenta, sólo con mirarle a los ojos, de que estaba a punto de recibir una reprimenda oficial, un rapapolvo que conduciría, seguramente, a la apertura de un expediente. Otro expediente más, un nuevo chapón en su patético historial.

—Tengo sobre mi mesa —Arnau señaló una carpeta marrón— una denuncia presentada por un tal Duncan White. ¿Tienes algo que decir?

—Sólo que ese tío es un hijo de puta.

Arnau cerró la puerta de su despacho, bajó las persianas de plástico de color gris anodino y se sentó tras una alargada y abarrotada mesa metálica, se llevó las manos a la cabeza y permaneció unos segundos en esa posición:

—Eres un gilipollas.

Camilo Batista sacó de su arrugada americana unas gafas negras y, con toda la tranquilidad del mundo, se sentó en una de las sillas del despacho, situada en una de las esquinas, junto a una vieja cafetera. A esas alturas de su vida ya estaba demasiado acostumbrado a las broncas de su jefe y a las estupideces burocráticas.

—Bien, ¿qué ocurre? —preguntó Arnau, un poco más calmado.

—Ese cabrón está implicado en el caso de la puta italiana —respondió Batista.

—Ese caso es de Miranda.

—Mierda, ya lo sé. —Batista, se levantó, gesticuló, se quitó sus gafas negras y se inclinó sobre la inmunda mesa que presidía el despacho, dejando su rostro a un palmo de los ojos de Arnau—. Ya lo sé, pero también creo que está implicado en el asesinato de Iris Latorre, y ese caso es mío.

Arnau volvió a llevarse las manos al rostro, caminó durante unos segundos alrededor del despacho y, finalmente, abrió un cajón de su mesa, sacó una aspirina y la tragó sin más:

—Sin embargo, ese tipo dice que tú te ves con una discípula suya y por eso le agrediste.

—No, no. —Batista volvió a gritar—. Eso no tiene nada que ver. Cree lo que te digo, ese cabrón está metido hasta los huevos en el asesinato de la puta y en el de Iris. Mi amiga e Iris Latorre acudían a su secta, hay cosas muy extrañas a su alrededor. El único testigo que tenemos declaró haber visto salir a un tipo alto, vestido por completo de negro y con un gran coche negro. Todo encaja... El tipo que buscamos es Duncan White.

—Tengo que abrirte un expediente, hay una denuncia. Intentaré que todo quede ahí. —Arnau volvió a sentarse de nuevo—. De todas formas, ten cuidado, no quiero volver a tener problemas con los de arriba, las cosas se están complicando demasiado en estos dos casos, está por medio ese político de mierda y ya ha empezado a mover los hilos...

Batista miró fijamente a Arnau y sintió dentro de su cuerpo una conocida sensación que le avisaba habitualmente, proclamándole, de forma meridianamente clara, que Soto era uno de esos cabronazos que sabían pisotear con sutilidad al enemigo y el enemigo, para él, un tipo con tantas amistades llenas de agujeros y deudas pendientes, muchas de ellas, sin duda, entre las capas más altas de la policía, era todo el mundo:

—¿Qué ha ocurrido?

Arnau se levantó de la silla, se acercó a la cafetera y se sirvió un poco de café en un pequeño vaso de plástico.

—Hemos recibido una llamada del mismísimo ministro del Interior. Nos van a joder. De hecho ya han empezado: Miranda ha sido apartado del caso...

—No entiendo nada. ¿Y Miranda qué ha dicho?

—Son muy listos y sutiles esos hijos de puta —respondió Arnau—. Ya sabes que Miranda llevaba tres años, justo desde que llegó aquí, intentando conseguir un destino en Barcelona. Pues ya lo tiene. Le han callado de la mejor forma posible. Le apartan del caso y a la vez le conceden lo que

323

lleva pidiendo media vida. Miranda no es tonto, sabe que no va a conseguir nada, que hay demasiada mierda alrededor y sólo desea marcharse cuanto antes, de hecho ya anda por allí buscando piso. En dos días le han arreglado todo y se han quitado un peso de encima.

Batista no podía creer lo que estaba escuchando aunque no era la primera vez que ocurría algo parecido. Sonrió y dio un golpe encima de la mesa intentando ahuyentar los fantasmas que empezaban a sobrevolar alrededor, los mismos que, en otras ocasiones, habían mandado a la mierda el trabajo de muchos compañeros en alguna turbia investigación.

—Quiero que sigas tú con el caso de la prostituta... —Arnau comenzó a sonreír como un chico travieso—. No pongas esa cara de sorpresa, tú mismo has dicho que hay muchos puntos coincidentes en ambos casos, además sé que Miranda te ha tenido informado sobre sus investigaciones, eres el tipo ideal y el que más puede joder a esos cabronazos. Sólo te pido una cosa, ten calma y anda con pies de plomo cuando investigues a Soto. A ese hijo de puta sólo puedes atraparle con las manos en la masa. En caso contrario, nos hundirá. Ten cuidado.

Batista salió del despacho de su jefe con tanto cabreo y desesperación encima como ganas de meter las manos en la mierda hasta dentro, revolverla toda y embadurnar la jeta de más de uno. En el fondo, sabía que él era el más indicado para ello. Por eso abandonó corriendo el edificio gris, el edificio de las ruinas, cogió su coche y, derrapando, salió de allí a gran velocidad.

Aunque hice algún que otro viaje relámpago a España para redactar algún informe a petición de Vidal, la realidad es que estuve casi dos años en Venezuela, asistiendo, impasible, al cálido murmullo de las mañanas de Maracaibo, llenándome de su luz, cubriéndome por dentro y por fuera de misterios y de colores casi olvidados. Allí y en aquel tiempo, me sentía como una pequeña hormiguita atravesada por sospechosos tentáculos que me empujaban, estúpidamente, a creerme poderoso dirigiendo a todo un ejército de pobres hombres que apenas tenían nada que llevarse a la boca, dándoles órdenes sobre lo que yo, ni nadie, sabía.

Nunca llegué a conocer al multimillonario tejano que nos financiaba la empresa aunque sé que, en un momento dado, en junio del 50, llegó a Venezuela y estuvo visitando la plataforma que habíamos instalado en pleno lago de Maracaibo y que nos servía como base de operaciones. Para aquel magno acontecimiento, se presentó Vidal junto a un par de compañeros de la causa, expresamente llegados desde España, que palmearon la espalda del bendito yanqui y, probablemente, maquinaron nuevas y lucrativas empresas a lo largo y ancho del mundo. En aquel momento la aventura parecía presagiar un buen final, se habían conseguido extraer del fondo del mar varios cofres repletos de monedas de plata y algunas piezas de oro, y los capitostes trajeados se frotaban las manos. Sin embargo, la única realidad es que allí se estaba invirtiendo mucho dinero y lo que se hallaba no cubría, ni mucho menos, los gastos.

Cierto día de un triste diciembre, con demasiadas luces y oropeles para mi corazón y tumbado en la cama del hotel, tuve el inenarrable placer de ser visitado, pomposamente, por Vidal y Milton Davis. Era un domingo pesado y lustroso a la vez, en el que, como todos los demás días de descanso, únicamente me dedicaba a visitar el espejo de Laura y a instalarme tras el altar de San Miniato. Nada más ver llegar a aquellos grandes hacedores de mierda supe que algo especial ocurriría y no tuve que esperar mucho para conocer la gran noticia: el gran dios yanqui había decidido poner punto final a las benditas extracciones. Había que levantar cuanto antes la verbena y desaparecer de allí, sin dejar rastro ni huellas de nuestra presencia. Sacamos del país, urgentemente, todos los tesoros y los llevamos, en un avión especialmente preparado para nosotros, hasta Dallas. En Venezuela, como era práctica habitual entre aquellos fulanos, nos saltamos reglas, normas y leyes, y lo dejamos como al principio, es decir lleno de mierda y pobreza, para que nadie supiera que, durante dos años, habíamos estado allí, revolviendo entre sus tripas, robándoles delante de sus narices. Y así fue. La única realidad constatable es que pasamos por Venezuela como espectros de lujo. Nadie supo de nosotros excepto los pobres muertos de hambre que trabajaron allí, a nuestras órdenes, antes de volver a su pozo indecente, y los pingorotudos esperpentos de las altas jerarquías militares que recibieron cuantiosas comisiones por cerrar la boca, apagar los ojos y tener contento al amigo americano.

En el fondo deseaba huir de allí. Para mí, dos años en un mismo sitio era toda una eternidad. Sin embargo, ante mi sorpresa, pues esperaba regresar a España con Vidal y seguir revolviendo las tierras de Andalucía y Extremadura, el estirado Milton Davis me propuso una nueva aventura. Su gran jefe había decidido trasladar el circo a otro lugar y hacer nuevas amistades, amistades de otro tipo, seguramente más peligrosas y, en todo caso, igual de repugnantes.

—Ciertos grupos especiales del ejército americano ayudaron, tras la Segunda Guerra Mundial, a sacar a miembros del Servicio Secreto nazi de sus guaridas para luego utilizarlos en distintas misiones. En realidad, no todos fueron miembros del Servicio Secreto. Lo cierto es que se sacaron muchas cosas de Alemania. Alguien de mucho poder en mi país quiere recuperarlas y devolverlas a su santo lugar. El precio será a convenir.

Milton Davis sonreía como a escupitajos, como retorciéndose de dolor, y en su boca sólo se veían tres piezas de oro y una montaña de babas. Me producía asco aquel tipo, sabía que si aceptaba debería seguir tratándole, pero tampoco me encontraba preparado para volver a España e introducirme en una rutina que me iba a llevar a lo de siempre, así que decidí seguir embarcado en aquel turbio proyecto con aquellos repulsivos fulanos.

La espectacular tormenta desatada sobre Peñaranda de Bracamonte había terminado. Como en un golpe de efecto teatral, uno más de los llegados desde el cielo, Larios empezó a perderse por las calles cercanas a los soportales de la plaza, mirando hacia el cielo y, cada poco tiempo, preguntando a alguno de los lugareños que, de forma paulatina, comenzaban a invadir el pueblo tras la tormenta.

Llevado por la sed y un poco por la desesperación de no saber cómo ni por dónde empezar su búsqueda, entró en un bar, junto a la Plaza de la Constitución, y pidió una cerveza. En la televisión jugaban Sampras y Becker un disputado partido que parecía decantarse por el primero, aunque nadie les hacía el más mínimo caso. Dos tipos, vestidos con indumentaria típica de caza, con barro en las botas y unas cuantas perdices ensangrentadas a sus pies, tomaban un chato de vino tumbados literalmente sobre la barra del bar, junto a una gran foto, al parecer de una antigua Peñaranda, cruzada por un solitario carromato tirado por dos viejas mulas y por un hombre, de extraña y perdida mirada. En el otro extremo del bar, Larios observó, con gran complacencia, a unos cuantos hombres jugando al ajedrez, el juego infinito por excelencia, pues para agotar todas sus posibilidades se necesitarían todos los seres humanos de la Tierra, jugando sin parar a razón de una jugada por minuto, durante unos 217 billones de años. Se acercó a una de las mesas, entusiasmado y asombrado por encontrar aguerridos jugadores de ajedrez en el reino del mus y la garrafina, y observó la partida durante unos minutos. En un momento dado, con la partida ya claramente decantada en favor de uno de los tipos, Larios preguntó por Rojas. Nadie le contestó. Sin embargo, el ajedrez se volvió tan curioso como su razón de ser. Larios pidió jugar y, en poco tiempo, surgió una arrevesada y extraña complicidad. Poco tiempo después, Larios se sorprendió golpeando la puerta de un torreón, conocido en el pueblo como el torreón de Walter Scott, en realidad parte de las ruinas del castillo mandado construir por el primer conde de Peñaranda de Bracamonte. Como le había contado el agradable viejecillo que le había acompañado hasta la mismísima puerta, el torreón fue comprado por el gran sir Walter Scott en 1822, con el fin de olvidar un amor y escribir una novela.

—En cinco minutos le recibirá don Carlos. El señor Rojas le comentará más cosas de Walter Scott, él sabe toda la historia como si la hubiese vivido —le susurró antes de despedirse.

Larios llevaba medio minuto esperando contestación tras la puerta verde y únicamente escuchó sonidos de cazuelas vacías y el ajetreo típico de la cocina a través de una pequeña ventana situada justo encima de la puerta, por donde escapaba el sabroso e inconfundible olor de la comida recién hecha.

—No insista, mi mujer está sorda, ¿qué desea? —preguntó un campesino de boina negra y arrugas salpicadas de café y sol, que acababa de llegar. Larios se presentó y preguntó por Rojas. En pocos minutos estaba ya dentro del torreón, en una pequeña sala de estar, junto a la cocina, donde la mujer del campesino preparaba la comida, distribuyendo olores por todos los rincones del magnífico torreón. Larios, sentado en una silla de aspecto medieval, tremendamente incómoda pero preciosa, observó el cuadro que presidía la sala de estar y que representaba, de forma inequívoca, a Ivanhoe, el héroe scottiano por excelencia. A un lado, encima de la mesa que presidía la sala de estar, una caja llena de fichas decoradas con extraños motivos orientales y que parecían pertenecer a un juego llamado *mah jong*, llamó poderosamente la atención de Larios.

—En unos minutos le recibirá don Carlos —comentó el campesino, mientras ofrecía un vaso de vino a Larios.

En ese corto período de tiempo, esperando y saboreando el delicioso vino, Larios terminó por conocer al campesino, Lucio Marcos, que, sin parar de hablar, le comentó que él y su mujer estaban al servicio de Rojas desde el año 1957, fecha en la que su señor compró el torreón y lo rehabilitó, gastando mucho, mucho dinero. Le habló de todas las obras realizadas por Rojas, de las increíbles joyas que poblaban el torreón, del espíritu romántico que se respiraba en cada esquina. Larios ya sólo esperaba que llegase el momento en que pudiese tumbarse en una hamaca en el patio almenado del piso superior y sentir el aire escocés soplándole en el rostro, el resplandor del tiempo pasado. Mientras tanto, metido en sueños y quimeras, escuchó el ruido de una campanilla que llegaba desde el piso superior.

—Si hace el favor —susurró el agradable campesino, y comenzó a subir, penosamente, una escalera de piedra blanca en bastante buen estado. Al llegar al final de la escalera, Lucio Marcos golpeó con los nudillos la puerta y cedió el paso a Larios, abandonando el escenario, dejando el teatro repleto de candelabros tan encendidos como expectantes.

La habitación se hundía en una completa penumbra que envolvía todo bajo una oscuridad metálica, pesada, agobiante. Parecía que, en medio de aquel ambiente tan opresivo, el dolor se pudiese masticar. En una esquina, junto a un pequeño ventanal que sólo reflejaba más oscuridad, un universo sin estrellas y una lluvia muy fina, el Duque se aferraba a sus recuerdos. En sus manos la pequeña y devoradora bola de cristal iba escupiéndole imágenes de su vida. Llevaba toda la tarde sentado allí, escuchando el estruendo de la fiesta salvaje de sus compañeros y sabía que le esperaba una noche más salvaje aún. Con impulsos perfectamente regulares, llevaba la bola de cristal a su rostro y se dejaba transportar hasta besos secretos y arrebatadores. Toda su vida se había reducido, en los últimos años, a la caricia constante de ese perfume perdido, a la caricia brutal y nerviosa sobre la moneda de oro que, tiempo atrás, le había regalado Bianca, al recuerdo inagotable de sus besos, de su sonrisa, de su cuerpo. El Duque llevaba toda la tarde, hundido en esos recuerdos, rastreando por parajes que nunca volverían, acariciando todas las pequeñas cosas que le unían a Bianca, todos sus regalos llenos de historias fascinantes. Y como reflejo automático de su locura volvió a llevar hasta su rostro el perfume de Bianca, que era el perfume de su vida, lo único que le mantenía en pie, lo único que podía, a esas alturas, hacer que la vida fuese mínimamente soportable.

—Tengo que hablar contigo.

La soledad de la noche acababa de romperse. En la puerta, con su increíble silueta delineada por la oscuridad y por las luces que llegaban desde abajo, por el silencio y por los gritos indecentes de El Loro Azul, estaba Bianca Mattei. El Duque no supo qué hacer ni qué decir. Por primera vez en mucho tiempo sintió que le temblaban las piernas, que daría su vida en ese instante por desaparecer de Tortuga, por desaparecer definitivamente. Pero lo único que hizo, lo único que pudo hacer, fue sentarse en una silla, junto a la vieja mesa de roble, tomar la botella de ron y llevarla hasta sus labios. Bianca se acercó a la mesa, se sentó y cogió entre sus manos la bola de cristal.

—¿Todavía la conservas?

El Duque no contestó. Sólo alargó la mano y con un expresivo gesto pidió a Bianca que se la devolviese. Cuando ésta lo hizo el Duque guardó su secreto dentro de su camisola negra y se atrevió, por fin, a pronunciar sus primeras palabras:

—Oigo tu voz y sigue igual...

—Comprendo lo que debes sentir. —Bianca intentó acariciar las manos del Duque, pero éste se levantó y se acercó a la ventana. Ahora la lluvia golpeaba con fuerza afuera de El Loro Azul.

—No, jamás comprenderás. Sólo importan los sentimientos.

—Yo también recuerdo...

El Duque, furioso, se volvió hacia Bianca y la interrumpió, elevando el tono de su voz, retorciendo los ojos y el corazón.

—¿Sabes lo que recuerdo yo? Recuerdo a un hombre, bajo la lluvia, con el rostro crispado porque le han quitado las entrañas.

—Debes luchar, luchar por ti y también por mí... —Bianca se acercó al Duque, acarició su rostro.

—Ya no lucho por otra causa que no sea la mía propia.

—El Duque volvió a alejarse, intentando mostrarse ante su Bianca implacable, vengativo, frío, tremendamente distante—. Venderemos a vuestro marido al mejor postor. No os preocupéis, vos iréis en el lote.

Bianca se revolvió, gritó, intentó abofetear al Duque.

—Una mujer te hizo daño. Ahora quieres hacer daño tú. Te autocompadeces. ¡Eres un cobarde!

El Duque sabía que eso era verdad pero no podía hacer

nada por evitarlo. O tal vez sí. Se dirigió a un arcón situado bajo su lecho, cogió una pistola y se la ofreció a Bianca.

—Voy a ponértelo fácil. Dispara. Me harías un favor.

Bianca dio media vuelta, abrió la puerta, se dejó invadir por la luz y el griterío de El Loro Azul y se alejó de allí. El Duque se abalanzó sobre la puerta y la cerró con brusquedad, volviéndose a sumergir en la noche y en el silencio. Luego regresó a la ventana.

—He tratado de olvidarte. Creí que estabas fuera de mi vida —susurró.

Lucio Marcos acababa de dejar solo a Larios. Había mucha oscuridad en el primer piso del torreón de Walter Scott, únicamente mitigada por un gran chorro de luz desgajado del ventanal de marco dorado. Al lado, dejándose aplastar por la luz refulgente posterior a la tormenta que entraba por la ventana, un anciano de unos 80 años, sentado en un sillón de grandes orejas, saludó cordialmente a Larios. Durante unos segundos se desarrolló una conversación enfrentada y torpe. Larios se sentía extraño en un sitio que le recordaba increíbles lugares de su memoria, oscuros recovecos que no acertaba a situar en el tiempo, por lo que no se sintió capaz de explicar convenientemente su historia a aquel buen hombre, tan triste y apagado, tan recogido dentro de su sillón, tan pequeño y frágil, como un prisionero del tiempo, como un extraño pájaro incapacitado para levantarse y volar. Por fin, ayudado por la cordialidad de Rojas, Larios consiguió levantar un discurso inteligible y derramó toda la historia del cuadro de Claudio de Lorena sobre las paredes circulares del torreón, enseñó a Rojas varias fotografías del lienzo, le habló del complejo y enrevesado mito que rodeaba al cuadro, de sus investigaciones en Venecia y dejó que los minutos le comiesen dentro del chorro de luz. Mientras tanto, el viejecillo apalancado en su sillón eterno, ahogado en arrugas y recuerdos, con ojos oscuros y tremendamente tristes, asintió significativamente, como aquel que conoce de sobra la historia que le están contando. Larios, metido de lleno en sus palabras, tardó en darse cuenta de la expresión de Rojas y no alcanzó a comprender el significado de sus gestos hasta que llegó a sus oídos una frase disparada al azar, como en un susurro, por los escareados labios del entrañable anciano:

—Carlos Latorre era un buen hombre, no mereció ese final.

Larios rompió en el instante su monólogo, su intrigante historia, y vio, detrás de los ojos de Rojas, expresivos y sin palabras a la vez, un brillo muy peculiar.

—Recuerdo que vino a verme el verano de 1959 acompañado por Vidal, un antiguo amigo, un mercenario del arte muy próximo al poder. Yo había trabajado para Vidal durante unos años y, aunque decidí recluirme aquí, escapar del mundo, los tentáculos de Vidal eran muy largos y no tardó en localizarme para que siguiera realizándole algunos trabajos. Uno de ellos, precisamente, consistió en informar sobre ese cuadro. Me acuerdo perfectamente del día que llegaron, recuerdo las presentaciones y cómo conecté rápidamente con Latorre. Venía entusiasmado, enamorado de un cuadro que para él era casi como un sueño, aunque, desde el principio me di cuenta, desconocía por completo la ciénaga en la que se estaba metiendo, las malas compañías, los puñales del arte mafioso. Lo único que él comprendía es que había comprado un cuadro original de Claudio de Lorena por un precio ridículo. Todo había sido un montaje perfectamente calculado, uno más de los que realizó por aquellos años Vidal, cuyo primer capítulo se había escrito en una pequeña galería de arte parisina mientras el segundo se escribía aquí,

333

en el torreón de Walter Scott, donde yo debía confirmar oficialmente la originalidad del cuadro.

—Un momento. ¿Por qué dice que Latorre no mereció ese final? —Larios interrumpió a Rojas, aturdido, metido dentro del increíble huracán del tiempo y tremendamente excitado.

—Es evidente —respondió Rojas.

Larios comprendió al instante y volvió a ver, detrás de los ojos del anciano, un brillo extraño, tremendamente cómplice. Además, poco a poco, atando cabos sueltos, colocando piezas extraviadas del rompecabezas, se fue dando cuenta de que la conexión entre la muerte de Iris Latorre y de su padre, tan evidente y confusa en un primer momento, no podía tener dobles lecturas, a pesar del tiempo transcurrido entre una y otra muerte.

—La hija pequeña de Carlos Latorre fue asesinada hace unas semanas. ¿Sabe quién asesinó al padre? —preguntó Larios mientras se daba cuenta en el acto de que la noticia del asesinato de Iris Latorre no pillaba por sorpresa a Rojas.

—No, no sé quién mató a Carlos Latorre, lo único que sé es que el asesino no tenía las ideas muy claras. Y el que haya matado a su hija, en caso de no ser el mismo, lo ha hecho movido por los mismos intereses que el asesino de Latorre. En todo caso también está tremendamente equivocado.

—¿Y cuáles son esos motivos? —preguntó un cada vez más desconcertado Larios.

—Está claro: el tesoro pirata.

Mi siguiente punto de destino fue Bad Aussee, en el corazón de una región inhóspita y difícilmente accesible. Recuerdo que llegué una noche de febrero, negra como el infierno, de frío brutal, asesino y plomizo, a un oscuro y triste hotel de Salzburgo. Allí permanecí unos días junto a Vidal, que me había acompañado en la nueva aventura, y me empapé de su presencia y de sus confusos ojos. Me parecía tan distinto a cada minuto: peligroso e ingenuo a la vez; necio y pusilánime; tan cobarde y débil; tan cabrón y ruin. No sé en qué maldita rama del árbol de mierda que le cobijaba podía encontrarse, pero lo cierto es que el indigno Vidal se apuntaba a todos los oscuros negocios que aparecían. A aquellas alturas de la historia sabía de sobra que, en el fondo, Vidal no era más que un pelagatos manejado por ambiciosas y despreciables manos que, ni por asomo, deseaba imaginar. Al rostro enflautado de Vidal sólo le correspondía, como pálido reflejo, el orgullo de sentirse alguien ante mí, que no era más que un pelele manejado por otro pelele, aunque mi incursión en esa vida, en esos turbios asuntos, tenía un sentido y un propósito muy distinto al de aquellos tipos; en realidad, estaba en las malditas antípodas.

Pasaron unos días, nevó abundantemente, el cielo se volvió negro a golpes y el silencio, poco a poco, como una vieja dama, comenzó a machacar a Vidal. Yo no necesitaba hablar, no había querido hacerlo con nadie desde hacía mucho tiempo, me encontraba bien en medio del silencio. No deseaba ningún tipo de relación con nada ni con nadie, tan sólo encontrar mi mísera felicidad en lo blanco. En definitiva, dejarme llevar y tragarme los años que estaba viviendo de prestado. Pero aquella situación para alguien tan simple como Vidal era un pequeño infierno y sólo los que vivíamos habitualmente en él sabíamos lo difícil que podía llegar a resultar soportar su angustia.

Por fin llegó Milton Davis y, para Vidal, fue como ver el cielo abierto. Rápidamente, en unos días, nos puso al corriente de lo que esperaba de nosotros. Para entonces ya me había dado cuenta de que Vidal era un pobre estúpido como yo, un intermediario más, y que, en el fondo, era el último en enterarse de todos aquellos enrevesados manejos.

Abandonamos el hotel de Salzburgo y nos dirigimos a la pequeña ciudad de Bad Aussee, en el centro de una intrincada red de difícil acceso, tétrica y vertiginosa. Nuestro objetivo, nuestro nuevo lago de Maracaibo, era el lago Toplitz, a 15 kilómetros de Bad Aussee, cuyas aguas negras, profundas e inquietantes consiguieron revolverme el estómago. Aquella contemplación del lago negro, como un espejo de estaño fundido, en medio de cumbres de dos mil metros, todas ellas erizadas de pinos como centinelas mudos, como nazis prestos a cortarnos el cuello en cualquier recodo del camino, ha permanecido fija en mi memoria durante toda mi vida. Hace muchos años de aquello pero aún hoy, cada mañana, veo el lago negro y me duermo rodeado de antiguos SS que vigilan sus aguas y eliminan a los curiosos visitantes que se acercan. Me duermo y me muero traspasando tiempo, memoria y dignidad.

Imagino que todas las historias que nos había narrado Milton Davis en el hotel de Salzburgo hicieron el resto en aquel momento y todavía hoy. Y es que, para entonces, Vidal y yo habíamos comenzado a soñar con los tesoros nazis, aunque ese sueño, en nosotros, se vestía con ropajes muy distintos.

—El cuadro, a todos los efectos, parecía una magnífica copia del ilustre Lucien Girardot —comentó Rojas mientras daba un pequeño sorbo a un vaso de agua, escapándose hábilmente de la historia sobre el tesoro pirata—. Sin embargo, como muchos de los cuadros que se le adjudicaron al gran copista francés, en realidad era un cuadro totalmente original, un verdadero Claudio de Lorena, una obra de arte total, la Belleza con mayúsculas. Tras la guerra, Girardot prefirió declararse falsificador antes que colaboracionista nazi y no tuvo ningún reparo en facilitar a las autoridades una larguísima lista de sus presuntas falsificaciones. Muy pocos sabían qué cuadros eran copias y cuáles eran originales y uno de los pocos que tenía información privilegiada era Vidal. Desconozco la razón por la cual confió tamaño secreto a Latorre, aunque es fácil de suponer que hubo mucho dinero de por medio, que, con toda seguridad, el trabajo del intermediario le costó mucho más dinero a Latorre que el propio cuadro. Lo cierto, de todas formas, es que aquel día de verano, con un sol abrasador, violáceo y magnético, se presentaron con el cuadro aquí mismo. Y yo les confirmé que era verdadero, algo que ratificó, entre sonrisas, el propio Vidal. La única duda que tenía al respecto era su no inclusión dentro del *Liber Veritatis* pero eso no era definitivo porque el cuadro, era evidente, pertenecía a la primera época del pintor, muy probablemente cuando todavía no había registrado todas sus obras. Sin embargo, cuando tiempo después Latorre me pidió una investigación más exhaustiva sobre el lienzo, cuando empezamos a sospechar que el cuadro podía tener información oculta, lo primero con lo que me tropecé fue con el grabado original perteneciente al *Liber Veritatis* que, con una cínica y calculada sonrisa, me mostraba Vidal. Era la segunda parte, el seguro perfecto de autenticidad. Por una cantidad respetable de dinero era de Latorre. Nadie le había engañado, pero estaba claro que Vidal sabía sacar cumplida tajada de todos sus turbios negocios. Para entonces, tanto Carlos Latorre como yo estábamos convencidos de que la obra no sólo era original sino que escondía el plano de un tesoro pirata. No podía ser de otra forma. El cuadro, como confirmó posteriormente el reverso del grabado, había sido encargado por alguien que quería mandar un mensaje. Y por el medio había piratas, el desembarco de un gran tesoro, toda una historia cifrada y mágica, repleta de fantasiosos significados a los que nadie, inmerso en la cultura de sueños y aventuras en la que nos habíamos criado, era ajeno. Sin embargo, al parecer alguien opinaba de igual forma... Pienso que Latorre se acercó demasiado al fuego y alguien lo mató.

—Un momento. —Larios volvió a interrumpir el relato de Rojas—. Entonces, ¿existe un tesoro pirata?

—El asesino busca un tesoro y el único tesoro es el cuadro de Claudio de Lorena —comentó Rojas en voz baja, tan baja que apenas llegó a los oídos de Larios.

—Pero usted mismo dice que el cuadro era una añagaza bien calculada y medida, que escondía un verdadero plano de un tesoro pirata.

—En efecto así es, se lo explicaré después más detenidamente, pero ahora escucho los pasos de Lucio Marcos. Es la hora de la comida y no sabe usted cómo cocina la señora Marcos: prepárese a degustar algo tan impresionante como un verdadero tesoro pirata.

Ya habían pasado un par de meses desde que el *Roccobarocco* regresara a Tortuga cargado de riquezas y de gloria y durante todos esos días la isla había estallado en una fiesta continua y brutal. Los piratas que llegaron en el barco triunfador y todos los hombres y mujeres de Tortuga se enzarzaron en una loca orgía que arrasó todas las existencias de vino y de ron. La isla, poco a poco, se fue secando, como se secaban los bolsillos y los ojos de los piratas, y es que aquellos hombres tenían la misma facilidad para malgastar todas sus riquezas que para robar y asesinar a sus semejantes. Ésa era su religión: jugarse la vida tirando por la borda, en unas pocas semanas, todo lo conseguido con sus malas artes, su sangre y, sobre todo, la sangre de los demás. El Duque, mientras tanto, apenas salía de su escondrijo. Encerrado en sus recuerdos, con la única compañía de la botella y de la bola de cristal llena de un perfume secreto, decidió retirarse de la vida. Tal vez para siempre. Su fiel Padovani intentó, día y noche, arrebatarlo de la miseria, pero él sabía, más que nadie, que eso ya resultaba imposible. Para penar la tristeza de ver a su mejor amigo muriendo se refugió en los cálidos brazos de Yaguajay, y a ella se aferró con toda la fuerza de la que era capaz, recorriendo juntos la costa sur de Tortuga, buscando ámbar y viviendo lo más cerca posible del paraíso. El Duque, por su parte, encerrado en su miedo, expulsó definitivamente de su vida, si es que estuvo durante algún minuto instalada en ella, a Ivonne quien, derrotada, hundida, decidió transportar su cuerpo de marfil, su larga cabellera rubia y su impresionante ser normando, a las sebosas manos de todos los piratas, vendiéndose cada noche al mejor postor para alegría y regocijo de todos los hombres de Tortuga y para pesar de sus ya de por sí maltratados bolsillos, que ofrecían sus últimas monedas en intercambiar caricias y exquisitos juegos con la mujer más deseada de la isla.

A esas alturas, la situación, como solía ser habitual en gente que no sabía vivir lejos del mar y de la aventura, comenzaba a resultar especialmente dificultosa. Quien más y quien menos había despilfarrado su dinero y, con los bolsillos vacíos, suspiraba por lanzarse de nuevo a la mar para volver a comenzar su ciclo infernal. Y el capitán Danko, de entre todos ellos, se transformaba en uno de los más impacientes y, sin duda, en el más peligroso. Cada noche, en El Loro Azul, se sumergía, atiborrado de ron hasta las cejas, en el fantasioso y doliente recuerdo de sus inmortales correrías, en hacer comprender a sus ensimismados, atolondrados y borrachos discípulos, que su contrahecha figura de loco aventurero había soportado las más trágicas penurias; que su bocaza llena de pelos negros que descendían desde su abarrotado mostacho había digerido tales cantidades de cuero seco y árido que se podría erigir en maestro calzador de toda una legión de piratas, mascando y tragando cuero hasta conseguir su objetivo: veinte días de penurias, de hambre hasta el límite para finalmente arcabucear a todo un poblado de españoles, violar a todas sus mujeres, quemar sus iglesias y llevarse todo el oro y las joyas, regresando victorioso a Tortuga con el cuerpo lleno de cuero crudo y las alforjas repletas de oro. Y, claro, en aquellas circunstancias, Danko no podía soportar permanecer durante mucho tiempo en tierra. Poco a poco su locura comenzaba a mostrarse en plena ebullición y casi todas las noches, cuando abandonaba El Loro Azul, corría por las calles de Tortuga, reventando en locura y en ron, e hiriendo con sus pistolones a todos cuantos encontraba por su camino. Y si alguno se le resistía especialmente o se le cruzaba delante de su insana mente en un mal momento, le hacía asar en saetas de palo como a un mísero animal. Danko enloquecía a marchas forzadas, su cuerpo pedía aventuras y mar, su despoblado cerebro fantaseaba, a todas horas, con la idea de atacar las caravanas que transportaban en mulas cientos de joyas a través del istmo de Panamá, ciudad que empezaba a servir de base a muchas expediciones españolas y donde se transformaban en lingotes de oro las estatuas y los escudos de ceremonia de los incas. Mientras tanto, el único que podía sacar adelante a todos aquellos hombres, el único que se podía enfrentar a Danko, haciendo viables sus fantasías, preparando meticulosamente las expediciones, se moría, retorcido de angustia, en un pequeño catre de su despacho. Ya hacía mucho tiempo que el Duque no escuchaba gritos en El Loro Azul, que no veía el sol, que sólo sobrevivía con la bola de cristal instalada, de forma permanente, en su rostro. Ya hacía demasiado tiempo.

✦ ✧ ✦

El exquisito olor que llegaba desde la cazuela era delicioso, un dulce y arrebatador aroma que comenzaba a flotar en el aire, extendiéndose por todo el torreón, colmando los instintos más primitivos de Larios y Rojas. Se habían acercado a una habitación contigua al despacho de Rojas, presidida por un magnífico cuadro que representaba a un Walter Scott luciendo su habitual porte aristocrático y distinguido, y por una mesa de madera, en la que había otra caja llena de fichas con extraños símbolos orientales, donde se sentaron los dos, mientras Lucio Marcos procedía a servir la comida.

—Algún día, tal vez, le enseñe a jugar al *mah jong* —comentó Rojas—. Hubo una época en que fui un gran amante de ese juego y a él me entregué por completo, como debe ser en todo amor. También en éste me perdí. No podía ser de otra forma...

La noche comenzaba a resultar especialmente turbadora. Un perfume cautivador, unos recuerdos confusos, el olor delicioso de una comida recién hecha, la maravillosa sensación de asistir a una velada ya vivida, a una memoria reconstruida después de mucho tiempo, todo era pura hechicería en estado salvaje, como un encantamiento singular de cascabeles de luna revoloteando alrededor del torreón de Walter Scott.

—Bueno, esta comida está pidiendo a gritos que nos hundamos en ella —susurró Rojas, mientras cogía entre sus temblorosas manos un tenedor.

Durante la hora larga que duró la cena, en un ambiente cálido y muy especial que en algunos momentos sobrecogió especialmente a Larios sin saber muy bien por qué, el melancólico anciano, en un monólogo dislocado y atravesado por deliciosas especias de sabores espectaculares, le habló a Larios de su niñez en Argentina, de sus primeros pasos, de

341

su ingenuidad dorada ante la Pampa, ante la vida, de su regreso a España para volcarse en el fango de una guerra inhumana, de una mujer que tuvo a la que dejó de querer sin saber muy bien el motivo. Y luego, muriéndose, con lágrimas en los ojos, recordó la llegada de Laura Gabelatti, la mujer que le hizo conocer el paraíso y le cambió totalmente la vida; porque Laura era especial, era una mujer de agua que amaba la luna y la noche, una mujer de plata tremendamente poderosa, lo suficiente para atravesar su corazón. Con Laura estuvo en Florencia casi durante dos años y le dejó los mejores momentos de su vida y luego el sentimiento de haber muerto definitivamente, pues la vida no era vida sin ella, tan sólo dejarse llevar y dejar que los días pasaran. Y es que, para Rojas, sin Laura sólo había tristeza y desesperación, el recuerdo de unos besos increíbles y la fatiga y el dolor de tener que seguir viviendo sin ellos.

—Estoy seguro de que en el camino de cada uno, si tiene suerte, se cruza alguien, sólo una persona, de la que te enamoras definitivamente, la persona con la que deseas compartir todos y cada uno de los segundos de tu vida. Cuando los dos piensan de la misma manera, la vida puede ser maravillosa; sin embargo, si esa persona no se engancha a tu vida, si no te ama, firmas para siempre tu sentencia de muerte. Ya nunca más volverás a ser feliz, te arrastrarás por la vida y tan sólo desearás morir cuanto antes...

Y eso, le explicó a Larios, es lo que hizo Rojas a partir de ese momento: buscar tesoros piratas, tesoros nazis, introducirse en extrañas redes internacionales de comercio de arte, jugar con la muerte, hacerse mercenario y arrastrarse por los puntos más conflictivos y tristes del planeta; finalmente acostarse con la muerte y dejar que su único amigo muriese en medio de alguna de las sarracinas espeluznantes que, alimentadas por drogas de todo tipo y por litros de cualquier cosa parecida al alcohol, solía protagonizar Rojas con asiduidad. Luego, cuando regresó a la conciencia y se acostumbró al dolor de no estar jamás con Laura, huyó de la vida de forma definitiva y acabó por refugiarse en Peñaranda de Bracamonte, en hacer del torreón de Walter Scott el proyecto de su verdadero ataúd.

La cena había terminado y el sentimiento que invadía a Larios era contradictorio. Aquel hombre le daba una pena tremenda y provocaba en él una sensación de tristeza desgarradora aunque, en el fondo, le estaba mostrando las tripas de sus propios sentimientos, le estaba describiendo la misma situación que él vivía desde hacía mucho tiempo ya. Era extraño, pero en Rojas veía el futuro de sus ojos, la misma expresión, la misma amargura.

Se sentaron en una par de cómodos sillones, junto al retrato del escritor escocés y una acogedora chimenea, y Rojas encendió su pipa. Larios echó mano de su cajetilla de cigarrillos y encendió uno.

—En ese armario tiene todo tipo de bebidas, puede servirse lo que quiera —comentó Rojas mientras luchaba con su pipa de color granate.

Larios se sirvió en un vaso alto un poco de whisky. Era de noche y en el torreón sólo se escuchaba el crepitar de la chimenea y el zumbido del aire fustigando las ventanas. En el calor del ambiente, con la ayuda del whisky y el deseo de apartarse de la triste vida de Rojas que era el reflejo y anticipo de la suya, Larios se atrevió a preguntar:

—Entonces, ¿existe un tesoro?

1.000 millones procedentes del tesoro personal del jefe nazi Kaltenbrunner fueron encontrados enterrados en el jardín de su casa. 19.000 millones habían sido enterrados en los eriales de Blaa Alm por otro jefe nazi, Eichmann.

343

100.000 millones de francos habían sido descubiertos, muy cerca de allí, en el fondo de una mina de sal, en los alrededores de Alt Aussee, así como todo un larguísimo etcétera donde se mezclaban toneladas de oro, cuadros de grandes pintores procedentes de la colección Rotschild y Stern, candelabros de oro, alhajas y montañas de dinero como las encontradas en los sótanos del palacio del obispado de Salzburgo (cerca, muy cerca de nuestro hotel) perteneciente al barón von Himmel o las encontradas en las bodegas del castillo de Valdenstein, junto a Nuremberg y que constituían el pequeño tesoro personal del mariscal Goering.

Pues bien, todo aquello era sólo un pequeñísimo bocado de lo que se había dado en llamar el tesoro de Hitler, cuya mayor parte permanecía encerrada en cavernas secretas como la famosísima y casi mítica Guarida de los Lobos —*Wolfschanze*— en la región de Rastenburg, en Polonia. Al parecer, según la historia más o menos mítica, unos mil prisioneros trabajaron en su construcción y fueron ejecutados al terminar la obra. De igual modo, en accidentes consecutivos e increíblemente parecidos, el arquitecto y los ingenieros sucumbieron a la gloria y demonios de una leyenda que hablaba de una verdadera ciudad enterrada a 50 metros bajo tierra, defendida por 80 fortines y por una intrincada red de minas y trampas explosivas, una ciudad con su biblioteca, oficinas de archivos, cuartel, dormitorios, salas de juego, gimnasios, piscina, una imprenta donde se hacían falsas libras inglesas y falsos dólares americanos y con una reserva de víveres suficiente para alimentar a los guardianes, antiguos SS, que custodiaban los tesoros con su vida y su muerte. Aquello, aunque con un fondo de verdad, no era más que una leyenda inflada por la gente, un cruce de supersticiones y de miedo. Lo que verdaderamente nos importaba era que existía un tesoro de valor incalculable en alguna parte del mundo y los informes secretos de Milton Davis aseguraban que estaba muy cerca de nosotros.

Cuando Hitler, a finales de 1944, se dio cuenta de que su imperio se hundía, comenzó a obsesionarse con la idea de acumular un gran tesoro que hiciese posible el advenimiento del futuro Gran Reich. Así, en abril de 1945, mientras el ejército alemán sucumbía a las fuerzas aliadas, más de cien camiones fueron apartados de sus fines militares, por orden directa del mismo Hitler, para evacuar el mayor botín que la historia haya conocido. La Operación Oro del Rhin, título de una ópera de Wagner basada en una vieja leyenda alemana, había comenzado.

Algunos hombres del VII Ejército Americano se vieron involucrados de una manera más o menos turbia en este traslado como lo revelaban los informes presentados por Milton Davis. El primer punto de destino de este éxodo de oro fue la Francia ocupada y, desde allí, a través de España, de Cádiz, fue llevado hasta Argentina a bordo de un submarino al mando del comandante Dietrich Nieburh, amigo personal de Himmler y, casualidades del destino, de nuestro amigo americano.

El tesoro argentino estaba ya perfectamente controlado por manos americanas y nazis. Sin embargo, hubo otros puntos de destino, otras expediciones, y aunque los tesoros más espectaculares llegaron por caminos desconocidos a puntos concretos de América del Sur, donde estaban refugiados, bajo falsos nombres, antiguos jefes nazis que, supongo que ayudados por gente completamente altruista como nuestro benefactor amigo yanki, esperaban —o, tal vez, esperan— financiar, según proyectos de Hitler, el advenimiento del Gran Reich futuro, lo cierto es que los tesoros eran muchos más y, según los informes aportados por Davis, el más importante de ellos descansaba en el fondo del lago Toplitz.

✦ ✧ ✦

—Claro que existe un tesoro, un gran tesoro. —Rojas sonrió mientras, dificultosamente, se levantaba del sillón, dejaba su pipa sobre una pequeña mesa redonda y se acercaba a un armario situado junto a la ventana. Abrió distintos cajones, algunos de ellos mediante una pequeña llave que llevaba consigo, refunfuñó unos segundos y, por fin, sacó una gran y pesada caja de cartón. Larios se levantó para ayudarle y la dejó encima de la mesa donde minutos antes habían dado buena cuenta de la comida preparada por la señora Marcos. Larios miró con ojos expectantes a Rojas y el pobre viejo, entendiendo perfectamente su angustia, comentó:

—Espera sólo un minuto. Estas viejas manos ya no son ni sombra de lo que eran. Ayúdame a cortar la cuerda.

Por fin, abierta definitivamente la caja, aparecieron, ante los atónitos ojos de Larios, un montón de periódicos viejos atados con un cordel azul. Larios miró durante unos segundos a Rojas buscando algún tipo de explicación y, al continuar el silencio dentro de la habitación, volvió a fijarse en los periódicos, observó que se trataba de *La voce di Milano* y se atrevió a acariciarlos, eso sí, con un poco de miedo, como si el papel fuese a deshacerse entre sus manos. Los periódicos, unos cuarenta, estaban doblados por su mitad y, obedeciendo las indicaciones de Rojas, Larios procedió a desdoblarlos. En su interior aparecieron, también rodeados por un cordel azul, unos cien folios, ligeramente amarillentos, encabezados por un título, escrito a mano, con tinta granate: *El sueño de Maracaibo*, por Pietro Padovani.

—¿Qué significa esto? —acertó a preguntar Larios mientras repasaba las hojas y observaba que todas estaban escritas a mano, con la misma letra granate del título.

—Es un folletín de un escritor que seguramente no conocerás, de alguien que, en realidad, nadie conoce, un italiano llamado Pietro Padovani y que publicó en *La voce di Milano*, desde el 2 de febrero de 1903 al 3 de junio del mismo año, una historia de piratas al calor del éxito que había tenido, en su tierra y en el resto del mundo, *El corsario negro*, de su compatriota Emilio Salgari. Sin embargo, *El sueño de Maracaibo* pasó completamente desapercibido y no tuvo ningún éxito, porque la gente pedía aventuras, batallas, héroes y Padovani sólo les obsequió la historia de un pirata llorón, con un estilo alejado del colorismo de Salgari, de su toque juvenil y aventurero, una novela llena de datos técnicos que resultaban pesados, a veces un documental geográfico y, por todas partes, un exceso de sentimientos y una preocupante escasez de acción, es decir lo contrario de lo que pedía el público. Pero —Rojas volvió a sonreír al ver el gesto de estupefacción que presidía el rostro de Larios—, en cambio en estas ásperas y viejas hojas está la clave del tesoro. Cuando Carlos Latorre me encargó investigar la historia del cuadro no tardé mucho, buscando la identidad del pirata que aparecía en el cuadro de Claudio de Lorena, en llegar a estos periódicos, traduje el folletín y el resultado es, como no podía ser de otra forma, una historia de amor.

347

—No entiendo nada —fue lo único que acertó a comentar Larios.

Danko, agotado por el ron, las mujeres y la locura, agobiado en Tortuga, atado a una tierra que no deseaba, anhelante de mar, se hundía poco a poco en sus miserias, en sus delirios estrambóticos de grandeza. Los primeros rayos del sol entraban por las ventanas de El Loro Azul. Varios hombres y mujeres se amontonaban por todo el local, durmiendo su lujuria y su borrachera como una pesada carga insoportable de llevar. Danko acarició su espesa barba negra, colocó sus cintas rojas, que en la agitada noche se habían desmandado, y subió las escaleras. Tardó un mundo en llegar, porque sus piernas no respondían, porque cada vez respondían menos cuando su cuerpo iba lleno de alcohol. Finalmente aporreó la puerta del Duque. Escuchó una apagada voz desde el interior y se decidió a entrar.

—Viejo perro, te echamos de menos. —Danko había llegado hasta el Duque que, con el torso desnudo y tan sólo unos anchos y negros pantalones, recibió a su capitán, alargándole una botella de ron.

—No creo que nadie me eche mucho de menos. Al temido capitán Danko es al que, realmente, echan de menos todas las armadas. El monarca francés ha sido el úlltimo en poner precio a tu cabeza. —El Duque alargó un sobre a Danko—. Lo trajeron ayer desde el palacio del gobernador. No ha gustado mucho la muerte de Henri Doyle...

Danko estalló en una carcajada, tomó un largo trago de ron y devolvió el sobre al Duque.

—Sabes que no sé leer. ¿Qué quieren esos perros?

El Duque abrió el sobre, se sentó y comenzó a leer la carta:

—El capitán Danko ha pasado a ser el pirata más buscado, y no sólo por los españoles. En Francia ha escocido nuestra última expedición. Te hacen saber —el Duque bebió un sorbo de la botella y leyó directamente de la carta con sello real— que...

...la mar la ha concedido Dios para uso de los hombres y está sujeta a dominio y propiedad, de la misma forma que la tierra, que el rey de Francia ejerció sus derechos sobre la expedición llevada a cabo en Maracaibo a través de su representante legal, el gobernador de Tortuga, Henri Doyle, que no pueden efectuarse comercio y navegación sin leyes, por lo que siempre ha habido leyes particulares, para la mejor ordenación y regulación de los asuntos marítimos, que en Francia, a cuya jurisdicción pertenece Tortuga, siempre ha habido tribunales y juicios establecidos, a cuya jurisdicción pertenecen las causas marítimas, tanto en cuestiones civiles como criminales, que en tribunal reunido al efecto se consideraban los últimos hechos, con el agravante de crimen y de traición...

—¿Qué demonios quiere decir todo eso? —Danko, acalorado y excitado, tomó del brazo al Duque, exigiéndole una explicación de algo que no alcanzaba a comprender bien pero que su inconmensurable soberbia le hacía pensar como un nuevo triunfo de su dominio en los mares, como un reconocimiento a su crueldad.

—Se nos pide que devolvamos parte del botín y pongamos inmediatamente en un barco rumbo a Francia al artesano. Si en el plazo de un mes no lo hacemos seremos buscados por la armada francesa y llevados, vivos o muertos, a las puertas de París. Viene luego una relación de todos los hombres que estuvimos en la expedición a Maracaibo, encabezada por el insigne y temible capitán Marco Danko, antes residente en Niza, marinero...

Danko volvió a interrumpir al Duque y le pidió que le enseñara el lugar donde aparecía su nombre. Cuando el Duque le enseñó su nombre un sentimiento de goce inconmensurable recorrió todas las esquinas del cuerpo del barbudo pirata. Algo así era lo que siempre había soñado, ser temido por todos los hombres, por todos los países, ser el rey de los mares. Mientras tanto, una vez complacido el ego de su capitán, el Duque siguió explicando y leyendo el resto de la larga misiva oficial:

—La carta continúa con una acusación en regla del tribunal formado al efecto, haciendo detalle expreso de las últimas expediciones llevadas a cabo por el *Roccobarocco* y finalmente un discurso del juez supremo de la corte francesa que deberías hacerte leer todos los días para salvar tu infecta alma.

—Siempre he odiado a los jueces y a los curas: a Danko nadie le sermonea.

—Pues escucha, leo por encima algunos párrafos y no rompas a reír como un estúpido cretino:

No voy a citar los muchos actos de piratería cometidos, pues si el perdón del hombre no fue nunca auténtico, sin embargo deberéis responder de ellos ante Dios. Sabéis que los crímenes que habéis cometido son malos en sí mismos y contrarios a la luz y a la ley de la naturaleza, al igual que a la ley de Dios, por la que se os dice no robarás, Éxodo, 20,15. Y el apóstol San Pablo afirma expresamente que los ladrones no heredarán el reino de Dios, I Cor. 6,10. Pero al robo habéis añadido un pecado mayor, que es el homicidio. No sé a cuántos podéis haber matado y aunque podáis imaginar que eso era matar legalmente en lucha abierta, sin embargo sabed esto, que no habiendo sido encomendado el poder de la espada a vuestras manos por una autoridad legal, no estabais autorizado a hacer uso de fuerza ni lucha algunas; y por tanto, aquellas personas que cayeron en esa acción, en cumplimiento de su deber con el rey y su país, fueron asesinadas, y su sangre clama ahora venganza y justicia contra vos; pues es la voz de la naturaleza, confirmada por la ley de Dios, que quienquiera que derrame sangre de hombre, por hombre será derramada la suya, Gen, 9,6. Y considerad que la muerte no es el único castigo que corresponde a los homicidas; pues están amenazados a tener su parte en el lago ardiente de fuego y azufre, que es la segunda muerte. Palabras que llevan consigo el terror, y que, consideradas vuestras circunstancias y vuestra culpa, sin duda el oírlas os debe de hacer temblar, pues ¿quién es capaz de vivir en el fuego eterno?

El Duque interrumpió en ese momento la lectura alertado por los sonoros ronquidos de Danko. Resultaba evidente que el capitán Danko no se había inmutado lo más mínimo por las amenazas llegadas desde París. Todo lo contrario, posiblemente se había sentido el ser más dichoso por ser el más temido y odiado. El envanecimiento y la borrachera habían hecho el resto. El Duque, gracias a ello, pudo respirar. Intuía que Danko venía a exigirle acción, nuevos proyectos y él no tenía ganas de nada porque él sí que vivía en un lago ardiente de fuego y azufre.

La noche se había echado encima del torreón de Walter Scott y, rodeado de la trémula y poética luz que se desprendía del fuego, mientras desanudaba la cinta azul que envolvía *El sueño de Maracaibo*, Rojas comentó a Larios la intención de Pietro Padovani de escribir una segunda parte de la novela que hubiera sido, probablemente, definitiva para conocer el fin último del pirata conocido como Duque y de su inmenso tesoro, pero se conformó con traspasar locuras y miserias al viento y decidió suicidarse un frío día de diciembre de 1903, con lo que no pudo llegar, siquiera, a empezar una novela que ya tenía título: *Llueve, siempre Maracaibo*.

—Todo lo puedes comprobar tú mismo. En el último periódico viene una entrevista con el desgraciado novelista. Allí habla de su novela, de sus sueños y de sus miserias y desnuda a sus personajes, sus historias, sus momentos y sus lamentos. *El sueño de Maracaibo* cuenta la historia de un sangriento pirata, el capitán Danko, y de su lugarteniente, un extraño y turbio español conocido como Duque. Cuando comencé mis investigaciones, tras estudiar detenidamente el cuadro de Claudio de Lorena, pensé que el pirata que aparecía era el famoso *Barbanegra*. Sin embargo, las fechas no coincidían y no tardé en descubrir, buceando en libros de la época, que Danko, un oscuro y sanguinario pirata de Rotterdam, que vivió una larga temporada en Niza, era el tipo de las barbas estrafalarias. Sin embargo, él no nos interesa para nada. Como ya habrás imaginado, el Duque es nuestro hombre, el verdadero protagonista del cuadro y de nuestra historia, el dueño del gran tesoro que, hábilmente, señala y muestra el cuadro de Claudio de Lorena. El Duque, tras abandonar la piratería, encargó en 1635 el cuadro al pintor lorenés. Su visita a Roma duró muy poco, lo justo para realizar el pago y dar las pautas de lo que quería que apareciese en el lienzo: deseaba que Claudio de Lorena pintara un palacio veneciano concreto, el desembarco de un gran tesoro y las claves de su destino. Todo está en la novela de Padovani, porque, además, el brazo derecho del Duque era un rijoso sacerdote de nombre Boris Padovani que, como fácilmente imaginarás, es un antepasado de nuestro escritor. El cura escribió unas memorias y, al parecer, éstas fueron la base de la novela. Cuando el Duque decidió terminar con su vida de pirata, marchó de la isla de Tortuga, su patria, refugio y vida, y realizó su último viaje cargado con una inmensa fortuna amasada tras varios años de pillaje y desesperación. Su destino fue Venecia donde mandó construir un fabuloso palacio a mayor honra y gloria de su amada. El palacio ya lo conoces y la historia de amor fácilmente la puedes imaginar. Y éste es nuestro gran tesoro, el libro es muy claro, el lienzo tremendamente significativo...

Larios movió la cabeza, enarcó las cejas, revolvió enérgicamente su cabello y dio a entender de forma evidente que no acababa de comprender casi nada aunque su corazón, desde el primer momento, imaginó lo que pudo hacer aquel pirata, algo que él, metido dentro de sus tripas, probablemente hizo alguna vez.

—Si todavía no has entendido el cuadro, lee la novela —comentó Rojas, al tiempo que cogía, de nuevo, su pipa granate y la volvía a encender.

Desde nuestro escondrijo de Bad Aussee comenzamos a preparar nuestra empresa. En menos de un mes llegaron 14 hombres que empezaron a trabajar sobre el terreno. Las dificultades eran inmensas y el miedo, por los extraños y terroríficos precedentes, era, en la mayoría de los casos, patente y visible como la nieve que se acumulaba en las cumbres, como el frío que cortaba y enloquecía.

La historia de aquel lugar nos llevaba, de forma mítica, tal vez fantasiosa, a un viejo profesor de música llamado Anton Butt que, en los últimos días de la guerra, había guiado a numerosos jefes nazis a través de las montañas, alrededor de Gastein, de Salzburgo y, especialmente, de Salzkammergut, donde se encontraba el lago Toplitz. Fue tal la frenética actividad durante aquellos años que la noticia comenzó a propagarse con la rapidez y el peligro de un reguero de pólvora, alimentada convenientemente e inflada de forma espectacular por la superstición y la ambición. Cientos de buscadores de tesoros, ayudados por dragomanes, guías y aparatos de detección diversos, con sus mochilas llenas de avaricia, se empeñaron, febrilmente, en buscar el mítico tesoro. Y, a partir de ese trágico y codicioso momento, la gente empezó a desaparecer de forma misteriosa o simplemente a ser víctima de accidentes aparentemente muy extraños. La leyenda popular y el miedo, la superchería estrambótica de nuevas hechiceras, de santones tripudos, en

353

todas sus múltiples formas, alimentó la idea de que feroces guardianes de los tesoros del lago engullían a quienes tenían la osadía de atacarles y de interrumpir su sacrosanta felicidad. Eran feroces dragones bien conocidos por todos, sin duda antiguos nazis que rondaban secretamente la región, montando guardia alrededor del tesoro, y transportándolo de escondite en escondite, dejando toda una aparatosa y sangrienta estela de cadáveres en su bien calculada huida.

Todo lo que se respiraba en aquel final de año de 1952 era extraño. Habíamos empezado el trabajo dieciséis hombres, aunque cada vez se producían más deserciones, y al frente se encontraba Milton Davis que no tenía, precisamente, las ideas muy claras, aunque sabíamos que estaba permanentemente en contacto con los Estados Unidos. Éramos todos de diversa condición y, la mayoría, de países muy dispares. Nuestra amazacotada mente no comprendía muy bien el alcance de la empresa y yo sólo tenía claro que aquello resultaba demasiado insólito y turbio. Lo que en un principio nos habían presentado como una misión oficial del gobierno americano, comandada por dos agentes de la C.I.A., poco a poco, se presentó ante mis cansados ojos como una operación mucho más oscura. Aquellos dos agentes de la C.I.A., los únicos americanos junto a Davis, tenían de agentes de la C.I.A. lo que yo o el memo de Vidal que, por cierto, fue el primero en abandonar la expedición para asistir a ciertas e importantísimas subastas celebradas en Nueva York. Y, junto a aquellos americanos, dirigiendo todos los hilos, había dos alemanes que se dedicaron a explorar palmo a palmo el trágico lago y a ordenarnos a todos los demás lo que teníamos que hacer. El resto éramos unos pobres vendidos que no sabíamos muy bien lo que hacíamos ni para qué, pero que cobrabamos una buena cantidad de dinero por trabajar y callar. La mayoría de mis compañeros eran mercenarios que iban de aquí para allá vendiéndose al mejor postor y entre ellos trabé especial amistad con un joven italiano, Piero Maldini, especialista en buceo submarino, que tuvo la edificante y triste virtud de recordarme mis días y mis noches de Florencia, y que me condujo, inexorablemente, hasta los besos de Laura, como en un camino sin retorno que nunca concluía, como en un eterno carrusel que se negaba a dejar de dar vueltas.

El material que empleamos en aquella edificante empresa era ultramoderno para aquella época y comprendía, a parte de lo más indispensable y común, sondas de ultrasonido y cámaras de fotografía submarina. Estas cámaras, después de muchos trabajos y de ser emplazadas en múltiples y distintos lugares, consiguieron revelar una curiosa particularidad del fondo del lago: a unos cuarenta metros de profundidad, una plataforma de troncos atravesados formaban en el fondo del lago una especie de falso cauce y sobre ese artificial fondo o plataforma subacuática aparecían varias cajas que basculaban sobre las aguas...

Estábamos en marzo del 53 y, tras casi dos años de trabajo y denodados esfuerzos, conseguimos subir una quincena de cajas. Cuando las abrimos, en medio de una expectación increíble, encontramos en su interior miles y miles de billetes de banco y, junto a ellos, toda la colección de placas de cobre que habían servido para imprimirlos. Los billetes, sin embargo, eran falsos y, sin duda, obra del falsificador oficial del III Reich, Smolianoff, llamado *el falsificador del Estado*, que fue utilizado por Hitler directamente dada la excepcional calidad de sus falsificaciones, pues eran tan perfectas que únicamente podían ser descubiertas por el Banco de Inglaterra.

Nuestra decepción, o mejor dicho, la de aquel par de alemanes y la de Milton Davis, fue inenarrable. Sobre todo porque en el curso de los siguientes días nos fuimos percatando de que aquellas quince cajas habían ido a parar al doble fondo del lago por azar. El resto del tesoro reposaba sobre el verdadero fondo del lago. Y, tras una minuciosa exploración por ultrasonidos y cámaras, descubrimos que el fondo del lago Toplitz estaba constituido por una capa de limo de un espesor que iba entre los cinco y diez metros, verdadero barro moviente, especie de aguas movedizas letales donde los tesoros habían desaparecido, a no dudar, para siempre. Los nazis no habían elegido precisamente bien su escondrijo y habían sumergido sus tesoros en el peor sitio posible.

La leyenda del lago de doble fondo terminaba así, y con ella mi trabajo junto a aquella gentuza. Piero Maldini y yo salimos de allí en cuanto pudimos e intentamos olvidarnos, cuanto antes, de la gloria y miseria del tesoro de la muerte. Nuestro particular tesoro estaba, y lo sabíamos muy bien, en Italia.

356

La carretera estaba completamente negra y tan sólo el resplandor de las últimas luces de Peñaranda de Bracamonte se reflejaban insultantemente en el espejo retrovisor del 4 × 4 de Larios. La música de supermercado de alguna emisora comercial se deslizaba por la radio. La noche era cálida, suave, tremendamente sensual y el agobiante calor desprendido desde la oscuridad entraba con fuerza a través de la ventanilla. De repente, como en un juego de prestidigitación poco oportuno, en la radio comenzaron a producirse extrañas interferencias que provocaron que los sonidos fueran transformándose, poco a poco, en ruidos cada vez más insoportables hasta desembocar en un silencio absoluto. Con su mano derecha, Larios giró la aguja del dial buscando algo de compañía en la noche pero sólo encontró más ruidos y más silencio. La noche, fuera de su coche, parecía afilar peligrosos cuchillos y se hacía más y más negra, hasta que un espectacular rayo apareció en mitad de la carretera, justo frente al cristal delantero del 4 × 4 de Larios, provocando que la noche se volviese día. No se había recuperado Larios del susto cuando un espectacular trueno provocó que se moviese todo lo que se encontraba a su alrededor, dejándose arrastrar por una lluvia feroz que, al instante, hizo su aparición de forma teatral. La noche era más negra y sucia aunque, a intervalos perfectamente marcados, un tremendo relámpago la atravesaba y la cortaba por la mitad. La lluvia, mientras tanto, no cesaba. Durante unos instantes, la carretera se transformó en río y Larios no dejó de preguntarse, atisbando luces y asfalto entre el rápido parpadeo de los limpiaparabrisas, hasta dónde llegaría la cruel capacidad del cielo para arrojar agua sobre la tierra. Sin embargo, kilómetros adelante, de la misma traumática forma a como había ocurrido a su llegada a Peñaranda de Bracamonte, la tormenta cesó su particular enfado. La noche volvió a ser de una negritud casi transparente, suave, frágil. Y, a partir de ese momento, envuelto en una noche acogedora y deliciosa, Larios, con su alma de trapisondista en fuga, olvidándose de la radio de música barata y dejando zancajaer libremente por la noche su 4 × 4, se dejó atrapar por las palabras e historias del viejo loco de corazón roto. Soñó Buenos Aires, soñó España, soñó Florencia, soñó Maracaibo, soñó Suiza, soñó Chipre, soñó Yakarta y siempre acababa regresando a Laura Gabelatti. No comprendía, por más que lo intentaba, el motivo por el que se sentía tan cercano y próximo a Rojas, como si le conociese desde mucho tiempo atrás, como si fuera un triste adelanto de su vida. Y es que Larios sentía que todo era así, que Rojas estaba en él desde el principio y que él siempre estuvo metido dentro del cuerpo del viejo loco, como si hubiera permanecido escondido dentro de un antiguo y desconocido familiar con su misma sangre y corazón.

Pasaron las dos horas del viaje con inusitada rapidez. Larios deseaba llegar cuanto antes a casa y sumergirse en el relato de Padovani aunque, paradójicamente, el trayecto dentro de la noche se deslizó de forma delicada, sin ningún trauma ni ninguna prisa, como un necesario reconocimiento a la figura del viejo Rojas, al espejo que, en el fondo, reflejaba la vida de Larios.

En casa, inundado de Robert De Niro y luz artificial, medio desnudo y con un botellín de cerveza en su mano, Larios se bebió a tragos, sin medida ni liturgia, *El sueño de Maracaibo*. Sonrió y se murió dentro del Duque. Comprendió que la vida era un inmenso círculo y que él no moriría nunca porque en el fondo nunca había nacido. O, mejor dicho, comprendía que había nacido tantas veces a lo largo de la historia que jamás podría morir definitivamente. Pasó la última página del manuscrito de tinta granate traducido por Rojas y se dirigió directamente a la ducha. Allí, durante más de media hora, se dejó arrastrar por el agua, se dejó zarandear por los corazones rotos, mientras llegaba hasta sus oídos la locura de *bossa-nova*, de jazz exquisito, de la guitarra de Pat Metheny y vio, a través de la pequeña ventana del cuarto de baño, que el día se había vuelto a apoderar, como desgraciadamente ocurría siempre, de la noche imaginada.

—Tienes que ayudarnos.

El Duque paseaba junto al mar. Todas las mañanas, a primera hora, se acercaba a mirar el horizonte plateado, a perderse en su inmensidad. Después de una larga y cruel noche, que se había ya hecho eterna en su alma, el reencuentro con la luz, con aquella luz tan increíble, provocaba efectos balsámicos en su agotada mente. Apenas había amanecido y, alrededor de Tortuga, una especial aureola parecía querer marcar un cambio de vida. La oscuridad iba cediendo poco a poco ante el empuje de un sol aterrador y fascinante. En la vida del Duque ésa era, precisamente, su mayor desgracia. Él siempre pensó que la noche era para el amor y, desde mucho tiempo atrás, la noche había dejado de ser locura. Por eso la odiaba, porque era eterna, porque en la noche llegaban hasta él, con más fuerza que nunca, los fantasmas que le volvían loco, que le transportaban a una vida tan feliz que le hacía daño, y cuando llegaba la hora azul, esos segundos que marcaban el paso de la oscuridad a la luz, ese espectacular momento en que no se escuchaba ningún ruido, en el que el silencio más puro y absoluto se adueñaba de toda Tortuga, se encaminaba hacia el mar y veía, en la lejanía más triste, a Bianca, con su cuerpo adorable, veía su desnudez, su cuerpo de ola, de caracola, y veía cómo se acercaba hasta él, y la sentía tan cerca, tan cerca que creía poder alargar su mano y volver a acariciar su rostro, volver a besar sus ojos.

—Tienes que ayudarnos... Carlo debe regresar a Maracaibo.

Bianca se abrazó al Duque y un estremecimiento de dolor, de inenarrable gozo, sobrevoló por el cuerpo de ambos.

—Ojalá no te quisiera tanto... —Las palabras se habían escapado de los labios del Duque. Automáticamente maldijo su cobardía, siempre se juró no volver a repetir nada parecido, pero la presencia de Bianca le desarmaba por completo, siempre lo hizo, y siempre supo que acabaría sucumbiendo a la locura de su amor, que volvería a sucumbir eternamente ante ella.

—Tuve que irme con Carlo, tú no lo habrías entendido... ¿Por qué me hiciste escoger?

El Duque se apartó de Bianca y se dirigió al mar. Las olas besaban sus botas negras. Bianca se acercó a él y le abrazó por la espalda.

—Ahora no creo que pueda abandonarte de nuevo...

El Duque se volvió y miró a Bianca traspasándola con la mirada. No entendía sus palabras.

—¿Cuáles son tus planes? ¿Vender a Carlo al mejor postor? Sabes que es muy probable que le mandes a la muerte. Los mercenarios del Dux están por todas partes. Su única esperanza es regresar a Maracaibo y volver a España con su flota que antes de un mes regresa a Europa. Sálvale. Haré lo que sea.

El Duque comenzó a comprender pero no le dio tiempo a más. Bianca avanzó hasta él y le besó, le besó con la fuerza de todos los huracanes del Caribe. Jamás, en su vida, nadie le había besado como Bianca, cuántas veces soñó con esos besos salvajes que parecían arrebatarle la vida y volvérsela a dar, arrebatarle la vida y volvérsela a dar eternamente. Ahora volvía a sentir esa sensación de plenitud.

—Si pongo un barco a disposición de tu marido para regresar a Maracaibo, ¿te quedarás conmigo?

—Una vez huí de tu lado. Ya no puedo luchar más. ¡Te necesito!

A lo lejos, de repente, se escucharon unas voces. Varios piratas, encabezados por un furioso Danko, se acercaron. El Duque comprendió que se avecinaban tiempos difíciles pero, tras escuchar a Bianca, pareció resucitar, sacar fuerzas de donde no había. Ahora sabía que, con ella, se podía comer el mundo. Agarró la mano, la dulce y delicada mano de su bella Bianca del alma, la misma que tantísimas veces en el pasado había acariciado, y la llevó hasta sus labios.

—Debes marchar. Lo prepararé todo. ¡No te preocupes!

Bianca se volvió, echó a andar y se perdió a lo lejos. El Duque la siguió con su mirada y supo que la única forma de seguir vivo era luchar hasta el fin de sus días por ella.

—¿Qué ocurre? —preguntó Zoé.

Larios acababa de dejar de abrazar y morirse dentro de la boca de Zoé Latorre. Se separó de sus ojos de circe, de su cuerpo indómito, de su lengua desgarradora e inició un desequilibrado y angustioso paseo por el despacho amplio, lujoso y acogedor. Finalmente, comenzó a mirar el jardín y el sol que brillaba, poderoso, primaveral, sobre el agua de la piscina. Se sentía un bululú de farsa latina, alguien que representaba o creía representar muchos papeles en su vida cuando en realidad únicamente le interesaba interpretar uno que se adjudicó, tiempo atrás, otro hombre. Sonrió con desgana mientras contestaba a una desconcertada Zoé, tan poco acostumbrada a que los hombres se apartasen de su cálido cuerpo:

—Me recuerdas demasiado a alguien. Algo que ocurrió. Algo que tal vez pueda suceder. Lo siento.

Larios no deseaba seguir recogiendo lágrimas del cubo de la basura ni dejarse la vida cada segundo y en cada esquina, al igual que las aguas del Iguazú que se suicidan continuamente, como víctimas de un destino inevitable. Sin embargo, veía a Zoé, recordaba sus besos, su lengua que sabía bucear, rastrear nuevos mundos, crear sacudidas extrañas y eternas y comprendía que cada beso que daba Zoé lo daba como si fuese el último de su vida, dejando en él toda su alma y toda la fuerza que su sexo era capaz de desarrollar, y esa fuerza, en Zoé, era incalculable.

—¿Sufriste mucho? —preguntó Zoé mientras abrazaba a Larios por la espalda.

—Nadie puede imaginar lo que he llegado a sufrir —respondió un hundido Larios que, embanastado dentro de un corazón con habitaciones demasiado pequeñas, prefirió cambiar el curso de la conversación—. ¿Desde cuándo conoces a Castillo? —preguntó sin dejar de mirar el jardín y así poder escaparse de la luna que asomaba detrás de cada uno de los ojos marrones de Zoé.

—No sé —contestó una cada vez más descolocada Zoé que, comprendiendo que el momento no era propicio para ningún tipo de romanticismo, recompuso sus labios, recogió del suelo todos los besos y se sentó encima de su espectacular mesa de nogal, dejando que ante los hambrientos ojos de Larios se mostrase el principio de unas exquisitas medias de seda negra, con sus encajes y toda la sensualidad del mundo, señalando una autopista hasta unos muslos nacarados y salvajes—. No sé, Jorge lleva toda la vida viviendo con nosotros. Al menos desde que yo recuerdo. Era muy pequeña cuando vino. ¿Por qué? ¿Ocurre algo que deba saber?

—No, no te preocupes —respondió Larios sin apartar la vista de la media negra—. Estoy realizando una investigación y deseaba conocer algo. ¿A qué edad vino aquí y por qué?

—Jorge era el único hijo de mi tía Dorna Latorre, hermana mayor de mi padre. Cuando cumplió los 18 años, acordaron que lo mejor para él era que viniese a vivir con nosotros. Deseaba ir a la universidad y en la ciudad, con el dinero y la posición social de mi padre, todo lo tendría más fácil.

—¿Le conocíais de antes?

—No, mi padre mantuvo estúpidas diferencias con su hermana y estuvieron la mitad de su vida sin hablarse.

—Sin embargo, Castillo vino a vivir con vosotros...

—Sí, fue una sorpresa y nos hizo feliz a todos. Mi padre comenzó a ver a su hermana de manera distinta, le perdonó su desliz de juventud y acogió a Jorge casi como si se tratase de un hijo. Sobre todo, debido a su desesperante cabezonería, algo muy típico de la familia, nunca llegó a perdonarse el no poder volver a abrazar a su hermana, el reconciliarse definitivamente con ella. Desgraciadamente, mi tía Dorna murió días después de la llegada de Jorge a nuestra casa. Fue un golpe durísimo para la familia pero todos unidos conseguimos recuperarnos.

Larios acababa de sentirse zarandeado por algo que conocía muy bien, le parecía brutal la historia y brutal el sentimiento que le embargaba. Sin embargo, él deseaba hablar con Dorna Latorre y sabía que tendría que esperar algo de tiempo para poderla ver.

—¿Tienes la dirección de tu tía? —acertó a preguntar Larios.

—Sí, creo que sí, sé que vivía en un pequeño pueblo de los Picos de Europa. Espera. —Zoé se acercó a su archivo metálico y comenzó a rebuscar entre sus fichas de cartón y sus carpetas colgantes que sobresalían, se retorcían, escupían la vida de una familia, dentro de las cuatro paredes grises del fichero—. Aquí está. —Zoé alargó una pequeña ficha algo amarillenta a Larios en la que iba una dirección escrita con una cuidada y delicada caligrafía que Larios imaginó del mismísimo Carlos Latorre.

—Por cierto —comentó Larios mientras abría la puerta del despacho—, siento decirte que no hay tesoro pirata, que nunca lo hubo. Bueno, en realidad, sí que lo hubo pero ya tuvo un destinatario ideal, en realidad el único destinatario posible.

Y Larios se perdió por el jardín, atravesó el agua y el sol, y se subió a su 4 × 4 dispuesto a comerse kilómetros, historias y locuras de tiempos pasados.

Recorrimos Italia de arriba abajo, buscando no sé qué en un mundo que ya estaba fuera de nosotros dos. Piero, con su miopía galopante, sus eternos pantalones negros y su sonrisa engañosamente encendida, deambulaba por la vida gracias a la fuerza que le daban los recuerdos de las bombas estallando junto a su trinchera. Y es que había pasado demasiado tiempo agarrado a la teta fastuosa y caníbal de la guerra como para resistirse fácilmente al embrujo de la muerte. Después, tras la guerra, se unió a un grupo de mercenarios y siguió su vida sirviendo como soldado de fortuna en mil y un sitios. Tras más de siete años enganchado a la brutal droga de la guerra y de ir de un país a otro, de guerra en guerra, asfixiado por el humo y por el ruido de perdición, Piero no podía ya con ninguno de los pocos sentidos que le quedaban vivos. Visitábamos el Duomo de Milán y bajaba la cabeza, dejándose aplastar por la belleza y apurando, uno tras otro, asquerosos cigarrillos que, en muchos casos, cogía del suelo. Por las noches no dormía y yo, en la cama de al lado, le veía retorcerse con desgarradoras convulsiones, y le escuchaba emitir pequeños y dolorosos gemidos completamente histéricos. Veía cómo su largo y enclenque cuerpo saltaba de la cama y en cada sacudida mataba un día de su vida.

Visitamos todo el norte de Italia, gastando estúpidamente el dinero que habíamos ganado en Austria, despilfarrándolo de mala manera, emborrachándonos todas las noches y tirándolo en peligrosos juegos que nos asaltaban por las calles, dejándonos engañar por farsantes hambrientos que necesitaban el dinero y las ganas de vivir mucho más que nosotros dos. Porque si Piero estaba mal, cerca, muy cerca de la locura, como un badulaque paranoico y perdido, mi estado de ánimo iba de mal en peor. Así que cierto luminoso día de la primavera de 1955, después de soportar una angustiosa discusión entre Piero Maldini y un almidonado gerente de un hotel a causa de los gritos que mi amigo había proferido durante toda la noche, y tras las persistentes quejas de muchos clientes del hotel, decidí que teníamos que volver a la acción de forma inmediata. Piero debía volver a su vida, a lo único que sabía hacer y a lo único que ya, a esas alturas, deseaba. Para entonces, no me resultaba difícil comprender que entre gente igual de loca que él sería mucho menos peligroso. Yo, por mi parte, anhelaba, cuanto antes, huir de Italia, dejar de escuchar su musical idioma, olvidarme de su sol y de su gente, y, de una vez por todas, sumergirme en algo que, al menos durante unas horas al día, desviara mi mente del cuerpo de Laura. No nos lo pensamos dos veces. Piero contactó con un antiguo camarada y, sin comerlo ni beberlo, en unas semanas me convertí en mercenario, en soldado de fortuna, en un estúpido saltimbanqui caminando por el obsceno filo de un sable bien afilado y deslizándome eternamente por los escarpados besos de Laura Gabelatti.

Larios llevaba dos horas conduciendo como un autómata. Había dejado atrás el país de las galletas, se había dejado abrazar por las curvas y el vértigo del puerto de Piedrasluengas y, saboreando el inconfundible olor de la montaña, se acababa de meter en vena todos los Picos de Europa. En Potes, intentando olvidar las curvas de Piedrasluengas, se detuvo a echar gasolina y, sobre el capó del coche, extendió un mapa donde localizó Turieno. En ese preciso instante, mientras seguía con la vista el incansable trajinar de su dedo índice sobre el mapa de carreteras, se dio cuenta de que se dirigía directamente al pasado de la familia Latorre.

Tras dejar el cruce de Santo Toribio de Liébana, apareció el cartel que indicaba el pueblecillo de Turieno. En una curva, medio escondida, se encontraba la entrada al pueblo. Tras dar un frenazo y girar el volante bruscamente, Larios accedió a Turieno a través de un pequeño puente que sobrevolaba un riachuelo de agua de montaña, fría y transparente. La entrada al pueblo la realizó a través de una tremenda y empinada cuesta, un estrechísimo camino en el que apenas cabía un coche y allí Larios se dejó arrastrar por su verdor, por el ambiente húmedo, de lluvia matutina, de frescor salvaje. Detuvo el coche y consultó la ficha que le había dado Zoé.

Miró la dirección pero nadie parecía conocer el sitio. Por fin, entró en una posada y preguntó directamente por la casa de Dorna Latorre. Al cabo de un rato unos viejecillos que jugaban al dominó en una esquina creyeron recordar a la mujer e indicaron a Larios una casa en medio del pueblo. Unos minutos después, tras atravesar un arco sobre el que descansaba parte de una casa, Larios contempló la hermosa morada indicada por los ancianos de la posada y pensó que allí y sólo allí tenía que estar aquello que tanto buscaba.

Larios aparcó el coche delante de la casa y accedió al interior del jardín tras abrir una verja de color negro. Durante unos segundos se quedó mirando la casa, enamorándose de todas las parras con verdes uvas que colgaban a su derecha y de las decenas de macetas de geranios que envolvían el lugar y le otorgaban un aspecto singular y tremendamente bello en su sencillez. La casa tenía un par de pisos, dos ventanas junto a la puerta verde de entrada, sobre cuyo dintel había un pequeño farolillo negro, y dos balcones de madera en la parte superior.

Larios cerró los ojos y respiró profundamente un par de veces hasta que, por fin, se decidió a llamar. Al no contestar nadie se alejó un poco y miró en dirección al piso superior. Hizo intención de irse cuando oyó un extraño ruido que llegaba desde la puerta verde. Al rato, una viejecilla vestida con un floreado excusalí que escondía parcialmente un achacoso vestido negro, apareció ante Larios. Tras un pequeño parón de vida, Larios se presentó y, en poco tiempo, creyó conocer de toda la vida a Luz Castro. Ella, por su parte, en un prodigio de memoria para alguien que parecía rozar el siglo, recordó perfectamente a Dorna Latorre:

—Era mi vecina, yo vivía en una casa que había justo a cien metros, detrás del seto. Llegamos a intimar. Ella estaba muy sola y yo también. Había sufrido mucho. No era fácil, tras la guerra, vivir de la forma en que vivíamos y menos para ella que venía de una familia de mucho dinero y que, muy joven, quedó preñada de un malnacido. Tuvo que educar completamente sola a su hijo porque todos la abandonaron. Y lo hizo, Dios lo sabe, de la mejor forma posible. Luego, con Jorge hecho un hombre, llegó la desgracia a la casa. Dorna murió en un lamentable accidente y su hijo marchó a vivir con sus familiares ricos. No he vuelto a saber, desde entonces, nada de él. Pobre mujer, se pasó la vida sufriendo. Años después vine a vivir a su casa y, desde entonces, creo verla pintada por las paredes, apareciendo en días de tormenta, en los inviernos crudos y solitarios, acunándome y enseñándome el camino último.

—¿No quedará nada de ella en la casa? —acertó a preguntar Larios, abrumado por los brutales golpes de lucidez de la anciana.

—Sí, claro —contestó Luz Castro—. En el zaquizamí hay, creo, un baúl suyo. Yo nunca tiro nada.

367

—Vamos, Duque, a ti nunca te interesó ninguna mujer.

—Ella no es «ninguna» mujer. —El Duque traspasó con la mirada los ojos rojos, de berenjena agriada, de ron añejo de Danko.

Un silencio pesado recorrió el encuentro entre aquellos hombres. Cuatro piratas, de turbulento aspecto, vestidos o medio vestidos de mala manera, y completamente beodos, miraban a Danko y al Duque. Sólo se escuchaba el rumor de las olas rompiéndose sobre la arena, junto a los seis hombres. Por fin, el capitán Danko se decidió a continuar la conversación:

—Me importa una mierda que quieras a esa mujer para ti. ¡Es tuya! Pero por los otros dos tenemos que conseguir una montaña de dinero. Eso prometiste.

El Duque sabía que ese momento iba a llegar pero él ya lo tenía todo preparado y más desde que había hablado con Bianca. Aquel maldito artesano iba a dejar de ser una molestia para su mundo.

—¿Qué pensáis, estúpidos borrachos, que hacía yo mientras vosotros os dejabais el gaznate en El Loro Azul? —El Duque miró fijamente, uno a uno, a los cinco piratas—. Podéis estar contentos. Dentro de poco un emisario de un noble inglés nos hará llegar 300.000 mil pesos de oro por el artesano...

El rostro de los piratas se descompuso en el corto plazo de unos míseros segundos. La cifra que acababa de pronunciar el Duque les resultaba desproporcionada. Sólo uno de ellos, atolondrado y bobalicón, de aspecto gigantesco y barba incipiente, se atrevió a exclamar:

—¡El precio de un príncipe!

—Y el de un rey. Es el precio de la ostentación. —El Duque explicó lo que resultaba inexplicable a aquellos brutos—. Un buen artista puede convertir en rey al más indeseable, puede hacer un dios de un anormal. Los nobles lo saben bien.

El capitán Danko pareció despertar de su último letargo. El tema que le obsesionaba del artesano parecía estar solucionado, pero había algo que a él le obsesionaba mucho más.

—Eso no es todo, Duque. Nosotros somos hombres de mar y necesitamos salir en busca de aventuras. Tengo una buena noticia para ti. Uno de nuestros compañeros —y señaló a uno de sus acompañantes, un pirata ataviado sólo con un ancho pantalón rojo, mulato y lleno de músculos y cicatrices— (Marcio, acércate), conoce como nadie Panamá.

El mulato pirata empezó, a pesar de su lamentable estado, su clase magistral, con un discurso bien aprendido a fuerza de repetírselo constantemente a Danko:

—A Panamá hay que entrar a través del castillo de Chagres, situado antes de un gran lago que da comienzo al curso del río del mismo nombre que lleva hasta la ciudad. El castillo está construido sobre una montaña alta, justo a la entrada del río y está rodeado por todas partes de fuertes empalizadas bien terraplenadas. La cumbre de la montaña está como cortada en dos partes y en medio hay un foso de unos treinta pies de profundidad. El castillo tiene sólo una entrada, a través de un puente levadizo; por el lado de la tierra firme tiene cuatro bastiones y dos por el del mar. Al pie del castillo hay una gran torre, con ocho piezas de artillería, levantada para impedir la entrada al puerto. Un poco más abajo hay otras dos baterías, cada una con seis piezas de artillería, para defender la ribera. A cada lado del castillo hay dos buenos almacenes. Al occidente un pequeño puerto con no más de seis o siete brazas de profundidad, bueno para pequeñas embarcaciones y seguro para las anclas. Hay aún, delante del castillo, a la entrada de la ría, una roca que casi no se descubre encima de las aguas...

El Duque, agobiado por el estúpido discurso, suficientemente sabido y ya estudiado por él, interrumpió al mulato:

—¿Cómo conoces tan bien ese lugar?

—Trabajé allí dos largos y penosos años —contestó el pirata seguro de sí.

El Duque prefirió no hacer más preguntas, aunque no acababan de convencerle las explicaciones de aquel hombre. En sus ojos descubría un peligroso brillo que no entendía bien. Inmediatamente Danko, exaltado, feliz, olisqueando sangre y oro, interrumpió la meditación del Duque:

—¿Te das cuenta? Tenemos la llave para abrir esa ciudad. Panamá se está convirtiendo en la ciudad más próspera del Nuevo Mundo. Está cubierta de oro, todos los días cientos de caravanas de mulas cargadas de piedras preciosas y de oro cruzan de lado a lado esas tierras. ¡Tienes que preparar esa expedición, Duque, es una orden!

El Duque no lo veía nada claro pero prefirió no contrariar a Danko.

—Es una expedición difícil, pero apetitosa. Habrá que estudiarla detenidamente para que todo salga perfecto. Llevará tiempo.

Danko, sin embargo, no podía esperar. Necesitaba salir a la mar y hacer correr la sangre y la cerveza. Mandó irse a los cuatro piratas y se quedó solo con el Duque. Le agarró por el hombro y empezaron a pasear junto al mar.

—De acuerdo, prepara tranquilamente la expedición, pero, mientras tanto, el capitán Danko va a zarpar en busca de algún galeón español, o mejor de alguna ciudad. Hace poco visitamos Portobello. Todavía estarán recuperándose esos majaderos. Seguro que no nos esperan. Podemos pasar un buen rato y conseguir algo de oro. Seguramente les habrá llegado ayuda económica desde España para reconstruir la ciudad. Conozco Portobello como la palma de mi mano. El único problema consiste en pasar por los dos castillos que están a la entrada del puerto. Allí no habrá una guarnición superior a 300 soldados. Todos nuevos, inexpertos, muchos de ellos unos críos que apenas se pueden mover dentro de la pesada armadura española. Luego el puerto de Naos, a unas diez leguas de la ciudad, y desde allí, abandonando el *Roccobarocco*, subimos por el río hasta Portobello.

El Duque miró a Danko y reconoció en sus ojos aquella expresión suya tan típica de locura, de feroz salvajismo, de obsesión insana. Sabía que nunca le podría retener.

—¿Cuándo quieres zarpar?

—Antes de dos días —fue la respuesta clara y contundente del cruel pirata.

✦ ✧ ✦

Había una oscuridad enfermiza dentro del desván abuhardillado, una tiranía de negritud que sólo desapareció cuando Luz Castro abrió una pequeña ventana situada al fondo de la estancia. El olor era extraño, como de historias retorcidas revoloteando y llenas de telarañas. En el desván se apilaban armarios, sillas y muebles. Había un sofá tan viejo como exquisito, una colección de armas antiguas, varias alfombras anudadas como cigarrillos y, tras lo que parecía ser el cabecero de una cama, la viejecilla señaló a Larios un gran baúl de madera. Con cuidado, Larios lo sacó de allí y lo acercó a la pequeña ventana. Lo abrió y vio que estaba abarrotado de cosas, la mayor parte de ellas ropa de mujer, apolillada y con un extraño olor. Siguió removiendo y, junto a unas figuras de barro cocido, vio una caja de puros habanos. La tomó entre sus manos y comprobó que estaba repleta de fotos amarillentas. Casi todas ellas correspondían a una mujer. Imaginó que era Dorna Latorre. Segundos después cogió una fotografía y se acercó a la ventana, buscando luz y verdad. Vio a la misma mujer de siempre —una mujer bajita y muy estropeada aunque todo indicaba que debió de ser muy hermosa— rodeada por dos muchachos, de unos quince o dieciséis años. Larios reconoció, rápidamente, a uno de ellos: era el inefable Jorge Castillo, eso sí con unos treinta años menos. En efecto, allí estaba Castillo, con su madre y un amigo de gafas redondas y expresión algo estúpida.

—Qué buen chico era el señorito Jorge —comentó Luz Castro, colgada casi del hombro de Larios, asomada a la luz y a su pequeña historia, mirando la rancia fotografía como si le estuviesen arrancando un jirón de su propia vida—. Siempre le sentaron muy bien las gafas redondas, cuánto me gustaría volver a verle.

Larios agarró con tremenda e inusitada fuerza la fotografía y se volvió, con los ojos encendidos, a la pobre mujer:

—¿Qué quiere decirme? —comentó, tremendamente exaltado—. Jorge Castillo, el hijo de Dorna Latorre es este muchacho. —Y Larios señaló al joven de la izquierda, el joven sin gafas y un poco más alto.

—No, no, usted se confunde —respondió con dulzura Luz Castro—. El señorito Jorge es el chico de gafas. Lo recuerdo perfectamente.

—¿Está segura?

—Cómo no voy a estarlo, si yo casi lo crié; Jorge es este mozo. —Y Luz acarició la fotografía, tocó suavemente con sus arrugadas manos al chico de la derecha, el joven de las gafas redondas—. El otro chico —comentó la viejecilla— era Julio Acosta, el amigo inseparable del señorito Jorge. Otro desgraciado que, muy pronto, quedó huérfano y no se separaba de Dorna y de Jorge. Incluso, ya sabe cómo es la gente en los pueblos pequeños, se rumorearon cosas malvadas porque iba a todos los sitios con Dorna, hasta el punto de acompañarla en su último viaje...

—No entiendo —susurró Larios.

—Julio y Dorna iban juntos en el coche que se despeñó y se transformó en bola de fuego en aquel crudo y fatídico invierno. De un golpe, el señorito Jorge se había quedado solo en la vida. Por esas fechas marchó con sus familiares ricos y ya no he vuelto a saber nada de él.

Larios escuchó el último comentario de Luz Castro desde la escalera que le llevaba, de regreso, al infierno. Salió corriendo de la casa, del pueblo verde, de la luz, y se metió dentro de su 4 × 4 negro, soportando lo mejor que pudo y supo las tremendas ganas de vomitar, agarrando con fuerzas la fotografía y derrapando de forma espectacular. Ni siquiera había tenido el detalle de despedirse de la acogedora viejecilla pero sabía de sobra que, cualquier día de otoño, volvería a encontrarse con ella.

✦ ✧ ✦

Nuestro primer destino fue Chipre. Llegamos a finales de 1955 a un país tremendamente pobre, aislado y fanático, donde las revueltas estaban a la orden del día y formaban parte de nuestra peculiar y retorcida estrategia. Era un cruel ejercicio de prestidigitación que practicábamos hábilmente desde la atalaya de nuestro poder, un poder que llegaba vestido de dólares, desde la fuerza de nuestras modernas armas y desde la dictadura de nuestros privilegiados conocimientos, desde el duro fascismo de informaciones secretas. Nuestra primera labor consistió en revolver el país convenientemente, buscando una efervescencia popular propicia. Chipre, incorporada a la Comunidad Británica de Naciones, aspiraba a su independencia a cualquier precio y nosotros jugábamos con uno u otro bando, dependiendo de las circunstancias y de las órdenes llegadas desde Washington y desde Londres. La mayoría de la población, de origen griego, inició, por aquellas fechas, un movimiento de opinión favorable a la anexión de la isla a Grecia, desatándose, paralelamente, una campaña de agitación de la que fue principal promotor el arzobispo Makarios. Las cosas, poco a poco, se fueron desmandando, en gran parte por nuestra culpa y, finalmente, recibimos órdenes expresas de deportar al arzobispo Makarios, al que sacamos, inmediatamente, del país. Desde aquel momento, Chipre se convirtió en un polvorín y los nacionalistas extremistas greco-chipriotas, especialmente los componentes de la organización clandestina EOKA, con los que, increíblemente, habíamos trabajado en numerosas ocasiones, comenzaron a sembrar el terror por toda la isla. Aquello interesaba a mucha gente y la efervescente situación que se vivía en Chipre era ideal para hacer saltar todo en mil pedazos. Sin embargo, en mitad del polvorín en el que nos movíamos, recibí órdenes expresas de abandonar el país y dejar el trabajo en manos de nueva gente. Así que, con la deportación del arzobispo Makarios, terminé mi andadura por Chipre. Fue entonces cuando me enviaron al extremo oriente. Me despedí de Piero Maldini, al que jamás

373

volví a ver, y volé hasta Rangún, donde viví, por llamarlo de alguna forma, durante casi dos años.

En realidad, durante ese tiempo, y siguiendo órdenes, me moví alrededor de un triángulo que abarcaba Birmania, Indonesia y la antigua Ceilán, y conectaba Rangún, Colombo y Yakarta. Es más, en Yakarta llegué a vivir en un auténtico palacio que los servidores rebeldes vendidos a la C.I.A. pusieron a mi disposición, mansión, por otra parte, convenientemente sufragada y pagada con dólares americanos. La verdad es que éramos muchos los que, por aquellas tierras, vivíamos de provocar la desolación a nuestro alrededor, éramos muchos los que llamábamos cada mañana a la puerta de la muerte. Y nos pagaban muy bien por ello. Éramos muchos los que estábamos metidos en el mismo fétido negocio criminal que nos llevó, en esos años y por esas zonas perdidas y abandonadas del planeta, a experimentar con el mortífero gas sarín, herencia de la Alemania nazi, gracias a la profunda investigación emprendida por la industria alemana de los pesticidas en el período de entreguerras. Sin embargo, apenas se conocía nada de él porque era tan peligroso y mortífero que ni siquiera fue utilizado por los nazis que disponían de él ya en 1943.

Nuestros «experimentos», por llamarlos de alguna forma, desembocaron en la tragedia de la estación de trenes de Colombo de 1955, en mitad de una impresionante manifestación de obreros, donde «dejamos escapar» durante unos minutos, a través de los respiraderos de la sala de espera y de la cafetería, una buena dosis del gas criminal. Las consecuencias fueron inimaginables (aunque el resto del planeta no se enteró de ello puesto que otra gente se encargó de silenciar el horror) ya que bastaba con un poco de compuesto para que empezasen a suceder cosas muy graves: el veneno bloqueaba la transmisión del impulso nervioso que hace que cada músculo esquelético se contraiga. Sin orden que lo alertase, el músculo se paraba. Sin músculos activos no se podía respirar y los afectados fallecían por asfixia. Muchos de ellos, con sus pulmones parados, eran conscientes, durante una eternidad de segundos, de que se estaban ahogando irremisiblemente. La tragedia fue increíble. Aquello, como tantas otras cosas, se nos había ido de las manos; sin embargo, en Washington tuvieron un informe preciso y exhaustivo del poder del gas sarín, aderezado con una película que rodamos a pocos metros del lugar, encaramados en un alto edificio situado justo enfrente de la tragedia, con unas hipermodernas mascarillas que nos escupieron toda la infamia del holocausto teledirigido. Los casi dos mil muertos de Colombo habían formado parte del experimento y, además, cargando las culpas sobre los comunistas, habían sido elevados a la categoría de mártires de la patria y víctimas del cruel demonio rojo.

Tras la tragedia, huimos cobardemente a Rangún donde me instalé de forma definitiva, dejando tras nosotros una estela indigna de horror. Rangún era una ciudad populosa, de más de medio millón de habitantes, alegre, vital, hija del arroz, la madera, la seda y el yute, mosaico de razas, culturas y religiones, y con un calor destructivo, con los treinta grados instalados durante casi todo el año. Recuerdo especialmente, y de forma fastuosa, la pagoda de Shwedagon, centro de peregrinación budista, verdadero conjunto monumental donde se respiraba santidad, tranquilidad, armonía. Parecía que allí una vida surgía dentro de otra y brotaba como la flor de la mañana. Sus dimensiones impresionantes, el domo dorado monumental, la luz y el calor, la fe y la otra vida, todo, absolutamente todo, se instalaba allí, junto a las 64 pagodas que lo rodeaban, así como los múltiples pabellones y santuarios construidos alrededor.

Sin embargo, la mayor preocupación de la gentuza para la que yo trabajaba era la situación de Indonesia donde, desde las elecciones de 1955 se había puesto en evidencia la

375

enorme influencia comunista en el país, lo que había provocado graves diferencias en el régimen interno del gobierno que condujeron a una efervescente hostilidad con el Ejército, disconforme con la política de Sukarno al permitir que algunos comunistas ocuparan puestos de importancia. Durante todo ese tiempo nos encargamos de que el país no respirara durante un segundo, fomentando la hostilidad de los múltiples grupúsculos que pululaban por allí, preparando atentados, disparando indiscriminadamente a ambos lados de la locura, matando a alguno de los altos cargos comunistas, contraatacando con atentados donde moría mucha gente inocente, atentados que nos encargábamos de poner sobre las espaldas de Sukarno y sus comunistas. Fuimos, poco a poco, salpicando el caos a toda Indonesia y a sus pacíficas gentes, aunque en los grandes y lujosos despachos de muchas de las potencias internacionales y en los Consejos de Administración de algunas de las principales empresas de guerra no se pensaba de la misma manera. Únicamente se creía en la destrucción del comunista, del pérfido diablo rojo de cuerno indigno y rabo odioso y retorcido. Después de tanta provocación, con un ejército exaltado desde dentro y desde fuera, Sukarno tuvo que disolver el Parlamento en 1960, pero eso es algo que yo ya no pude ver.

—Ya sabes que los perfumes modernos son más ligeros que los que nos llegan de Oriente. Eso te lo he dicho multitud de veces. Este nuevo aroma te va a resultar muy agradable y, tal vez, intenso. Pero no te lleves a engaño. El buen perfume perdura de cuatro a ocho horas. No le pidas más. Te recomiendo que lo reapliques cada cuatro horas aunque, ya sabes, puedes prolongar la fragancia untándote las muñecas con un aceite especial y aplicar después el perfume sobre él, o echar unas gotas de tu perfume mezclado con aceite de bebé no perfumado. También es muy efectivo impregnar tu ropa interior, pañuelos y dobladillos de las prendas. Sin embargo, te lo repetiré un millón de veces, si quieres la amistad eterna de tu perfume debes cuidarlo como tú y yo sabemos. No compres nunca un frasco que haya estado expuesto en el escaparate, ni lo quites de su caja protectora. Cuídalo, como cuidas tus manos, tus ojos o tu piel. Y utilízalo antes de medio año tras abrir el tapón. El tiempo envejece el perfume y lo altera, como altera los recuerdos. Para que la fragancia permanezca intacta y no se evapore debes mantener el frasco bien cerrado, evitar a toda costa los cambios de temperatura, guardar el perfume en un lugar fresco y seguro (en verano en la parte baja de la nevera). Nunca dejes el perfume a la luz directa del sol o de la luz eléctrica.

Zoé Latorre, totalmente desnuda, de espaldas al sol y a Jorge Castillo, se dejaba acunar por la misma homilía, tantas y tantas veces repetida en aquel jardín. Mientras tanto, Castillo, con ojos de turbio chupaflor, rociaba sus manos con una nueva crema llegada desde París y comenzaba a extenderla, suave y sensualmente, por el exquisito cuerpo de Zoé. Durante unos segundos pareció que iba a continuar la cháchara unívoca y eterna en los procelosos labios de Castillo; sin embargo Zoé, mientras se dejaba estremecer por las manos perfumadas que, de forma experta, rondaban la cara oculta de sus muslos, comentó:

—¿Sabes que ha regresado Larios? —Las manos de Castillo seguían jugando entre la nueva crema y el cuerpo—. Me ha dicho que ha estado con Rojas.

El rostro de Jorge Castillo no experimentó ningún cambio aunque sus manos, envueltas en fragancia y locura, se estremecieron.

—Es imposible; sé que murió hace más de treinta años —susurró como si no le importase mucho el tema.

—Pues reconoce que, por una vez en tu vida, estás equivocado. Larios no sólo estuvo con él, sino que, al parecer, ha descubierto toda la historia del tesoro pirata.

Las manos de Castillo ya no podían disimular la tensión, la emoción del reencuentro con la belleza, ellas que estaban tan cerca, que siempre habían estado tan cerca. Mientras tanto Zoé, desde la atalaya de unos labios que le parecían más lejanos que nunca, le confesó que iba a vender el cuadro, que iba a terminar definitivamente con toda la historia.

—¿Por qué, por qué, por qué? —gritó un enfurecido Castillo, con ojos de cencuate maligno y desesperado.

Zoé, asustada, se levantó de un brinco, dejando toda su atónita desnudez ante los enfurecidos ojos de Castillo.

—No hay tesoro, así de fácil —acertó a susurrar, mientras se ceñía, presurosa y nerviosa, un albornoz.

—¡No puede ser, no puede ser! —gritó de forma cada vez más estruendosa, Castillo, tirando al suelo todo lo que encontró a su alrededor. Una pequeña mesa redonda de color blanco llena de perfumes, cremas y un par de copas de algún licor exquisito rodaron por el cesped, impregnando el jardín de malos perfumes, de mala vida. Zoé intentó salir corriendo pero sólo pudo gritar de dolor: las manos de Castillo se habían fijado desesperadamente a su negro pelo. Durante unos segundos el mundo pareció venirse abajo y Zoé, estrangulada detrás de la bata de cristal, intentó escapar de las garras de Castillo, pero cuanta más fuerza hacía más dolor sentía. Intentó gritar pero no tuvo fuerzas; sin embargo, en un segundo, al compás de una explosión que llegaba desde la verja que circundaba la casa, sintió que los dedos de Castillo se apartaban de su pelo. En ese mismo instante escuchó el violento derrapaje del 4 × 4 negro de Larios que había entrado en la casa comiéndose el jardín y la valla de madera que durante tantos años le protegió.

✦ ✧ ✦

El Duque regresó a El Loro Azul donde la actividad se había ido apagando en los últimos días, el dinero había dejado de correr, como el vino y el ron, las rameras habían desaparecido y ya sólo quedaban recuerdos, olores, sensaciones de delirio y derrota. El Duque subió las escaleras y entró en su despacho. Allí, sentado, con su porte majestuoso y luciferino, Padovani le esperaba. Sin mirar hacia la puerta, sin volver la mirada, el cura rijoso sabía quién había entrado.

—Me alegro de que hayas abandonado estas cuatro paredes.

Los dos amigos se abrazaron y saludaron sus corazones, tanto tiempo alejados. El Duque preguntó por Yaguajay, y Padovani, con una expresiva y astuta mirada, examinó los sentimientos del Duque. Hablaron durante un rato. Fuera, mientras tanto, y como era tan habitual en aquellas latitudes, comenzó una lluvia imprevista, salvaje, alocada. Duró unos minutos pero fue un auténtico diluvio. Tortuga había pasado del sol más luminoso a la noche más, misteriosa y enigmática.

—Quiero que leas esto. —Padovani dejó una carta sobre la mesa. El Duque leyó detenidamente, durante unos minutos, su contenido. Luego preguntó:

—¿Qué quiere decir?

—Tú la has leído. —Padovani se levantó y se acercó a la ventana. Había dejado de llover, de una forma tan veloz e imprevista como empezó—. El gobernador de Maracaibo ofrece la amnistía total a todos los piratas que abandonen las armas. No pueden con nosotros y quieren comprar nuestra libertad. Yo ya me siento muy viejo. Quiero sentar la cabeza con Yaguajay. Creo que me he enamorado.

El Duque sonrió. Miró fijamente a los ojos de Padovani y sintió, en lo más profundo de su alma, que el maldito cura era sincero.

—¿Y qué va a hacer un perro viejo como tú atado a unas faldas y a una casa?

—El gobernador en su edicto nos ofrece, a todos los que aceptemos la nueva situación, amnistía general y 35 acres de tierra. Me ha llegado el momento, Duque, ¿lo entiendes?

El Duque se abrazó a Padovani. Comenzó a comprender que iba a perder a su único amigo. Algo parecido debió pensar el cura:

—¡Acompáñanos! ¡Ven con nosotros!

—No. Tengo otros planes. ¿Alguien más se va a acoger al edicto del gobernador?

—Somos 16. Y no creo que seamos los únicos.

—¿Sabes que Danko no os va a permitir marchar?

—Sí, lo sabemos... ¡De todas formas, nos vamos a Maracaibo!

El Duque corrió hacia la puerta. La abrió y miró. No había nadie. Luego regresó, se acercó a Padovani y, en voz baja, le comentó:

—Prepara todo para mañana por la noche.

Extrañado, Padovani preguntó:

—¿Por qué tantas prisas?

El Duque contestó de forma seca y decidida.

—Mañana a las 12 en punto de la noche quiero que estéis todos en el puerto.

Padovani conocía demasiado bien al Duque y supo en el acto que algo importante se traía entre manos. Comprendía, además, que el capitán Danko no tardaría en enterarse y que haría lo imposible por impedirlo. Cogió el sobre de encima de la mesa y salió de la habitación. En las puertas de El Loro Azul el sol azotó su rostro. Era la rúbrica necesaria para su meditada decisión.

✦ ✧ ✦

—¿Qué pasa, qué pasa aquí? —Zoé saltó, se agarró, se incrustó literalmente dentro del pecho de Larios, mientras no paraba de gritar, de luchar contra algo que no comprendía.

—Tal vez tu amigo Jorge Castillo te lo pueda explicar— contestó Larios, empuñando, después de muchos años, su pequeña y olvidada pistola—. ¿O tal vez debería llamarle Acosta, Julio Acosta? —preguntó, cínicamente, Larios a un engreído buitre que empezaba a caer de la montaña majestuosa en la que había vivido tantos años.

En los ojos de Castillo, amamantador de rincones y ruinas, se instaló de forma definitiva un brillo de temor y locura, un extraño brillo demasiado parecido al que dominaba desde hacía tiempo la mirada de Larios, tan parecido que temió disparar contra la figura que desprendía ese espejo fastuoso y caníbal. Al menos eso pensó Larios en esos segundos críticos. Pero en el fragor de la batalla las disquisiciones filosóficas resultaban inútiles, lo único que valían eran los dardos de hielo y ellos se encargaron, en forma de amarillenta y arrugada foto, de asaltar la fortaleza de Castillo.

—¿Conoces la fotografía? —preguntó Larios.

—Sí, estoy con mi madre y un amigo —contestó, casi sin mirar la foto, un extrañamente tranquilo Castillo, demasiado acostumbrado a fingir, a esconder sentimientos, algo en lo que se había convertido en un verdadero experto.

—Es verdad, has dicho la primera verdad en mucho tiempo. Pero tú sabes que Jorge Castillo es, era, el chico de gafas al que tú mataste.

Zoé se acercó y miró la fotografía, miró a Larios y a Castillo y no comprendió nada. Castillo, en silencio, sonreía casi beatíficamente.

381

—Dorna Latorre, su hijo Jorge Castillo (el chico de las gafas redondas) y Julio Acosta, es decir tú —intentó aclarar Larios, señalando la fotografía con el cañón de su pistola y enredando aún más una madeja que se hacía metálica, pesada e increíble, dentro del trastornado cerebro de Zoé Latorre.

—Estás loco —acertó a exclamar Castillo sin abandonar su cínica sonrisa—. Estás completamente loco.

—No me hables de locuras señor X —contestó Larios, cada vez más seguro de su triunfo—. Lo sé todo y tengo las pruebas. He hablado con Luz Castro, en Turieno, ¿la recuerdas, verdad? Y sé toda la historia, tu estrecha relación con Dorna Latorre, tu amistad con Jorge Castillo, sus desgraciados accidentes, he visto vuestros expedientes escolares —confesó Larios, añadiendo una mentira que sabía iba a derribar definitivamente al conocido falsamente como Jorge Castillo en aquella casa—. He visto vuestras fotografías y sé que tú eres Julio Acosta y que lo preparaste todo retorcida y cruelmente.

Los ojos de Larios acabaron taladrando a un Castillo totalmente acorralado, que comenzó a destapar inmundicias y locuras a ritmo de tango arrabalero:

—Sí, estoy loco, siempre he estado loco por Zoé, y sólo he tenido una parte diminuta de su cuerpo. He vivido y voy a morir buscando la belleza, y la belleza estaba en el cuerpo de Zoé y en el cuadro de Claudio de Lorena. Siempre supe que el cuadro guardaba un tesoro. Algunos se acercaron demasiado y tuve que destruirlos, el tesoro sólo podía ser mío. He tardado muchos años y pienso arrastrarlo hasta mi tumba, os guste o no. Ahora Zoé quiere vender el cuadro, se ha vuelto loca, todos estamos locos, pero yo no pienso dejarla, el cuadro y el tesoro son míos o de nadie. No pienso asistir a vuestra felicidad desde una cochambrosa celda.

En medio de los gritos, de la gazapina inmunda que desataba sus alaridos, echó a correr, tirando tras de sí todo lo que encontró a su paso. Larios le persiguió, entró en la casa y sólo acertó a ver una puerta cerrándose en la oscuridad de una sorprendida y angustiada mansión. Castillo había entrado en su laboratorio, sacó de un cajón un extraño anillo que hacía tiempo tenía en su poder tras haberse gastado una fortuna en una subasta ilegal de obras de arte, y lo estrechó contra su corazón, mientras se escuchaba una fuerte detonación en la puerta. Larios, que acababa de entrar en el santuario mágico de Castillo, sólo pudo asistir a las últimas convulsiones, repletas de miedo y felicidad, del pobre loco, que como un espíritu embracilado, tierno y cruel a la vez, regresaba definitivamente al vientre materno.

El anillo había sido diseñado por César Borgia y confeccionado por un orfebre en el año 1501. Era un arma mortal, una más de las que ideó la insana mente del tirano. Tenía un pequeño depósito debajo del grupo de diamantes que era convenientemente llenado con un potente veneno. En el grupo de diamantes había una microscópica aguja hueca de excepcional filo. Cuando Borgia deseaba librarse de un enemigo, le daba la vuelta al anillo de modo que los diamantes y la aguja quedaran del lado de dentro de la mano y sólo tenía que darle un apretón de manos para infligirle un pequeño rasguño. La muerte ya había entrado dentro del infeliz. Seguramente Castillo utilizó la misma argucia con otra gente pero nunca sospechó que la emplearía algún día consigo mismo.

Mi casa en Rangún era deliciosa, al más puro estilo oriental, toda de madera, llena de cojines y figuras extrañas, con un olor permanente a santidad, a día y noche. La cuidaba un hombrecillo encantador, birmano, Sinwa, que por unos pocos kyats fue mi traductor —hablaba birmano, inglés y español a la perfección—, mi criado, mi amigo y mi ángel de la guarda. Me enseñó a preparar todos los arroces del mundo y a jugar al *mah jong*, ese juego que seguramente habrá visto, retándole sibilinamente, por varios sitios de este torreón, mientras yo le introducía en los secretos de la fotografía. Poco a poco comencé a visitar los peores tugurios del barrio viejo de Rangún, agobiado por la necesidad de bailar definitivamente en el silencio y la soledad total, despilfarrando todo el dinero y las fuerzas del mundo jugando al *mah jong*. Se trataba de luchar en una guerra especial y estúpida, una guerra particular contra el mundo representado por tres cretinos que, comiendo humo y drogas, se embarcaban conmigo en un viaje al más allá. Eran 144 fichas que, como un maligno tarot, conducían mi vida hasta verla desvanecerse delante de mis ojos. Todavía recuerdo las nueve fichas bambúes, las nueve fichas puntos, las nueve fichas de extraños caracteres orientales, los cuatro dragones verdes, los cuatro dragones rojos, los cuatro dragones blancos, los cuatro vientos del Este, los cuatro vientos del Sur, los cuatro vientos del Oeste, los cuatros vientos del Norte, la lluvia perenne de dados enseñándome un camino difuso y etéreo, la lucha fratricida por determinar los vientos, por empezar, de una vez por todas, cada noche, la locura con el viento del Este, el gorjeo de los pájaros, el empuje de los Diablos, la construcción de la Gran Muralla de China, la llegada de las fichas de flor y de estación, la tensa espera de parejas (dos fichas idénticas), de *chows* (escalera de tres fichas del mismo color), de *pungs* (tres fichas idénticas), de *kongs* (cuatro fichas idénticas) o el ansiado *mah jong*, que da nombre al juego (mano compuesta de cuatro combinaciones, en general de *chows*, *pungs* o *kongs*, más una pareja).

Sinwa y yo recorríamos todas los semanas los 30 kilómetros que nos separaban del mar de Andamán, pescábamos durante un par de días y regresábamos a casa con la sana intención de competir en nuestros guisos, de hacer de aquellos pescados un banquete de lujuria y perversión, al calor de los relatos de Maha Shwe, recitados teatralmente por Sinwa y escenificados mentalmente por nuestras borracheras cotidianas y nuestros alucinógenos especiales. Todo era de un color y no era el negro, aunque nunca estuve tan cerca, tan terriblemente cerca, de la muerte. Y es que pronto comencé a frecuentar ciertos peligrosos sitios del barrio antiguo de Rangún.

El local se llamaba Jataka y, de su aspecto externo, sólo se podía deducir que aquel era un antro de mala muerte, uno más entre tantos lugares de perdición, de música extraña, drogas, alcohol y sexo barato. Sin embargo, nada más lejos de la verdad. Por dentro aquel sitio era fastuoso. A la decoración propia del lugar, con pinturas murales por todos los lados, la mayoría de espíritu budista, se unía, descaradamente, un ejército de motivos occidentales a cual más común y ordinario, desde carteles de Coca-Cola o de películas americanas hasta pósters de mujeres desnudas o de coches y aviones, el presidente yanki y Buda dándose la mano de forma indecorosa y bufonesca. Y es que el Jataka, desde el primer momento saltaba a la vista, estaba en manos de un grupo de marines norteamericanos pasados de rosca, que habían decidido hacer el agosto en aquella tierra de promisión. Para ello, cada noche, como plato fuerte, aderezado con algún que otro numerito erótico, montaban una bacanal de apuestas con el juego de la ruleta rusa al que se prestaban cuatro chalados.

Debo reconocer que, desde el primer momento, me enganché a ese indigno ritual. Odiaba ver saltar la sangre, los sesos escurridos y reventados contra el techo, odiaba la felicidad de la gente, el despliegue de dinero barato. Nunca llegué a apostar pero, en pocos días, me vi, junto a otros tres desgraciados, sentado alrededor de una mesa, empuñando una pequeña pistola, apretando el gatillo y esperando que, por fin, todo terminase. Pero en eso tampoco tenía suerte. Fui viendo cómo caían, a mi lado, uno a uno, todos mis compañeros de mesa, y venían otros, de todas las razas y condiciones, todos ellos con la mirada perdida, sudando como cerdos, casi llorando. Nos sentábamos alrededor de la mesa, nos deseábamos suerte, hacíamos girar el tambor, veíamos el resplandor de la bala en su interior y nos pasábamos la pistola, uno a uno disparábamos, cerrábamos los ojos y esperábamos el fin, mientras a nuestro alrededor los gritos estúpidos e histéricos de decenas de cretinos con ojos dislocados y sudorosos, llenos de dólares ensangrentados, nos llamaban a la muerte, al ritual fatídico de unos sesos esparcidos, escupidos a la cara de nuestra letal lujuria. Estuve en el potro de tortura más de treinta veces, mientras veía a Sinwa odiarme cada vez más, y, al final, lo único que logré fue cientos y cientos de dólares, dinero sucio que no consiguió devolverme a Laura.

Por fin, en octubre de 1957, recobré el juicio. En una de aquellas funestas noches del Jataka, hubo una pelea descomunal, mezquina y provocada por alguno de los grupos mafiosos que ansiaban controlar la lluvia de dólares que corría cada noche en el Jataka. La guerra de mafias llevó a la muerte, en aquella trágica noche del Jataka, a más de veinte inocentes, entre ellos Sinwa. Me di cuenta de que había caído en el abismo y conmigo había arrastrado a mi único amigo. Abandoné los alucinógenos, el alcohol y aquel tétrico juego. Cogí mis cuatro pertenencias y dejé Rangún y aquella vida para siempre.

Supongo que mis compañeros estuvieron mucho tiempo maldiciéndome, aunque ellos solitos se encargaron de finalizar el trabajo en Birmania y así, un año después, en octubre de 1958, provocaron, con la complicidad de parte del ejército birmano, un golpe de estado llevado a cabo por el general Ne

Win que derrocó al gobierno de Win Maung elegido demo-
cráticamente. Para entonces estaba yo en mi torreón de Peñaranda de Bracamonte, con mis libros, mis estudios, las fotos de Laura y un millón de recuerdos.

—¿Por qué, por qué? No entiendo nada. —Los ojos de
Zoé Latorre estaban más transparentes que nunca. Mientras
todo un ejército de policías hormigueaba alrededor, removiendo los cimientos de toda una casa y la historia de una familia entera, Zoé se agarró desesperadamente a Larios, con
las uñas soldadas definitivamente a su espalda. Larios, para
tranquilizarla, había sacado un frasco lleno de pastillas rojas
de su 4 × 4 y le había hecho tomar un par de ellas. Ahora,
químicamente elevada a otra dimensión y abandonando
unas lágrimas que en poquísimas ocasiones en su vida habían brotado de sus ojos, no se cansaba de repetir, como una
drogada autómata, la misma pregunta:

—¿Por qué, por qué?

Larios acarició suavemente el rostro de Zoé, estrechó su
pequeño cuerpo contra el suyo y besó su negro pelo:

—Siempre estuvo enamorado de ti —susurró, mientras
observaban, con un angustioso escalofrío, cómo se llevaban
el cuerpo de Jorge Castillo—. Es algo de lo que te tuviste que
percatar, esas cosas siempre se notan. Él amaba la belleza y
para él la belleza era tu dinero, tu cuerpo y tu cuadro y, bajo
ningún concepto, quería perder nada. Desde Turieno preparó un plan perfecto. Hizo amistad con el verdadero Jorge
Castillo, se ganó la confianza de tu tía, Dorna Latorre. Seguramente, en medio de las noches interminables de invierno,
alimentaron su ambición hablando de riquezas, de pasados
fastuosos, de lujo y esplendor. Entonces, convenció a tu tía
para que tu primo Jorge Castillo viniera a vuestra casa. Lue-

387

go sólo tuvo que cambiar las personalidades, engañar a todo el mundo, algo que tampoco era muy difícil porque ninguno conocíais al verdadero Jorge. Se las apañó para provocar un accidente y que murieran tu tía y tu primo. Probablemente ese día convenció a Jorge para que llevase su ropa o algún anillo de su propiedad, algo que le pudiese identificar, en este caso erróneamente, algo para engañar a gente que, imagino, tampoco se preocupó mucho por investigar. Incendiaría el coche y desparramaría su documentación entre las cenizas. El falso Castillo, ya instalado aquí, llamaría por teléfono, tremendamente afectado, simulando la voz entre sollozos, y evitaría asistir al entierro. Todo estaba hecho. Con su nueva personalidad inició una nueva vida y os engañó definitivamente, os hizo vivir en un trampantojo brutal y continuado durante 30 años, os hizo creer que erais de la misma sangre, os llevó por la senda infinita de la mentira día a día, mes a mes, año a año. Ya tenía el camino libre para hacer volar su desgarradora fantasía. Comenzó a dormir entre sedas, a comer y vivir como un sibarita, a viajar día y noche, a todos los placeres del mundo y se enganchó, como a la más terrible de las drogas, a la belleza. Se enamoró del cuadro de Claudio de Lorena e, inmediatamente, descubrió que encerraba el plano de un tesoro. Posiblemente supo de la existencia del grabado del *Liber Veritatis*. Cuando alguien se acercaba a descubrir su verdad o hurgaba las tripas del cuadro, no dudaba un segundo en matarlo para asegurar su posición y la posesión del cuadro. Así mató a tu padre, a tu hermana, al profesor Piñeiro y quién sabe a cuántos más. Incluso intentó matarme en Venecia. Creo que le vi correr entre el gentío. Enseguida supe que era él. No me mires así, ya sé que se suponía que estaba en Barcelona, en la presentación de un nuevo perfume. Y era verdad, al menos a medias. Casi al momento comprobé que había volado de Barcelona a Venecia y de Venecia a Barcelona el mismo día. Lo confirmé en el aeropuerto.

Desde ese instante supe que él era el hombre que buscábamos. Sin embargo, no pude evitar que matara al profesor...

—Pero ¿por qué dijo que había visto a un hombre vestido de negro conduciendo un coche negro salir de casa el día del asesinato de Iris? —preguntó, desconcertada y asustada, Zoé.

—Sólo quería despistar, y la descripción coincidía con Duncan White, un hombre sospechoso y muy peculiar, un antiguo acompañante de tu hermana, alguien demasiado turbio, perfecto para lo que quería Castillo. Recuerdo que le pregunté si había olido algo especial el mismo día del crimen, él que siempre conocía a todo el mundo por los olores. Difícilmente pudo oler al asesino si el asesino era él mismo. Eso no lo podía confesar. Luego, poco a poco, se fue dando cuenta de que iba a perder todo aquello por lo que tanto había luchado, la Belleza con mayúsculas. Cuando supo que ibas a vender el cuadro vio volar el tesoro, el dinero y tal vez tu amor. Estaba loco, loco por la belleza. Es una droga, la peor junto al amor. Y muchas veces, demasiadas, van íntimamente unidas. Utilizaba una solución de los perfumes para matar, tenía la llave de mil venenos, de mil aromas que escondían muerte. Era algo que había despistado totalmente al laboratorio forense y que preferimos mantener oculto. Tenemos que investigar, pero estoy seguro de que la sustancia que se ha inyectado hoy es la misma que apareció en los cuerpos de tu hermana y del profesor. Además, también estaban los golpes, las marcas en los cuellos, la cinta roja. Todo, dentro de su enfermo cerebro, formaba parte de un plan lleno de ingenio y crueldad. Asesinaba a sus víctimas y jugaba con nosotros. Dejaba pistas falsas que no eran otra cosa que caminos de diamantes que nos conducían hasta él, que nos hablaban del cuadro y de los motivos últimos de la muerte. La cinta roja que colocaba sobre los cadáveres era un guiño, estoy seguro, al cuadro de Claudio de Lorena, un recuerdo

389

de las cintas rojas que adornaban la poblada y esperpéntica barba de nuestro pirata. Ahora lo único que necesitas es descansar y olvidar lo antes posible este infierno. Ya todo terminó.

El día había sido largo, pesado, eterno. En Tortuga basculó desde un sol inmenso, aterrador y acogedor a la vez, hasta una noche imprevista, con lluvia y vientos salvajes, asesinos, portadores de locura y de malas vibraciones. A intervalos diabólicamente calculados se sucedieron, de forma rítmica y acompasada, el sol y la lluvia, el pasado y el futuro. El Duque, en su pequeña y cálida habitación, paseó de un lado a otro, nervioso, haciendo surcos en su memoria. Pasaba ya más de una hora desde que hizo enviar un recado a Bianca para que se reuniera con él. Era noche cerrada en Tortuga, había dejado de llover y, según pasaban los minutos, el silencio reinaba con mayor desahogo. El Duque, a esas alturas, ya no sabía hacia dónde iba la noche.

—¿Querías verme? —La oscuridad de la habitación, como en un golpe fugaz e instantáneo, había desaparecido. La puerta, completamente abierta, expulsó un chorro de luz que golpeó el rostro del Duque. En el umbral, la silueta de Bianca se dibujó prodigiosamente. Durante unos segundos permanecieron callados. El Duque miró fijamente a Bianca, su nacarado cuerpo, sus increíbles formas, y la vio atada en los espejos, desnuda, toda su vida pasó por su mente en un mísero segundo y en ella sólo apareció Bianca Mattei. Comprendió que daría un millón de vidas por volver a besar sus labios, por dejarse atrapar, de nuevo, por su acogedor cuerpo. Bianca ya había cerrado la puerta. La oscuridad volvió a la habitación. El Duque se acercó a la mesa de roble y encendió una vela.

—Todo está preparado para que un barco zarpe mañana rumbo a Maracaibo. —El Duque miró a Bianca y le pidió que se sentara a su lado.

—Dime que es verdad, que mañana Carlo será libre. —Bianca cogió la mano del Duque y la llevó hasta sus labios.

—Nadie es libre, Bianca. Todos tenemos nuestra cárcel. —Las manos de los dos empezaron a jugar, a recordar.

Bianca abrazó con fuerza al Duque, clavando sus uñas en la espalda del pirata negro. El pirata negro sintió un indescriptible escalofrío correr por todo su cuerpo. Las uñas de Bianca clavadas en su cuerpo eran como alfileres de plata, como el dolor de amar, el dolor de recordar, el dolor de volver a sentirse, después de tanto tiempo, vivo.

—¿Por qué sigues llevando esta moneda? —Bianca tomó en sus manos la moneda de oro que colgaba del cuello del Duque.

—Es un regalo, es un recuerdo, es parte de mi piel. Siempre me ha acompañado y siempre me acompañará. Igual que tu olor. —El Duque tomó entre sus manos la bola de cristal—. Gracias a él he sobrevivido. En los peores momentos, cuando estaba más hundido, me aferraba a tu perfume y te sentía cerca, junto a mí. En las largas y solitarias noches me colgaba desesperadamente de tu olor y sabía que estabas allí. Luego, en la mañana, al despertar, me daba la vuelta y tan sólo encontraba la bola de cristal...

—Siempre supiste lo que te podía dar...

—Me he pasado la vida engañándome. Lo sé. Cada uno tiene su destino para bien o para mal. Es absurdo intentar escapar de él.

—Ahora todo será distinto. —Bianca se acercó, acarició el rostro del Duque, le besó. Durante unos segundos ambos se besaron con locura, mordieron sus labios, recorrieron los rincones más ocultos. El Duque volvió a pensar, como siem-

391

pre, que Bianca besaba de una forma especial y salvaje, que sus labios eran fuego, que en su boca residía toda su vida y toda su muerte.

De repente, devuelto a la realidad por algún ruido llegado desde la calle, el Duque se apartó de Bianca y se acercó a la ventana. Intentaba organizar su mente. Sabía que las siguientes horas podían ser las más importantes de su vida.

—Quiero que mañana a las 12 en punto de la noche estés junto a tu marido y don Juan de Espina en el puerto. Hay un grupo de piratas que van a rendirse al gobernador de Maracaibo, se van a acoger a una amnistía y van a comenzar su nueva vida de gente honrada llevando a palacio a los prisioneros.

El Duque observó el rostro preocupado de Bianca y se acercó. Volvió a acariciar, dulcemente, su rostro.

—No temas. Padovani irá en ese barco. La vida de Carlo no corre ningún peligro.

—¿Y después? —Bianca miró fijamente los ojos negros del Duque—. ¿Y después qué pasará con nosotros dos?

—Después seremos felices. Aquí o en cualquier otro lugar del mundo. No temas. Confía en mí. Debes permanecer serena. Tu marido debe creer toda la historia...

Bianca y el Duque se volvieron a abrazar. Todo era noche y todo era silencio. Cuando Bianca, minutos después, desapareció por las desiertas calles de Tortuga, una lágrima resbaló por el cristal. En El Loro Azul ya sólo había oscuridad y lluvia, más oscuridad y más lluvia.

El Wang Tao estaba más vacío que de costumbre. Tan sólo en un par de mesas unos tipos charlaban en voz alta, apagando estúpidamente los lamentos que llegaban desde la guitarra de Eric Clapton, desperdigando sus lágrimas en el cielo y dejando bien claro quién era dios. La luz reflejaba sobre la barra un vacío desacostumbrado a esas horas y se posaba de manera indecorosa en la gran fotografía del mítico Wang Tao, con su peculiar aspecto de gordito chef de restaurante chino, tan alejado de la imagen típica del jugador de ping-pong, fibroso y atlético, delgado y pequeño. Wang Tao, con su zurda peligrosa y su atípica manera de coger la pala para un jugador chino, parecía mirar fijamente la mesa en la que Batista y Larios se desahogaban de las últimas semanas de miseria que les había tocado vivir. Larios golpeaba la pequeña pelota de celuloide como llevado por un extraño impulso de ira no contenida, como si deseara destrozarla sistemáticamente en cada uno de sus metálicos golpes, lleno de furia, desgarradoramente, asqueado por volver a vivir la misma historia, la de ver a Zoé, en el entierro de Castillo, llorando desconsoladamente y abrazada a Hugo Soto. Y él sin poder hacer nada, sabiendo que su sitio estaba en otro lugar, que Zoé, en sus mejores y en sus peores momentos se agarraba desesperadamente a otro cuerpo, que él, en definitiva, sólo podía limitarse a capotear una relación que le superaba, a asumir que ya no era capaz de amar... Él, que tanto había amado y tanto había perdido, lo único que ya veía, mientras golpeaba furiosamente la pelota naranja, era que Zoé le daba la vida y se la quitaba con idéntica facilidad y que, en todo caso, ella no le necesitaba para nada. Mientras tanto, Batista, bailando de lado a lado de la mesa un candombe sicalíptico y grosero, comprendía que Larios estaba fuera de sí y lo sabía él mejor que nadie, porque era el que mejor conocía la forma de jugar de Larios, y siempre era a la defensiva, devolviendo golpes, dejando que el contrario se desesperase con su continua devolución de pelotas, como si se tratase de un frontón inexpugnable. Esa noche, sin embargo, Larios atacaba furiosamente la pelota y se destrozaba contra la mesa. Era, en el fondo, una huida más, que, muy probablemente, se alargaría en su apartamento con alguna pastilla de ácido o de cualquier otra porquería por el estilo. Batista lo sabía muy bien y por eso le dejaba desahogarse, golpear su mala suerte, la mala vida que le daba palos en el estómago. Mientras tanto, y cuando la violencia del juego se lo permitía, entre saque y saque, entre sorbo y sorbo de cerveza, le contaba cómo tenían acorralado a Hugo Soto, cómo habían destapado un asunto que en los siguientes días estallaría en todos los periódicos de tirada nacional para convertirse en el último escándalo de un país enamorado de los escándalos, cómo habían descubierto al imbécil que, previo pago de un millón de pesetas, mató a Lisa Conti por orden del empingorotado político. Pedro Subert ya había confesado y había escupido toda la mierda, comentó mientras devolvía una pelota envenenada y asistía al silencio total de Larios.

—Le pidió que dejara marcas satánicas en el cuerpo de la puta italiana con el fin de desviarnos hacia Duncan White. Muy probablemente, Soto recordaba los peligrosos juegos de Iris y sus compinches y no se le ocurrió mejor idea que involucrar a Duncan, como si el hijo de puta fuese el mejor reclamo para la policía. Me imagino que, a estas alturas, estará en cualquier país engañando a otras incautas como Iris o Lesbia, intentando, de todas formas, escapar de un lugar donde había sido utilizado como cebo demasiadas veces, sin él saberlo ni quererlo saber, poniéndose en el punto de mira de la policía muchas más veces de las que hubiera deseado, para así poder llevar adelante su fétida y próspera vida. Pacheco, mientras tanto, sigue con sus turbios negocios, con sus 18 hijos y sus mujeres de contrabando. No hay forma de meterle mano aunque tarde o temprano cometerá algún error. Igual que el Sietepolvos; pero el caso de Jorge es muy distinto. En el fondo es un buen chico, un poco simple pero buen chico. Ya tiene otro garito en la ciudad y nuevas chicas.

Un día te tengo que llevar. Yo me he convertido en un cliente asiduo.

Larios seguía con su desesperante silencio. Sólo escuchaba el murmullo de la guitarra de Eric Clapton y a un Batista que movía mecánicamente los labios. No sabía lo que decía ni tampoco le importaba demasiado. Lo único que veía detrás de la luna de la pequeña pelota de celuloide eran los pechos salvajes de Zoé y comprendía que ya eran tan inalcanzables como el rocío del invierno.

—¿Y el famoso tesoro pirata?, ¿qué ha sido de él? —acertó a preguntar Batista.

—Nunca hubo un tesoro. El tesoro, como no podía ser de otra forma, era una mujer. Todo el dinero del Duque, antes de su muerte, fue a parar a su amada. Ése era el tesoro y su deseo. Ahora tengo que visitar a aquel viejo chalado para devolverle su manuscrito.

395

Al final, decidí esconderme del mundo aquí, en Peñaranda de Bracamonte, cumpliendo un destino escrito desde siglos atrás. La primera vez que visité este pueblo fue por motivos de trabajo. Vidal, obsesionado, como todos los de su cuerda, por la masonería y, a la vez, por otros turbios motivos, tan cercano a ella, me encargó un detallado informe sobre una extraña capilla existente en la ciudad de Ávila, la capilla de la Anunciación, más conocida como capilla de Mosén Rubí, sobre la que pesaban fundadas sospechas de constituir un verdadero centro logístico masónico. Eso a pesar de haber sido levantada al menos dos siglos antes de que la masonería se instalase en el mundo occidental y comenzase su expansión. Cuando visité por primera vez la capilla de Mosén Rubí no tuve la más mínima duda de que estaba ante una obra plenamente caracterizada por signos de clara procedencia masónica: a la capilla se accedía por un atrio flanqueado por dos columnas, las llamadas Jakin y Boaz —J. y B.—, que según la tradición masónica estaban a la entrada del sancta-sanctórum en el Templo de Salomón; la figura de Dios Padre aparecía, en la puerta de entrada, perfectamente enmarcada en un triángulo igual que el ojo del Gran Arquitecto del Universo de la tradición masónica; el templo se levantaba en forma de dodecágono, según marcan los modelos de las logias escocesas desde el siglo XVIII, es decir, con ocho de sus ángulos convexos y cuatro cóncavos; en el centro de la capilla se levantaban los bustos de Mosén Rubí y su esposa, adoptando el primero la actitud de desnudar su espada con la mano izquierda, tal como indica el rito masónico para el grado treinta; y, por supuesto, la continua presencia de los signos masónicos de la escuadra y el mallete, protagonistas casi exclusivos del blasón de la familia de Mosén Rubí. Descubrí,

además, que había algo extraño alrededor de su construcción porque ya en 1530 el Santo Oficio prohibió el remate de las obras y no permitió que ningún obispo toledano la consagrase, algo que era preceptivo en todos los edificios religiosos de Castilla. Todo esto, por supuesto, lo sabía Vidal mejor que nadie, y, mucho mejor que él, todos los perfectos espantapájaros que volaban por encima. Lo que Vidal me encargó, en concreto, fue una exhaustiva investigación de la figura de Robert de Braquemont, es decir, Mosén Rubí: quién era, de dónde venía y, sobre todo, dónde podían estar sus seguidores, sus huellas, sus mensajes ocultos. Y fue mientras investigaba la fascinante vida de Mosén Rubí cuando apareció en mi vida Peñaranda de Bracamonte, el último refugio de una estirpe singular a la que me aferré desesperada y heroicamente, tras buscar muchos sitios, lugares especiales, pueblos donde el recuerdo de Laura Gabelatti me golpease cada mañana en mitad de los ojos. Por eso, finalmente, decidí gastarme todo mi dinero en recomponer este abandonado torreón, a las afueras del pueblo, perdido entre campos arados y un pequeño riachuelo.

Aquí me reencontré conmigo mismo, viviendo completamente solo, sin el menor contacto con nadie, salvo con Lucio Marcos y su esposa que se encargan de proveerme de lo que necesito, y aquí he forjado mi lírica particular, mis sueños privados. Decía la leyenda que Walter Scott, el afamado escritor romántico escocés, se había refugiado en este castillo para intentar olvidar a Williamina Belsches quien, tras una apasionada relación con el escritor, había decidido abandonarle para casarse con el hijo de un banquero. Walter Scott se casaría posteriormente, pero jamás olvidó a su gran amor y, por ese motivo, en torno a 1822 compró el torreón de Peñaranda y se refugió con sus novelas y su Williamina durante más de un año, fruto del cual surgiría, entre otras obras, *El Pirata*.

Comprendí, al poco tiempo, que era muy poco probable que aquella leyenda fuese cierta, pues no me acababa de imaginar a Walter Scott en este perdido lugar escribiendo *El Pirata*, y supuse que era una estratagema más de los vendedores para intentar colocar el torreón, en realidad parte del antiguo castillo de los condes de Peñaranda. Pero no me importó sino todo lo contrario, pues me sentí demasiado cercano a la leyenda y por eso la alimenté todo lo que pude, decoré el torreón al más puro estilo medieval, encargué un par de retratos del escritor escocés y me inspiré en algunas de sus obras para rematar mi torreón que, desde entonces, fue conocido como el Torreón de Walter Scott.

En este torreón me he dedicado todos estos amargos años a escribir y a recordar eternamente, a enloquecer de forma definitiva. He comprendido que la única forma de evitar el suicidio es la locura y a ella me he aferrado desesperadamente. Sin embargo, como no podía ser de otra manera, gente que trabajaba con Vidal supo de mí y no tardé en recibir

397

algunas visitas que me reclamaban para ciertos sórdidos trabajos, casi todos relacionados con la búsqueda de cuadros o
piezas de arte valiosas, la confirmación de su autenticidad
o la redacción de algún informe especializado que otorgase
visos de credibilidad a cualquier sucio negocio, como el de
nuestro Claudio de Lorena. Pero ésa es otra historia que tal
vez ya conozca y que, en todo caso, muy probablemente,
imagine. Ahora es tarde. Apaguemos la luz. Tengo tanto
frío...

✦ ✧ ✦

Larios permaneció, durante unos interminables segundos, con su mirada fija sobre el torreón de Walter Scott. Volvía al pequeño paraíso en el que, semanas atrás, había asistido, entre emocionado y alucinado, al triste monólogo de
Rojas, a su definitivo encuentro con el pasado y, quién sabe,
si tal vez con el futuro.

Acababa de llegar a Peñaranda de Bracamonte, rodeado
de un sol inmenso, lascivo y juguetón, y desde ese preciso
momento había sentido dentro de su cuerpo un desasosiego
interior difícil de describir, algo turbio y extraño sobrevolando alrededor, igual que ahora, junto al torreón... Le parecía imposible que, unas semanas antes, allí mismo, se pasea-
ra por los alrededores admirando la esbelta figura del
cuidado torreón, el verde jardín que lo rodeaba. Recordaba
perfectamente la entrada, la cocina, las cuidadas escaleras,
los cuadros que evocaban al gran escritor escocés, el despacho de Rojas, las cajas del *mah jong* con sus fichas de curiosos símbolos orientales, todo estaba vivo y desprendía un
aire romántico que todavía permanecía cosido a todos y cada
uno de sus sentidos. Sin embargo, esa sensación desprendida de su mente no podía ser real. Larios veía el torreón de
Walter Scott y percibía algo extraño, algo que le gritaba que

no estaba en el sitio adecuado. El torreón era el mismo pero parecía haber envejecido de forma brutal. Alrededor de sus piedras había tanta hiedra como soledad, una soledad angustiosa que a él, espíritu solitario, le resultaba tremendamente inquietante. Mientras esperaba contestación a los furibundos golpes dados a la puerta intentó revivir momentos de su anterior visita, buscando una luz, bajo el sol de acero, que le iluminase y le llevase hasta un camino de comprensión. Tal vez, en el fondo, todo fuese una alucinación más de su espíritu sensible. La historia siempre la escribe alguien que sabe más que nosotros, pensó Larios, mientras comprendía, en ese momento más que nunca, que él nunca pudo, quiso o supo escribir la historia, ni siquiera la suya.

Poco tiempo después, en vista de que nadie respondía a los golpes dados en la puerta, comenzó un paseo interminable alrededor del torreón. Larios no estaba dispuesto a marcharse de allí sin descubrir el secreto que se escondía detrás del torreón de Walter Scott. Pensó, durante las dos horas largas que duró la espera, antes de meterse de lleno en la noche, en su anterior visita, en el mundo nuevo que le había abierto Rojas, en los sentimientos, sensaciones y misterios que acechaban detrás de los ojos del pobre viejo. Mientras tanto, a unos cien metros del torreón, dominando la preciosa puerta de entrada, Larios no dejaba de preguntarse la razón de esa aparente soledad, el sentimiento de frialdad que enmarcaba, como una fantasiosa orla, todo el torreón. Sabía que alguien vivía allí —eso era evidente por el montón de leña apilada junto a la puerta y por otros muchos detalles como las limpias cortinas que resguardaban todas y cada una de las ventanas o la ropa tendida en la parte posterior del torreón— pero, al mismo tiempo, la sensación de decrepitud del torreón, el mismo torreón reluciente de semanas atrás, creaba en el cerebro de Larios un sentimiento confuso que no podía comprender.

399

De repente, enfrascado en absurdas disquisiciones, una estúpida sonrisa alumbró el rostro de Larios. A lo lejos había visto a alguien acercarse. Cuando el hombre estuvo más cerca, Larios no pudo reprimir un grito de alegría. Era Lucio Marcos, sin duda. Con su misma expresión adusta, aunque con ojos extraviados y mirada vacía, como un espectro extraño, como alguien pisoteado por la vida brutalmente. Por desgracia, el encuentro no duró mucho porque tampoco Lucio dio pie a ello: no respondió a ningún saludo, a ninguna pregunta y se mantuvo como ausente, como si realmente nadie estuviese hablándole, nadie estuviese a su lado.

—Lucio, ¿me recuerda? Estuve aquí con usted y con Rojas hace unas semanas. Cenamos juntos. Su mujer nos preparó unos platos exquisitos —insistió Larios, interiormente derrotado.

—Mi mujer —susurró Lucio Marcos, más ausente que nunca—. Mi mujer...

—Sí, ¿recuerda? —Larios agarró por los hombros a Lucio.

—¿Viene a jugar conmigo al *mah jong*? —preguntó Lucio, con los ojos tan fuera de las órbitas que, en verdad, daban miedo.

—¿Rojas no está?

—El señor Rojas juega conmigo al *mah jong*... —fueron las últimas palabras que salieron de la boca de Lucio Marcos.

Larios siguió preguntando, volviéndose loco ante la desesperante actitud del viejo, pero el resultado fue nulo. Lucio Marcos, parado ante él como un estúpido autómata y la expresión de un chiquillo de cinco años, no apartaba sus ojos de Larios.

—¿Y todo lo que me contó Rojas? Me sé su vida tan bien como la mía —susurró, finalmente, Larios.

Se acercó al 4 × 4 negro y cogió un paquete con el manuscrito de *El sueño de Maracaibo*.

—Tome, esto es de Rojas. ¿Se lo podría hacer llegar? —preguntó, a modo de despedida, Larios. Y, por primera vez, vio sonreír a Lucio Marcos. Fue una sonrisa cómplice, una sonrisa tremendamente significativa.

La noche, poniendo un desesperante epílogo al sol brutal de horas antes, resultaba cada vez más fría y triste. Larios se dio la vuelta, subió al 4 × 4 y miró por última vez al torreón de Walter Scott. En ese preciso instante, observó movimiento en las cortinas de una de las ventanas, precisamente la que correspondía al despacho de Rojas. Larios sonrió y comprendió que el viejo Rojas no le enseñaría nunca a jugar al *mah jong*. Mordiéndose los labios y llenándose de luna en cuarto menguante, arrancó el 4 × 4 negro y salió de allí a gran velocidad.

401

Hacía un calor abrasador, la noche comenzaba a ser un infierno y nada presagiaba que eso pudiera cambiar. Durante todo el día la actividad en Tortuga había sido completamente nula. Parecía como si la isla hubiese muerto, al capitán Danko se lo había tragado la tierra y la mayoría de los piratas dormían las borracheras de las últimas semanas; mientras tanto, Padovani, de forma cauta y silenciosa, preparaba la marcha a Maracaibo. El Duque, en su despacho de El Loro Azul contaba los segundos para medianoche. Faltaban sólo dos horas cuando Padovani se presentó ante él.

—Ya estamos todos preparados.

—¿Cuántos seréis finalmente?

—Dieciocho hombres y seis mujeres. —Padovani se acercó al Duque, le agarró del hombro, le miró fijamente—. ¡Ven con nosotros!

—Los prisioneros irán contigo. —El Duque desvió la conversación y observó cómo la nueva noticia sorprendía sobremanera a su amigo.

—¿Los prisioneros? —preguntó extrañado.

—Sí, no te puedo dar explicaciones ahora. El tiempo nos apremia. Vamos al puerto. ¿Ha venido alguien contigo?

—Sí, todos están abajo.

—Bien... ¡Hay que preparar el *Roccobarocco*!

Padovani agarró al Duque y comenzó a mover significativamente la cabeza. Él siempre supo que la vida del Duque estaba irremediablemente unida a la del *Roccobarocco*; por eso, no alcanzaba a comprender por qué tenía que ser, precisamente, el *Roccobarocco* el barco elegido para entregarse al gobernador de Maracaibo. Para Padovani, aquello era como quitarle media vida al Duque, como arrancarle los brazos y las piernas.

—¿El *Roccobarocco*? ¿Por qué? ¿Estás loco? Desde que ella llegó sabía que esto iba a suceder...

—El *Roccobarocco* está ligado a ella, como todo en mi vida. Está decidido. Este viaje lo tiene que hacer el *Roccobarocco*.

—Te has vuelto completamente loco. Siempre estuviste loco y ahora ya no hay remedio.

Padovani salió de la habitación y bajó las escaleras. Se reunió con todos los piratas que habían decidido acogerse a la amnistía y, juntos, se dirigieron al barco.

Faltaba ya poco para que la medianoche, dentro de una Tortuga apagada, ruinosa e inactiva como un oso en plena hibernación, entonase su canto de bienvenida. El *Roccobarocco* ya estaba preparado y el Duque, en el muelle, esperaba impacientemente la llegada de Bianca. La isla estaba hundida en un completo silencio y ahogada por el sofocante calor que llegaba desde el centro de la tierra. El Duque, nervioso, paseaba de arriba abajo, observaba a todos los hombres ya sobre el *Roccobarocco* y no dejaba de mirar a lo lejos esperando ver el destello de los ojos de Bianca sobre la noche. Finalmente, a las puertas de la medianoche, observó a su bella Bianca del alma junto a su artesano y al noble español. Inmediatamente se acercó a ellos y les acompañó hasta el barco. Carlo Morelli, nada más llegar el Duque hasta él, se abrazó al pirata negro:

—Gracias, jamás olvidaré lo que hacéis por mi esposa y por mí.

Bianca y el Duque se miraron. El pirata negro acertó a decir:

—Imagínese que es un negocio.

—Perfecto. Si quiere hacemos papeles o si no, nos damos directamente la mano.

El Duque sonrió y contestó:

—Darse las manos no vale, pero esta noche tengo prisa.

Los dos hombres estrecharon sus manos. Luego el artesano veneciano cogió una bolsa y se dirigió al *Roccobarocco* mientras volvía su rostro a Bianca:

—Os dejo despediros. Te espero en cubierta.

El Duque y Bianca se volvieron a mirar a los ojos. En la abrasadora noche sus miradas chocaron con idéntica intensidad a la del primer día. El Duque intentó mostrarse frío, aunque sabía que sus ojos le delataban cruelmente. Sin embargo, un estruendo llegó desde el otro lado del puerto. Todos vieron, con atemorizados ojos y el corazón encogido, cómo se acercaba hasta ellos, con el sable en su mano y los ojos encendidos de alcohol y rabia, el capitán Danko. El Duque sabía que Danko se enteraría tarde o temprano y que haría lo imposible por impedir zarpar al *Roccobarocco*. Debía de actuar inmediatamente. En un movimiento seco y decidido, cogió del brazo a Bianca y la llevó hasta el barco mientras hablaba a los sorprendidos ojos de la mujer:

403

—Vamos, debes darte prisa. El barco tiene que zarpar inmediatamente.

—No entiendo, yo me quedo contigo —dijo ella con más sorpresa que decisión.

—No hagas las cosas más difíciles. Tú le perteneces, formas parte de él. Y además quieres estar con él. Ese hombre que se acerca gritando es un asesino y os acabará matando a todos.

Bianca miró fijamente al Duque y comprendió todo. Subió al barco y escuchó sus últimas palabras:

—Recuerda que siempre nos quedará nuestro secreto.

Y no pudo escuchar más. Sólo gritos histéricos de Danko y órdenes nerviosas de Padovani que intentaba lanzar a la mar, lo más rápidamente posible, al *Roccobarocco*.

En el muelle, mientras comenzaba a alejarse el barco con lentitud, Danko acercó su espada al corazón del Duque.

—Voy a atravesarte, perro traidor.

—Es lo mejor que podrías hacer por mí —contestó el Duque.

Sin embargo, justo en ese preciso instante, alguien se abalanzó sobre el cuerpo del sanguinario pirata haciéndole perder, durante unos segundos, el equilibrio y su espada. Don Juan de Espina acababa de desarmar a Danko y, con un ágil y rápido movimiento, lanzó un sable al Duque.

El capitán Danko y el Duque, frente a frente, comenzaron un singular y definitivo combate. Durante unos minutos, los furiosos y alocados golpes de Danko fueron parados, con más pericia que ganas, por el Duque. Luego, cuando las lágrimas despejaron la vista del Duque, cuando observó que el *Roccobarocco* comenzaba a alejarse de Tortuga, de su vida, cuando los besos de Bianca se instalaron, definitivamente perdidos, en su cerebro, empezó a golpear salvajemente con su sable el sable de Danko. En unos segundos le desarmó y le atravesó el corazón. Aquel hombre era poco para la fuerza que le daban los besos de su Bianca.

El Duque dejó a un lado el cuerpo ensangrentado del mísero pirata y miró al horizonte. Allá, a lo lejos, sólo veía ya un punto en el universo. Durante unos minutos permaneció callado, muerto en vida, muerto dentro de la más cruel muerte.

Mientras miraba alejarse al *Roccobarocco* comprendía que su vida en Tortuga había terminado y que su aventura pirata ya no tenía sentido. Cogería la inmensa fortuna que había amasado detrás de la ruina de sus ojos, recuperaría el tesoro del *Gran Mogol* y regresaría a España. Allí dedicaría todos sus esfuerzos a que ese gran tesoro perteneciese para siempre a la mujer que le había dado la vida y la muerte y esperaría el final en algún viejo castillo, agarrado sólo a sus recuerdos y a sus planes de trasvasar toda su fortuna a su bella Bianca del alma. Comprendía que todo en su vida lo había hecho por ella, incluso antes de conocerla, y que en la poca vida que le quedaba todo lo seguiría haciendo por ella. El tesoro pirata, el gran tesoro pirata del Duque sólo podía ser para Bianca Mattei.

Mientras pensaba en su futuro, con la mirada perdida en el horizonte, el Duque sintió que alguien se acercaba por su espalda:

—Todo puede volver a empezar... —don Juan de Espina agarró con su mano izquierda el hombro derecho del Duque.

—Sí, tal vez. Los hombres que permanecen en Tortuga necesitan a alguien como vos —replicó el Duque, mientras ambos empezaron a caminar, perdiéndose por las negras calles de la isla.

La noche me envuelve, la casa está vacía, desolada, la música de mi vida sigue sonando y dando vueltas alrededor. El *Secret Story*, como en un ritual milimétricamente calculado, va desgranando, una tras otra, sus 14 canciones. Estoy sentado junto a la ventana, envuelto en penumbras tan sólo mitigadas por una luna llena poderosa y sensual, y me consumo fumando uno tras otro negros cigarrillos que me transporten hasta el humo de algunos recuerdos.

Ha pasado ya más de un mes desde que Peñaranda de Bracamonte quedase instalada en uno de los altares más significativos de mi memoria y no he podido olvidar todavía la discreta despedida de Rojas, ese juego absurdo e irreal tras las cortinillas de su despacho, el extraño e indefinible silencio que, no sé por qué oscuros motivos, me conduce, obsesiva y compulsivamente, a mi propia muerte. Saber que ese hombre con el que estuve conversando y cenando apaciblemente hace unas semanas en su fascinante torreón lleva parapetado tras las mismas cortinas de su despacho más de treinta años me resulta desasosegante y clarificador a la vez. Y es que conozco la vida del entrañable orate como si la hubiese padecido en mis carnes segundo a segundo. Tal vez por eso llevo un mes sintiéndome un gaucho argentino y durmiendo cada noche en la piel de alguien que huyó de una fratricida e incomprensible guerra, paseando al alba con un inmaduro joven que surgió detrás de las ruinas para acabar conociendo el amor verdadero y, tras dos años de felicidad, buscar en perversas y lejanas guerras la muerte y el olvido imposible. Acabar consumiendo, en definitiva, su alma gastada de negra melancolía en medio de tesoros y de piratas.

Después de tantas emociones, todo aparece ante mí como una burda representación, una más en mi calamitosa vida. Siempre supe que la jungla estaba dentro de mí, y en mi corazón, como en el de Rojas, sólo tiene cabida un único amor, un recuerdo imputrescible, inmaculado, eterno. Quizá por eso no dudé en visitar Florencia, subir las empinadas escalinatas que llevan hasta la preciosa iglesia de San Miniato y buscar la tumba de Laura Gabelatti, depositar unas flores sobre el blanco mármol y musitar olvidadas plegarias entresacadas sin mucha dificultad del fondo de mi mente.

La música del guitarrista de Missouri sigue rebotando en las paredes de mi cerebro, llenando mi vida de luz, luna y perfumes, creando una nueva sinfonía de misterio en el misterio de mis oscuros, tétricos y cavernosos ojos. Acabo de acercar el perfume evocador de sueños y de memoria y lo único que alcanzo a comprender, esquivando felices imágenes del pasado, es que en nuestra maldita vida todos nos dedicamos, de una u otra forma, a hacer películas de miedo y de risa. A muchos les van bien las cosas y sus películas de risa ocupan más tiempo en el corto punto de luz que abarca su existencia. Sin embargo, la mayoría nos conformamos con hacer películas de miedo aunque lo peor de todo es que anhelamos la felicidad con tanta fuerza y deseamos tanto hacer películas de risa que, cuando las proyectamos por la noche, agarrados a la almohada, nos damos cuenta de que nuestras películas de risa realmente dan miedo. Ésa es la gran tragedia de la vida. Por eso me acuesto cada noche con el recuerdo, esperando que el teatro instalado en mi cerebro encienda los focos y comience su interminable representación nocturna. Sé que, a pesar de lo imperfectas que puedan ser las.cosas, siempre nos queda la fantasía y también sé, yo mejor que nadie, que en toda una vida pasa única y exclusivamente alguien que puede hacer el milagro de convertirte en director de comedia. Si en esa otra persona coincide el mismo sentimiento, la película puede llegar a ser deliciosa, maravillosa, digna de vivirse. En cambio, cuando no convergen los corazones, cuando esa persona se va, pasa de largo o directamente te da una patada, sólo quedan los besos perdidos y las películas de miedo.

Desnudo y ciego de guitarras, recuerdo el manuscrito de Rojas, *El sueño de Maracaibo*, el de otra vida apagada, una película de miedo más. El disco ha terminado y vuelvo a ponerlo otra vez para que suene sin descanso durante la noche. Creo reconocer, en los primeros cantos camboyanos que abren el *Secret Story*, reflejos de la magia que rezumaba por los cuatro costados el cuerpo de Zoé Latorre. Sé, mientras me dejo envolver por la noche y por pastillas de distintos colores, que ella, a estas alturas, ya habrá buscado otro hombre que le dé mucho más de lo que yo fui capaz. Es, al fin y al cabo, otra pérdida más dentro de una película de miedo que no quiere terminar nunca, igual que la del cuadro de Claudio de Lorena, vendido en un tiempo récord y en circunstancias muy extrañas, a un desconocido aristócrata polaco. En realidad, es algo que ya me da lo mismo. La belleza siempre se escurrió de mis manos como el agua...

He llenado ya la caja de cartón que recoge las cuatro pertenencias que rescato del naufragio y al calor de *Always and Forever*, cierro las llaves del agua, del gas, de todo lo que me ata a esta casa, a esta ciudad, a esta vida. Sé que algún día anclaré mi ruinoso barco en Peñaranda de Bracamonte, compraré el torreón de Walter Scott y alimentaré la historia de Rojas, que no es otra que mi misma historia. También yo me parapetaré tras las cortinas del despacho y dejaré pasar los últimos años de mi vida, reconstruiré pasados, presentes y futuros agarrado a la espada de Ivanhoe, y esperaré que algún joven se acerque al torreón y me pregunte por el oscuro y peligroso misterio que se esconde detrás de algún cuadro, por ejemplo de uno de Claudio de Lorena donde unos piratas parecen desembarcar un impresionante tesoro...

La idea de terminar mis días en el viejo torreón es algo que, realmente, decidí hace dos días, cuando revisando papelajos en perdidos archivos de Salamanca me topé con algo que esperaba desde que leí *El sueño de Maracaibo*, desde que escuché de boca del Duque, como si hubiese estado presente en Tortuga, que se retiraría, tras regalar toda su inmensa fortuna a su amada, a algún castillo de su vieja e ingrata patria. Lo único que sé y quiero saber es que, alrededor de 1637, habitó el castillo de los condes de Peñaranda, durante un par de años, hasta su muerte, un extraño aventurero llegado del Nuevo Mundo conocido como el Duque. Y ya no quise investigar ni saber más, total, para qué. Mi corazón me había dictado, desde el principio, el fin de la historia.

Sin embargo, antes cogeré mi 4 × 4 negro, la caja de cartón que me espera, impaciente, junto a la puerta y me perderé por el mundo, me diluiré por completo, conoceré a Bianca Mattei y a Laura Gabelatti, me volveré a encontrar con Zoé Latorre y dormiré cada noche abrazado, como Rojas y como el Duque, al perfume secreto. No sé por qué extraña y poderosa razón presiento que terminaré aterrizando en Maracaibo, tal vez buscando lo que allí encontró el Duque, o tal vez dedicando las pocas fuerzas que me quedan en rescatar el prodigioso e increíble tesoro del capitán Morgan que, muy probablemente, me esté esperando desde siglos atrás. En todo caso, me perderé por las preciosas calles de la mítica ciudad buscando, como un niño desvalido, mi sueño.

Apuro el último cigarrillo y lo aplasto en el cenicero. Cojo, entre mis brazos, la caja de cartón y abro la puerta de lo que un día fue mi hogar. Antes de apagar las luces y cerrar definitivamente la puerta, miro durante unos segundos, entre alucinado y emocionado, el póster de Jim Morrison que días antes clavé junto al de *Taxi Driver*. Es el mismo Jim Morrison, con la mirada perdida y penetrante a la vez, los vaqueros caídos y gastados, el torso desnudo y la melena llena de olor a cuero y a jinetes en la tormenta, que descendió del póster de las cuatro chinchetas plateadas para asesinar a Iris Latorre.

Por fin cierro la puerta, subo al 4×4 negro y arranco a gran velocidad. Mientras me alejo de la ciudad, recuerdo las palabras de Picasso: «Todos deberíamos ser capaces de coger un trocito de madera y ver en él un pájaro». Tal vez por eso acabo de meter dentro de mi mente a Maracaibo y, al instante, de forma milagrosa, he visto, revoloteando por sus calles, un sueño: el sueño del Pirata.

Nota del autor

*P*ietro Padovani nació y murió en Milán. Estudió Arqueología y Periodismo, aunque lo único que realmente hizo durante toda su vida fue escribir, con la pobre recompensa de tan sólo ver publicados en vida un par de cuentos y, meses antes de su muerte, el folletín *El sueño de Maracaibo*. El día de Navidad de 1903 se suicidó, dejando sobre su mesa de trabajo el principio de una novela titulada *Llueve, siempre Maracaibo*, protagonizada por don Juan de Espina, el nuevo capitán de los piratas de la isla de Tortuga.

El sueño de Maracaibo no tuvo éxito y tan sólo se publicó, ya en los años 70, en una pequeña editorial holandesa, Doelen Stukken (Leiden, 1970). Por otro lado, los siempre avispados guionistas de Hollywood tuvieron la poca delicadeza de utilizar algún fragmento del folletín de Pietro Padovani en varias películas de piratas de la época dorada del cine americano. Claro que eso no tiene ninguna importancia comparado con la descarada y no reconocida versión de 1942 y que acabaría convirtiéndose en una de las películas más famosas de la historia. Que se sepa, los herederos de Pietro Padovani no vieron un solo centavo de la gloriosa operación artístico-comercial.

En *El secreto del pirata* cohabitan citas —más o menos camufladas— y homenajes —de una u otra forma atraídos a la causa pirata— que tienen nombres propios o comunes, según los casos y las circunstancias: Pat Metheny y su *Secret*

Story, el *Exquemelin* (Biblia de Piratas), *Lucy in the Sky with Diamonds*, *El anillo de los Borgia* de James Hadley Chase, Rita Schnitzer y sus libros de perfumes y de recetas de cocina, René Avilés Fabila y su *Kafka*, todas las películas y libros de piratas (Elliot Dooley, Martín Luis Guzmán, Daniel Defoe...), Yvonne Girault, Juan Atienza, Robert De Niro, Claudio de Lorena, el Ajax de la temporada 94/95 y, por supuesto, *Casablanca*.

Este libro utiliza el tipo Aldus, que toma su nombre

del vanguardista impresor del Renacimiento

italiano Aldus Manutius. Hermann Zapf

diseñó el tipo Aldus para la imprenta

Stempel en 1954, como una réplica

más ligera y elegante del

popular tipo

Palatino

* * *

* *

*

El secreto del pirata se acabó de imprimir

en un día de primavera de 2005, en los talleres

de Industria Gráfica Domingo,

calle Industria, 1

Sant Joan Despí

(Barcelona)

* * *

* *

*